ANNE PERRY

SILENCE À HANOVER CLOSE

Traduit de l'anglais
par Anne-Marie Carrière

INÉDIT

10/18

Grands détectives

créé par Jean-Claude Zylberstein

Titre original :
Silence in Hanover Close

© Anne Perry, 1988.
© Éditions 10/18, Département d'Univers Poche, 2001,
pour la traduction française.
ISBN 978-2-264-03525-7

A tante Ina,
qui m'a, en partie,
inspiré le personnage
de tante Vespasia.

1

— Commissariat de Mayfair! annonça le cocher d'une voix forte, avant même l'arrêt du cab.

Son ton laissait entendre qu'il n'appréciait guère ce genre d'endroit, même situé, comme celui-ci, dans l'un des quartiers les plus élégants de la capitale.

Pitt régla sa course et entra dans le poste de police où un brigadier le reçut avec indifférence.

— Monsieur?

— Inspecteur Pitt, du commissariat de Bow Street. J'aimerais parler à l'officier de service.

L'homme prit une profonde inspiration et détailla le nouveau venu d'un œil critique. Celui-ci ne correspondait pas du tout à l'image qu'il se faisait d'un supérieur hiérarchique! Il déshonorait la police de Sa Majesté avec son manteau aux poches gonflées et son pantalon mal assorti. Et ses cheveux! Au lieu d'aller chez le coiffeur, il devait les tailler lui-même avec des cisailles de jardin.

Néanmoins, le brigadier s'adressa à lui avec un certain respect. Il avait entendu parler de l'inspecteur Pitt.

— Oui, monsieur. L'inspecteur Mowbray est de service, aujourd'hui. Je vais le prévenir de votre arrivée. C'est à quel sujet, monsieur?

— Désolé, brigadier. Affaire confidentielle.

— Très bien, monsieur.

L'homme se détourna, impassible, sortit de la pièce et revint quelques minutes plus tard, sans se hâter.

— Deuxième porte à gauche, monsieur. L'inspecteur vous attend.

Mowbray, un homme brun, au crâne dégarni, aux traits intelligents, dévisagea son visiteur avec curiosité.

— Pitt, fit ce dernier, en lui tendant la main.

— J'ai entendu parler de vous, dit Mowbray, en lui rendant une vigoureuse poignée de main. Que puis-je faire pour vous ?

— J'ai besoin de compulser le registre où doit être consigné un rapport de cambriolage commis il y a trois ans à Hanover Close. Le 17 octobre 1884, pour être précis.

Le visage de Mowbray refléta une surprise vaguement attristée.

— Sale histoire. Il est rare qu'un meurtre soit perpétré au cours d'un vol avec effraction, surtout dans ce secteur. L'affaire a été classée. Auriez-vous du nouveau ? ajouta-t-il, en haussant un sourcil plein d'espoir. L'une des pièces volées a-t-elle été retrouvée ?

— Non. Désolé, s'excusa Pitt, gêné vis-à-vis d'un collègue dont il reprenait l'enquête et furieux que le complément d'investigation exigé, qui d'ailleurs n'était pas le but réel de sa visite et ne servirait sans doute à rien, lui ait été présenté de façon aussi floue.

Il n'avait pas apprécié la façon de procéder de ses supérieurs. A son avis, c'était à Mowbray de rouvrir le dossier, mais la réputation d'une femme de la haute société était mise en cause, et la victime appartenait à une famille riche et puissante. De plus, on parlait à mots couverts d'une affaire d'espionnage. Aussi le Foreign Office[1] avait insisté pour que le dossier fût confié aux services d'un fonctionnaire de police qu'il pouvait contrôler. Le commissaire Ballarat comprenait en effet fort bien ce que ses supérieurs attendaient de

---

1. Ministère des Affaires étrangères. (*N.d.T.*)

lui ; il ambitionnait de s'élever dans la hiérarchie policière afin que la bonne société accepte de le considérer comme un vrai gentleman. Il ignorait toutefois que ceux qu'il désirait le plus impressionner devinaient l'origine sociale d'un individu au premier coup d'œil, notamment à son port de tête et à sa diction.

Pitt, fils d'un garde-chasse, avait été élevé et instruit en compagnie du fils du hobereau pour lequel son père travaillait. Il n'ignorait donc rien des usages de la gentry. Par ailleurs, il avait épousé une jeune fille d'un rang social nettement supérieur au sien et avait appris à connaître de l'intérieur un milieu d'ordinaire fermé à un policier.

Ballarat n'aimait pas les manières de son subordonné, qu'il jugeait insolentes, mais il était bien obligé d'admettre qu'il était l'homme tout désigné pour mener cette enquête. Il la lui avait donc confiée, bien à contre-cœur.

Mowbray considéra Pitt avec une pointe de déception, mais se reprit très vite.

— Vous devriez voir l'agent Lowther ; c'est lui qui a découvert le corps. Et bien entendu, vous pouvez consulter les rapports. Mais je vous préviens tout de suite, il n'y a rien de bien intéressant.

Il secoua la tête.

— Ce n'est pas faute d'avoir essayé, mais nous n'avons retrouvé aucun témoin. Quant aux pièces volées, elles n'ont jamais réapparu. Nous avons pensé à un vol domestique ; le personnel a été interrogé à maintes reprises, sans résultat.

— J'imagine que je procéderai de la même manière que vous, répondit Pitt.

C'était une façon détournée de s'excuser de reprendre l'enquête.

— Voulez-vous une tasse de thé, pendant que je fais chercher Lowther ? proposa Mowbray. Quel temps épouvantable ! Je ne serais pas étonné qu'il neige avant Noël.

— Bien volontiers.

Dix minutes plus tard, Pitt était assis devant un maigre dossier posé sur une table au bois éraflé, dans une petite pièce glaciale chichement éclairée au gaz. En face de lui se tenait un policier au garde-à-vous, un peu gauche. Les boutons de son uniforme étincelaient.

— Asseyez-vous et mettez-vous à l'aise, lui dit Pitt.

— Bien, monsieur, fit l'agent, nerveux. Je me souviens nettement du meurtre d'Hanover Close. Qu'est-ce que vous voulez savoir, au juste ?

— Tout !

Pitt prit la théière, remplit une timbale émaillée et la lui tendit. Lowther ouvrit des yeux ronds.

— Merci bien, monsieur.

Il but une gorgée, se ressaisit et commença son récit à voix basse.

— Il était trois heures cinq du matin, le 17 octobre, il y a trois ans. J'effectuais ma ronde dans Hanover Close...

— Tous les combien, la ronde ? l'interrompit Pitt.

— Toutes les vingt minutes exactement, monsieur.

Pitt sourit.

— Je sais qu'en principe les rondes sont de vingt minutes. Mais êtes-vous certain de ne pas avoir été retardé ce soir-là par un incident quelconque ?

Il lui offrait ainsi l'occasion d'échapper à un blâme sans avoir à mentir.

L'agent fixa sur lui un regard bleu innocent.

— Non, monsieur. Il m'arrive parfois d'être retardé, mais cette nuit-là, j'étais à l'heure, à une minute près. C'est pourquoi j'ai remarqué le carreau cassé, au numéro deux, parce qu'il ne l'était pas vingt minutes plus tôt. « Une fenêtre qui donne sur la rue, je me suis dit, c'est pas normal. » D'habitude, les cambrioleurs pénètrent par l'arrière des maisons ; ils font passer un gamin qui se faufile entre les barreaux et se dépêche de les faire entrer.

Pitt acquiesça d'un signe de tête.

— Donc, je suis allé frapper à la porte du numéro deux, poursuivit Lowther. J'ai dû faire un sacré boucan...

Il rougit.

— Pardonnez-moi l'expression, monsieur. J'ai dû frapper et crier longtemps avant que quelqu'un descende. Au bout de cinq minutes, un valet a ouvert la porte, à moitié endormi. Il avait passé un manteau sur sa chemise de nuit. Quand je lui ai dit qu'un carreau était cassé, il a paru stupéfait et m'a tout de suite conduit dans la pièce qui donnait sur la rue. C'était la bibliothèque.

Il prit une profonde inspiration, sans cesser de regarder Pitt.

— J'ai tout de suite vu que quelque chose clochait : deux chaises renversées, une demi-douzaine de livres éparpillés sur le tapis, le contenu d'une carafe d'eau répandu sur la table près de la vitre brisée, et des éclats de verre qui brillaient dans la lumière.

— La lumière? s'étonna Pitt.

— Oui, le valet avait allumé les lampes à gaz. Il était tout retourné, le pauvre diable, ça, c'est sûr.

— Et ensuite?

— Je me suis avancé dans la pièce, poursuivit Lowther, le front plissé au souvenir de la scène, et j'ai vu un homme allongé sur le sol, face tournée contre terre, les jambes un peu repliées, comme s'il avait été surpris par-derrière. Sa tête était pleine de sang, là...

Il indiqua sa tempe droite, à la base de la racine des cheveux.

— A une cinquantaine de centimètres de lui, sur le tapis, il y avait un cheval en bronze monté sur un socle, d'une hauteur d'environ vingt centimètres. L'homme portait une robe de chambre par-dessus sa chemise de nuit, et des pantoufles. Je me suis penché sur lui pour voir si je pouvais faire quelque chose, mais je me doutais bien qu'il était mort. Le valet devait pas avoir plus de vingt ans... Pauvre garçon... Il s'est senti tout chose

et s'est effondré sur une chaise en disant : « Oh, mor-
Dieu, c'est Mr. Robert ! Pauvre Mrs. York ! »

— L'homme était-il mort ?

— Oui, monsieur, mais le corps était encore tiède.
La fenêtre n'était pas cassée vingt minutes plus tôt.

— Qu'avez-vous fait ensuite ?

— Eh bien, pour moi il était clair qu'il avait été
assassiné ; quelqu'un était entré de l'extérieur par
effraction : les morceaux de verre jonchaient le tapis et
le loqueteau était relevé.

Son visage s'assombrit.

— Mais c'était du travail d'amateur : la fenêtre avait
été brisée sans précaution et tout était sens dessus dessous.

Pitt savait que les cambrioleurs chevronnés collaient
du papier sur le carreau de façon à retenir les éclats de
verre, tout en découpant un rond bien net pour pouvoir
passer la main et tourner l'espagnolette sans faire de
bruit. Un bon professionnel parvenait à ouvrir une
fenêtre en quinze secondes.

— J'ai demandé au valet s'il y avait dans la maison
un de ces engins... vous savez... un téléphone. Il m'a dit
que oui. Je l'ai prié de garder l'entrée de la bibliothèque ; j'ai fini par trouver l'engin en question et j'ai
appelé le commissariat. Sur ces entrefaites, le majordome est arrivé ; il avait dû entendre du bruit au rez-de-
chaussée et, ne voyant pas remonter le valet, il était
descendu s'enquérir de ce qui se passait. Il a formelle-
ment reconnu le corps de Mr. Robert York, fils de
l'honorable Piers York, le maître de maison. Ce dernier
s'étant absenté pour affaires, il a fallu prévenir
Mrs. York, la mère de la victime. Le majordome a aussi
appelé sa cameriste, pour qu'elle soit là au cas où
Mrs. York se trouverait mal. Mais lorsqu'elle est descendue, elle a fait preuve d'un calme... d'une dignité...

Il poussa un soupir admiratif.

— C'est à ça qu'on reconnaît une vraie dame. Elle
était blanche comme un linge, la pauvre, mais elle n'a

pas versé une larme. Elle a seulement demandé à sa camériste de lui tenir le bras.

Pitt avait connu beaucoup de femmes du monde à qui l'on avait inculqué l'art de supporter la souffrance physique, la solitude ou le deuil, en offrant au monde un visage serein ; elles ne pleuraient que dans l'intimité. Des femmes qui avaient vu leur mari et leurs fils partir pour les champs de bataille de Balaklava ou de Waterloo, explorer les passes de l'Hindou Kouch, découvrir les sources du Nil Bleu, avant de devenir fonctionnaires de l'Empire britannique. Nombre d'entre elles étaient même parties retrouver leur époux dans ces contrées inconnues où elles avaient héroïquement enduré toutes sortes de privations et la perte de leur environnement familier. Pour Pitt, Mrs. York faisait partie de cette race de femmes-là.

Lowther continua à voix basse, se souvenant de la grande maison plongée dans la pénombre et la douleur :

— Je lui ai demandé si, à son avis, il manquait quelque chose dans la pièce ; mettez-vous à ma place, c'était délicat de poser une telle question à une dame dans un moment pareil, mais j'étais bien obligé. Toujours très calme, elle a fait le tour de la bibliothèque à pas lents et m'a dit qu'à première vue manquaient deux portraits miniatures encadrés d'argent, datant de 1773, un presse-papiers de cristal gravé de motifs entrelacés, un petit vase en argent — les fleurs étaient tombées par terre et l'eau s'était répandue sur le tapis — je me demande pourquoi je ne m'en étais pas aperçu plus tôt — et une édition originale d'un livre de Jonathan Swift. C'était tout ce qui manquait, apparemment.

— Où se trouvait ce livre ?

— Sur les étagères, au milieu des autres. Donc le cambrioleur savait qu'il était là ! J'ai demandé à Mrs. York s'il était facile à reconnaître ; elle m'a répondu que la reliure n'avait rien de particulier.

— Bon, soupira Pitt, avant de changer de sujet. Le défunt était-il marié ?

— Oui. Mais j'ai pas voulu déranger son épouse. Elle s'était pas réveillée et je voyais pas l'utilité de lui annoncer la mort de son mari au beau milieu de la nuit. Il valait mieux que la famille s'en charge.

Pitt pouvait difficilement l'en blâmer. Annoncer un assassinat aux proches de la victime était l'une des tâches les plus pénibles dévolues à un policier ; la seule qui fût plus éprouvante était de voir l'expression de ceux qui aimaient le coupable, lorsque celui-ci était démasqué.

— Des preuves tangibles ? demanda-t-il d'une voix forte.

Lowther secoua la tête.

— Non, monsieur, enfin pas de vrai indice. On n'a retrouvé aucun objet susceptible d'appartenir au cambrioleur ; rien ne prouvait qu'il s'était aventuré ailleurs que dans la bibliothèque. Aucune empreinte de chaussures, pas de cheveux, pas le moindre bout de tissu. Le lendemain, nous avons interrogé les domestiques, mais ils avaient rien entendu. Ils dorment tous au dernier étage, sous les combles. De là-haut, ils ont pas pu entendre le bris de vitre.

— Et au-dehors, vous n'avez rien remarqué ?

— Non, monsieur. Aucune trace de pas sur le rebord de la fenêtre, ni sur le sol. Faut dire qu'il gelait à pierre fendre cette nuit-là, le sol était dur et lisse comme de la pierre. Moi-même, j'avais pas laissé de trace, bien que j'approche des quatre-vingt-dix kilos.

— Le sol était-il suffisamment sec pour que vous n'ayez pas non plus laissé de traces sur le tapis ?

— Pas une seule, monsieur, j'ai pensé à le vérifier.

— Des témoins ?

— Non, Mr. Pitt. On en a retrouvé aucun. Vous savez, Hanover Close est une impasse ; hormis les résidents, personne ne fréquente cette rue, surtout en hiver, en pleine nuit. Et on peut pas dire que ce soit un coin apprécié par les prostituées.

Pitt s'attendait plus ou moins à ces réponses, mais

sait-on jamais, avec un peu de chance... Il essaya une dernière piste.

— Et les objets volés?

Lowther fit la grimace.

— Pas la moindre trace, monsieur. Et pourtant, on les a cherchés, vu qu'il y avait eu meurtre...

— Voyez-vous d'autres détails à me signaler?

— Non, Mr. Pitt. C'est l'inspecteur Mowbray qui a interrogé la famille. Il pourra peut-être vous en dire plus.

— Je verrai avec lui. Merci, Lowther.

— Il y a pas de quoi, monsieur.

Pitt retourna dans le bureau de Mowbray.

— Avez-vous trouvé ce que vous vouliez? s'enquit celui-ci avec un mélange de curiosité et de résignation. Lowther est une bonne recrue. S'il y avait eu quelque chose d'intéressant, il l'aurait remarqué.

Pitt s'assit le plus près possible de la cheminée. Mowbray s'écarta un peu pour lui laisser de la place, prit la théière et, d'un haussement de sourcils, lui demanda s'il en voulait encore. Pitt hocha la tête. Le breuvage, fort amer, était néanmoins chaud et réconfortant.

— Vous êtes-vous rendu à Hanover Close le lendemain du meurtre? demanda-t-il.

Mowbray plissa le front.

— Oui, dans la matinée, à l'heure la plus convenable. S'il y a une chose que je déteste, c'est d'aller déranger les gens dans un moment pareil, avant même qu'ils n'aient eu le temps de se remettre du choc. Cela fait partie du métier, hélas. York n'était pas là; seules la mère et la veuve...

— Parlez-moi d'elles, l'interrompit Pitt. Donnez-moi vos impressions.

Mowbray poussa un long soupir.

— Mrs. York mère est une femme remarquable, qui a dû être très belle dans sa jeunesse. Oui, une femme encore très agréable à regarder.

Il hésita, mécontent de sa description. Il fronça les sourcils et cligna des yeux à plusieurs reprises.

— Très féminine... Une peau satinée, comme ces fleurs que l'on voit dans les jardins botaniques... Comment s'appellent-elles déjà? Des camélias. Oui, elle m'a fait penser à un camélia aux pétales blancs, denses et bien ordonnés, pas comme ces fleurs des champs qui poussent dans tous les sens ou ces grosses roses d'automne dont les pétales tombent dès qu'elles s'ouvrent...

Pitt aimait la somptueuse exubérance des rosiers d'automne; mais c'était affaire de goût. Peut-être Mowbray les trouvait-il vulgaires.

— Et la veuve? demanda-t-il d'une voix neutre, essayant de ne pas trahir son intérêt.

Mais Mowbray était perspicace. Il soutint le regard de Pitt, un léger sourire aux lèvres.

— Le choc a été terrible pour elle; elle était livide. J'ai vu beaucoup de femmes endeuillées; c'est ce que je déteste le plus dans notre travail. Ce sont les moins éplorées qui ont tendance à sangloter, à s'évanouir et à manifester leur chagrin. Mrs. York est restée quasiment muette. Elle paraissait anéantie. Elle ne nous regardait pas, comme le font les menteuses. Je crois qu'elle se moquait bien de ce que nous pensions.

Pitt sourit, malgré lui.

— Ressemblait-elle à un camélia?

Une lueur d'humour éclaira le regard de Mowbray.

— Non. Un autre genre de femme, plus... plus délicate. Peut-être à cause de sa jeunesse, mais j'ai eu l'impression qu'elle ne possédait pas la force intérieure de sa belle-mère. En attendant, l'une des plus belles créatures que j'ai jamais rencontrées, grande, mince, lumineuse, comme une fleur fraîchement éclose, malgré sa robe de deuil. On pourrait dire... fragile; un visage que l'on n'oublie pas: hautes pommettes, ossature délicate...

Il secoua la tête.

— Une physionomie très expressive...

D'après cette description lyrique, Pitt essaya de se représenter Veronica York. Que craignait donc le Foreign Office ? L'espionnage au service d'une puissance étrangère, ou le scandale déclenché par le meurtre d'un diplomate ? Pour quelle raison avait-on demandé à Ballarat de rouvrir le dossier ? Pour s'assurer qu'aucune sordide affaire surgie du passé ne vienne un jour ruiner la carrière d'un ambassadeur ? En quelques minutes d'entretien, Pitt avait conçu du respect pour l'inspecteur Mowbray. L'homme était un bon officier de police. Si, selon lui, l'épouse de la victime était anéantie par l'annonce du décès de son mari, Pitt aurait probablement pensé la même chose en la voyant.

— Avez-vous vérifié l'emploi du temps de la famille le soir du crime ? demanda-t-il.

— Les deux femmes étaient sorties dîner en ville avec des amis. Elles sont rentrées vers onze heures et sont directement montées se coucher. Les domestiques l'ont confirmé. Robert York était sorti lui aussi ; il travaillait au Foreign Office et avait souvent des réunions le soir. Il est rentré après ces dames, mais elles ne se souviennent pas de l'heure. Les domestiques non plus. York leur avait dit de ne pas l'attendre. Apparemment, il était encore éveillé quand le monte-en-l'air est entré. York a dû descendre dans la bibliothèque et l'y surprendre. Le voleur, affolé, l'aurait tué.

Mowbray fit la grimace.

— J'ignore pour quelle raison. Il aurait très bien pu se cacher ou ressortir par la fenêtre, puisque le loqueteau était levé. Du travail d'amateur, vraiment.

— Vos conclusions ?

Mowbray leva un sourcil.

— Affaire classée. Sans suite.

Il hésita à poursuivre, se demandant s'il devait en dire davantage.

Pitt termina sa tasse de thé et la posa sur le manteau de la cheminée.

— Étrange histoire, commenta-t-il simplement. Notre cambrioleur sait à quel moment s'introduire dans la maison et en ressortir sans être aperçu par le policier qui fait sa ronde — Lowther passait toutes les vingt minutes ; pourtant, au lieu de se glisser dans la maison par-derrière, de faire passer un gosse par les barreaux qui donnent sur l'office, ou d'utiliser un cric à crémaillère pour les écarter, il casse le carreau d'une fenêtre donnant sur la rue, sans chercher à étouffer le bruit. Il connaît suffisamment les lieux pour dénicher une édition originale de Swift, qui, selon Lowther, était rangée au milieu d'autres volumes ; en revanche, il fait un tel vacarme qu'il dérange Robert York, lequel descend dans la bibliothèque et le surprend en flagrant délit. Au lieu de se cacher ou de s'enfuir, notre homme s'empare d'une statuette en bronze et lui assène un coup fatal...

— Et il n'a jamais revendu les fruits de son cambriolage, conclut Mowbray. Je sais. Bizarre, très bizarre. Sur le moment, je me suis demandé s'il ne s'agissait pas de quelqu'un de l'entourage de Mr. York. Un gentleman ayant de gros ennuis d'argent, réduit à voler chez ses amis. J'ai poussé l'enquête dans cette direction, avec discrétion, s'entend. J'ai même cherché du côté des relations de son épouse, mais je me suis fait rappeler à l'ordre par mes supérieurs, gentiment, mais fermement ; je devais m'en tenir à une enquête de routine et ne pas ajouter à la détresse d'une famille en deuil. On ne m'a pas dit de classer l'affaire, non, rien d'aussi précis. Mais j'ai bien compris qu'on me tenait à l'œil. Je ne suis pas idiot.

Pitt s'attendait à cette remarque. Lui-même avait souvent fait l'expérience de ces sous-entendus à peine voilés de la part de la hiérarchie. La police devait se montrer déférente envers un monde possédant l'argent et par conséquent le pouvoir.

Il se leva, à contrecœur. Dehors, il pleuvait ; la pluie tombait en rafales obliques contre les vitres, estompant les contours des toits et des façades à pignon.

— Bien, il ne me reste plus qu'à passer à l'étape suivante, soupira-t-il. Merci pour votre aide. Et pour le thé.

— Je n'aimerais pas être à votre place, remarqua Mowbray.

Pitt sourit. Il appréciait son collègue et détestait l'idée d'avoir à reprendre son enquête, comme si celui-ci avait fait preuve d'incompétence. Il maudit intérieurement Ballarat et le Foreign Office.

Une fois dehors, il remonta le col de son manteau, resserra son écharpe et baissa la tête pour affronter la pluie battante. Chacun de ses pas faisait gicler des petites gerbes d'eau ; ses cheveux trempés tombaient sur son front. Tout en marchant, il réfléchissait : que désiraient ces messieurs des Affaires étrangères, au juste ? Une explication décente à une affaire mystérieuse ayant impliqué un haut fonctionnaire, pour ne causer aucun embarras, comme Ballarat l'avait dit ? La veuve de Robert York était fiancée, non officiellement, à un certain Julian Danver. Si ce dernier était destiné au rang de plénipotentiaire, d'ambassadeur, voire de ministre, aucune ombre ne devait entacher la réputation de ses proches, en particulier celle de son épouse.

A moins qu'un élément nouveau, lié au meurtre de Robert York, ait révélé une affaire d'espionnage au plus haut niveau et que le Foreign Office ait décidé d'employer les compétences de Pitt pour en démêler les fils. Ainsi, il serait seul tenu pour responsable du scandale qui ne manquerait pas d'éclater, avec son cortège de carrières brisées et de réputations ruinées.

Sale travail. Et tout ce que venait de lui dire Mowbray n'était pas pour l'encourager. Qui était le cambrioleur de la bibliothèque ? Que faisait-il là ?

Pitt quitta Piccadilly pour tourner dans St. James's, traversa le Mall, longea St. James's Park dont les arbres aux branches dénudées s'agitaient furieusement sous la bourrasque ; il remonta Downing Street, tourna à droite dans Whitehall et entra au Foreign Office.

Il lui fallut plus d'un quart d'heure de négociations

avec des fonctionnaires butés pour les convaincre de le laisser monter dans le service où avait travaillé Robert York. Il fut reçu par un quadragénaire distingué, qui tourna vers lui un regard gris étonnamment lumineux.

— Felix Asherson. Si je peux vous aider, dans la mesure de mes modestes possibilités... proposa-t-il avec une prudence toute diplomatique.

— Merci, monsieur. Nous avons rouvert l'enquête au sujet de la mort tragique, voilà trois ans, de Mr. Robert York.

Les traits d'Asherson reflétèrent aussitôt une grande commisération. Mais était-elle réelle ou feinte ? Un diplomate, par la nature même de son métier, sait s'adapter à toutes les situations.

— Avez-vous appréhendé le meurtrier ?

Pitt choisit d'aborder le sujet par la bande.

— Hélas, non. Nous suivons pour l'instant la piste des pièces volées. Il est possible que le cambrioleur n'ait pas été un vulgaire malfrat, mais un gentleman à la recherche d'un objet particulier.

— Tiens donc ? Et la police n'y avait pas pensé à l'époque ?

— Si, monsieur. Mais certaines personnes influentes ont demandé que je reprenne l'affaire, répondit Pitt, espérant que la discrétion légendaire des diplomates empêcherait Asherson de lui demander leurs noms.

La gêne de celui-ci se traduisit par une légère contraction de la mâchoire, un imperceptible raidissement de la nuque, prise dans le col cassé.

— Comment pouvons-nous vous aider ?

L'emploi de la première personne du pluriel signifiait que l'homme parlait au nom de son ministère, et non au sien propre.

Pitt choisit soigneusement ses mots.

— Puisque le voleur avait décidé de perpétrer son larcin dans la bibliothèque et non, par exemple, dans la salle à manger où se trouve l'argenterie, nous pouvons en déduire qu'il était peut-être à la recherche de dossiers confidentiels sur lesquels Mr. York travaillait à l'époque...

— Ah ? releva Asherson, sans s'avancer, puis voyant que Pitt attendait, il ajouta : C'est dans l'ordre des choses possibles — je veux dire par là que l'homme pouvait espérer trouver des documents l'intéressant... Cela change-t-il quelque chose ? Après tout, les faits remontent à trois ans.

— Nous n'abandonnons jamais une enquête criminelle, monsieur, rétorqua Pitt.

Pourtant, songea-t-il, le dossier avait été classé après six mois d'enquête infructueuse. Pourquoi tenait-on tant à le rouvrir aujourd'hui ?

— Oui, bien sûr, concéda Asherson. En quoi le ministère peut-il vous être utile ?

Pitt décida d'opter pour la franchise. Il sourit légèrement, sans quitter son interlocuteur des yeux.

— Avez-vous constaté la disparition de certains documents après l'arrivée de Mr. York dans ce service ? Je comprendrais que vous ne soyez pas en mesure de me donner une date précise, mais vous pourriez peut-être vous souvenir du moment où vous avez remarqué leur absence.

Asherson hésita.

— A vous entendre, inspecteur, nous serions de parfaits incompétents. Sachez que nous n'égarons pas les dossiers.

— Donc si des informations sont tombées entre les mains de personnes non autorisées, c'est qu'on les a volontairement laissées filtrer ? demanda Pitt d'un ton innocent.

Asherson expira avec lenteur, pour se donner le temps de réfléchir. Une grande confusion se lisait sur son visage. Il ne voyait pas où son interlocuteur voulait en venir.

— Des renseignements ont été... hasarda Pitt à voix basse, à mi-chemin entre question et affirmation.

Asherson affecta aussitôt l'ignorance.

— Ah bon? Ceci expliquerait peut-être pourquoi ce pauvre Robert a été tué. Si certaines personnes avaient appris qu'il ramenait des documents à son domicile, un voleur a pu...

Il n'acheva pas sa phrase.

— Selon vous, Mr. York a pu emporter des dossiers chez lui à plusieurs reprises? Ou suggérez-vous que cela ne s'est produit qu'une seule fois et que, par le plus grand des hasards, le voleur a choisi cette nuit-là pour s'introduire à son domicile?

L'hypothèse était grotesque, et ils le savaient tous deux. Asherson ébaucha un léger sourire. Il était piégé, mais s'il était furieux, il le cacha magnifiquement.

— Bien sûr que non. J'ignore ce qui a pu se passer, mais si York a fait preuve de légèreté ou s'il avait des amis qui ne méritaient pas sa confiance, cela n'a plus guère d'importance, désormais. Le pauvre homme est mort. Si les renseignements avaient atteint nos ennemis, nous en aurions déjà subi les conséquences. Or il n'en a rien été. Cela, je peux vous l'assurer. Si trahison il y a eu, la tentative a échoué. Ne pouvez-vous pas laisser sa mémoire en paix, ainsi que sa famille?

Pitt se leva.

— Merci, Mr. Asherson. Vous avez été très franc. Au revoir, monsieur.

Immobile au milieu de son tapis turc aux tons bleu roi et vermillon, Felix Asherson, perplexe, regarda le policier s'éloigner.

Le crépuscule tombait, glacial. De retour à Bow Street, Pitt monta frapper à la porte du commissaire.

— Entrez!

Ballarat était debout devant l'âtre de la cheminée. Il occupait un bureau confortable, à la différence de ceux des simples agents de police, situés au rez-de-chaussée : grande table recouverte de cuir vert, fauteuil pivotant bien rembourré. Le bout d'un gros cigare était posé dans un cendrier de grès.

Le commissaire était un homme de taille moyenne, un peu court sur jambes, corpulent, aux épais favoris impeccablement taillés. Il sentait l'eau de Cologne. Ses vêtements étaient repassés avec soin. Il portait, nouée autour de son col de chemise empesé, une cravate rouge foncé assortie à ses bottes rutilantes. En un mot, c'était l'antithèse de Pitt, avec ses cheveux en désordre, son écharpe de laine qui dissimulait son col mou, ses habits dépareillés. Un bout de ficelle pendait d'une poche de son manteau.

— Eh bien ? s'enquit Ballarat d'un ton irrité. Fermez la porte, mon vieux ! Je n'ai pas envie que tout le commissariat nous entende. Je vous répète qu'il s'agit d'une affaire confidentielle. Alors, du nouveau ?

— Fort peu, répondit Pitt. L'enquête avait été approfondie, à l'époque.

— Bon sang de bon sang, je le sais ! J'ai lu les journaux !

Ballarat serra les poings, les enfonça dans ses poches et se balança d'avant en arrière.

— Sommes-nous devant l'œuvre d'un amateur, surpris en flagrant délit par le jeune York, et qui, pris de panique, l'aurait tué au lieu de prendre la poudre d'escampette ? Pour moi, sans l'ombre d'un doute, le fait que York travaillait pour le Foreign Office n'est qu'une coïncidence. Les plus hautes instances... les plus hautes instances, répéta-t-il avec un plaisir évident, m'ont confirmé qu'aucune puissance étrangère n'avait eu vent du dossier sur lequel travaillait York.

— L'autre hypothèse, plus probable, est que l'un de ses amis, ayant contracté des dettes de jeu, ait choisi la solution du cambriolage pour renflouer ses finances, répondit Pitt. Il savait où trouver une édition originale de Swift, ajouta-t-il, devant l'expression mécontente de son supérieur.

— Alors, il avait un complice dans la maison ! Il a dû soudoyer un domestique...

— C'est possible. En supposant qu'un domestique

sache reconnaître une édition originale. L'honorable Piers York ne doit pas parler littérature avec son personnel.

Ballarat faillit dire à Pitt de se montrer moins insolent, mais il se ravisa et préféra changer de sujet.

— Bon, si le cambrioleur faisait partie des relations du jeune York, vous avez intérêt à vous montrer prudent. On nous a confié une mission extrêmement délicate, Pitt. Un mot de trop et vous pourriez ruiner des réputations — sans parler de votre carrière...

Il paraissait de plus en plus mal à l'aise ; son visage était tout congestionné.

— On nous demande seulement d'établir de façon certaine que la conduite de l'épouse de Robert York était irréprochable. Il ne vous appartient pas de noircir le nom du défunt, un homme honorable, qui s'est distingué par ses services rendus à la reine d'Angleterre.

— Il y a eu des fuites au Foreign Office, reprit Pitt en haussant le ton. Et le cambriolage de la maison York demande un complément d'enquête.

— Alors, tirez cette affaire au clair ! aboya Ballarat. Apportez-moi la preuve que le cambrioleur était un ami de York, ou mieux, prouvez le contraire ! Lavez Veronica York de tout soupçon, et nous serons tous remerciés !

Pitt ouvrit la bouche, puis comprit qu'il était inutile de discuter. Il réprima son agacement.

— Bien, monsieur.

Il quitta le commissariat, l'esprit en ébullition. Une pluie glaciale lui gifla le visage. Il se fit bousculer par des passants. Autour de lui, les voitures filaient bruyamment sur le pavé luisant. Les boutiques avaient allumé leurs lumières et, sous les réverbères à gaz, des marchands vendaient des marrons chauds qu'ils faisaient rôtir sur des braseros. En entendant un chant de Noël, Pitt oublia ses soucis et imagina le visage de ses enfants le jour de Noël. Ils étaient déjà tout excités !

Chaque soir, Daniel demandait si Noël était le lendemain et Jemima, du haut de ses six ans, lui disait de patienter encore un peu. Pitt sourit. Il avait fabriqué pour son fils un train en bois, avec la locomotive et six wagons, et avait acheté à Jemima une poupée pour laquelle Charlotte, le soir, confectionnait robes, jupons et bonnets. Pitt avait remarqué que, depuis quelques jours, lorsqu'il entrait à l'improviste dans le salon, elle se dépêchait de cacher sa couture sous un coussin, avant de lever vers lui un regard innocent.

A cette pensée, son sourire s'élargit. Il savait qu'elle lui préparait une surprise. De son côté, il était très satisfait du cadeau qu'il lui avait déniché : un petit vase d'albâtre rose, aux lignes parfaites, qui lui avait coûté des semaines de patientes économies. Restait le problème du cadeau d'Emily, la sœur de Charlotte. Au cours de l'été, celle-ci avait perdu son mari, Lord George Ashworth, un aristocrate fortuné, dans des circonstances tragiques. Il était normal qu'Emily vienne passer les fêtes de Noël chez eux avec son petit garçon, Edward, âgé de cinq ans. Mais Pitt se creusait la tête pour trouver un présent qui lui fasse plaisir, tout en restant dans ses moyens.

Il n'avait pas encore résolu le problème, lorsqu'il arriva devant sa porte. Il ôta son manteau mouillé, l'accrocha à la patère, quitta ses bottes trempées et partit en chaussettes vers la cuisine. Jemima se précipita à sa rencontre, les joues en feu, les yeux brillants.

— Papa, papa, c'est le soir du réveillon, aujourd'hui ?

— Non, ma chérie. Un peu de patience.

Il la souleva dans ses bras et la serra tendrement contre lui.

— Tu es sûr, papa ?

— Oui, ma chérie, tout à fait.

Il l'emmena jusqu'à la cuisine et la posa par terre. Gracie, leur jeune bonne, s'occupait de Daniel à l'étage. Charlotte était seule, terminant son gâteau de Noël. Une boucle de cheveux tombait sur son front. Elle lui sourit.

— Une affaire intéressante?

— Non. Une vieille histoire qui n'ira pas bien loin.

Il déposa un baiser sur ses lèvres, puis un autre, plus tendre encore.

— Vraiment rien d'intéressant? insista-t-elle.

— Non. Une simple formalité.

2

Charlotte accepta la façon dont Pitt avait éludé la question, car elle était fort occupée par l'organisation de la fête de Noël. Il y avait tant à faire à la cuisine : cacher des pièces de monnaie dans le pudding, confectionner truffes et caramels, napper les tartes de confiture, hacher les fruits secs pour garnir les *mince pies* [1] et enfin emballer les cadeaux dans du papier coloré. Le plus difficile était d'organiser ces préparatifs avec une parfaite discrétion, afin de faire une belle surprise à tout son petit monde.

A un autre moment, Charlotte aurait insisté davantage : dans le passé, elle s'était en effet à maintes reprises investie dans des affaires criminelles complexes et tragiques, poussée par la curiosité ou l'indignation. L'été précédent, George, le mari de sa sœur, avait été assassiné, et l'enquête, fort délicate, s'était éternisée. Pendant longtemps, Emily en avait été le principal suspect. En effet, George avait eu une liaison éphémère mais intense avec Sybilla March et Emily était la seule à savoir que cette relation avait pris fin la veille du décès de son mari. Qui aurait pu la croire, alors que toutes les preuves l'accablaient ? De plus,

---

1. Tartelettes fourrées d'un hachis de raisins secs, de fruits confits, de pommes et de saindoux. (*N.d.T.*)

dans ses efforts désespérés pour regagner l'attention de son époux, Emily s'était laissé courtiser par Jack Radley, avec une telle ostentation qu'elle avait donné à tout le monde l'impression d'en être éprise.

Charlotte n'avait jamais eu aussi peur, tant le drame la touchait de près. La mort soudaine et terrible qui avait frappé leur sœur aînée Sarah était venue de l'extérieur de la famille, tandis que celle de George avait trouvé son origine en son sein même, anéantissant brutalement les valeurs auxquelles ils croyaient tous, faisant peser des soupçons sur chacun d'entre eux. Comment expliquer que George se soit tourné vers une autre femme avec autant de passion ? Par manque de tendresse de la part d'Emily ? Par une perte de cette confiance mutuelle qu'elle croyait totale jusque-là ? Leur réconciliation avait été si brève que leur amour n'avait pas eu le temps de renaître. Personne n'en avait rien su, car, le lendemain matin, George n'était plus de ce monde.

On ne leur avait manifesté ni pitié, ni soutien, comme lors de la disparition de Sarah. Au contraire, les soupçons, la haine s'étaient installés, de vieilles inimitiés avaient été ranimées, des erreurs de jeunesse déterrées. On avait craint que le scandale ne rejaillisse sur toute la famille et salisse chacun de ses membres, mettant au jour leurs secrets et leurs faiblesses, ce qui s'était d'ailleurs effectivement produit.

Ces événements remontaient à six mois. Emily commençait à se remettre doucement. On l'acceptait de nouveau en société : les gens s'efforçaient de se rattraper et de se faire pardonner leurs injustes soupçons et leur lâcheté. Mais la tradition exigeait d'une veuve qu'elle portât le deuil, surtout s'agissant de l'épouse d'un homme issu d'une lignée d'aristocrates fortunés. Qu'Emily n'ait pas trente ans ne l'autorisait pas à sortir de chez elle ; toujours vêtue de noir, elle ne recevait que des proches. Il ne lui était pas permis de se montrer dans des endroits où l'on était censé s'amuser et elle devait adopter en toutes circonstances une attitude digne et compassée.

Ce confinement forcé commençait à lui peser. Après la découverte du coupable et la clôture de l'enquête, elle était partie à la campagne avec son petit garçon, pour rester seule avec lui, l'aider à comprendre ce qui s'était passé et lui expliquer son nouveau statut de jeune lord. A l'automne, elle était revenue à Londres, mais réceptions, théâtres, bals et soirées ne lui étaient pas encore ouverts. Les amies qui lui rendaient visite affichaient un sérieux désespérant; elles n'osaient lui faire part des potins mondains, des tendances de la mode, de la dernière opérette qu'elles avaient vue, ou des intrigues amoureuses des uns et des autres, considérant ces sujets trop futiles pour être abordés devant une femme en deuil. Emily ne tenait plus en place et enrageait de passer ses journées à écrire des lettres, à jouer du piano ou à broder.

Sa sœur l'avait évidemment invitée à venir séjourner chez eux pour les fêtes avec Edward, pour qui la compagnie de ses petits cousins représenterait le plus beau des cadeaux.

Mais après Noël, Emily serait condamnée à retourner dans sa grande maison, où elle s'ennuierait à mourir...

Charlotte, quant à elle, avait beau adorer son foyer et ses enfants, ces six derniers mois passés sans activité extérieure commençaient aussi à lui peser. Elle avait interrogé Pitt sur sa dernière enquête, non seulement par intérêt pour son travail mais aussi parce que le besoin d'aventure la démangeait !

Le lendemain soir, après le dîner, elle décida de revenir sur le sujet, en prenant davantage de précautions. Elle attendit qu'ils soient installés devant la cheminée du salon pour lui parler. Les enfants étaient couchés depuis longtemps. Elle saisit sa boîte à couture et entreprit de confectionner des papillons en tulle destinés à décorer le sapin de Noël.

— Thomas, commença-t-elle d'un ton détaché, en

gardant les yeux baissés sur son ouvrage, si cette affaire est sans gravité, pensez-vous pouvoir vous libérer pendant les fêtes ?

Pitt hésita.

— Je ne sais pas. Il y aura peut-être plus de travail que je ne le supposais.

Charlotte eut peine à dissimuler sa curiosité.

— Oh... Et pour quelle raison ?

— Il s'agit d'un cambriolage assez mystérieux.

Cette fois, elle n'eut pas à feindre l'indifférence. Les affaires de cambriolage ne l'intéressaient pas.

— Quels genres d'objets ont disparu ?

— Deux miniatures du XVIIIe siècle, un vase, un presse-papiers et une édition originale.

— Je ne vois pas ce qu'il y a là de si mystérieux...

Elle leva les yeux vers lui et, à son sourire, sut aussitôt qu'il lui cachait quelque chose.

— Thomas... vous ne m'avez pas tout dit.

Il scruta son visage, amusé par ses tentatives infructueuses pour dissimuler son intérêt, tout en admirant sa perspicacité.

— Le fils du propriétaire des lieux a surpris le cambrioleur, qui l'a tué. En outre, aucun des objets volés n'a été retrouvé.

Sans s'en rendre compte, Charlotte avait laissé tomber sa couture.

Pitt s'enfonça dans son fauteuil, croisa les jambes et lui raconta ce qu'il savait de l'affaire, sans rien omettre, des recommandations de Ballarat sur la discrétion dont il devait faire preuve afin de ne pas ruiner la réputation de certaines personnes, jusqu'à la disparition de dossiers confidentiels au Foreign Office.

— La disparition ? répéta-t-elle. Vous voulez dire le vol ?

— Je l'ignore. J'imagine que je n'en saurai jamais rien. Les documents ont pu être recopiés, sans être emportés. Le voleur, cherchant des papiers que Robert York conservait chez lui, a pu dérober quelques objets pour simuler un simple cambriolage. Mais il est également possible que cela n'ait rien à voir avec une affaire d'espionnage.

Charlotte ramassa sa couture et la posa sur le guéridon afin de ne pas perdre l'aiguille.

— Mais qu'est-ce que le Foreign Office attend de vous, au juste? insista-t-elle. Si espion il y a, il est essentiel qu'il soit démasqué, au-delà du fait qu'il a assassiné ce pauvre Robert York, non?

— Je pense qu'ils connaissent son identité, soupira Pitt, mais qu'ils ne tiennent pas à ce que cela se sache. A mon avis, ils veulent que nous testions leur habileté à dissimuler la fuite de documents. Si celle-ci était rendue publique, la crédibilité de l'Angleterre en pâtirait au niveau international. A moins qu'aucun document n'ait disparu...

— Y croyez-vous?

— Non. Mais il peut s'agir de négligence plutôt que d'espionnage.

— Comment comptez-vous enquêter sur la mort de Robert York? Quelqu'un l'a tué, tout de même.

— Remonter la piste du cambriolage le plus loin possible, répondit-il avec un léger haussement d'épaules.

— A quoi ressemble la veuve? demanda Charlotte, bien décidée à ne pas abandonner la discussion.

Peut-être apprendrait-elle quelque chose d'intéressant dont elle pourrait faire profiter Emily.

— Je ne sais pas. Pour l'instant, je ne peux lui rendre visite sans éveiller ses soupçons et c'est bien la dernière chose que désire le Foreign Office. Cela susciterait sur-le-champ toutes sortes de questions désagréables... Vous ne m'avez pas parlé de Jack Radley depuis quelque temps, ajouta-t-il de but en blanc. Emily continue-t-elle à le fréquenter?

Charlotte était prête à abandonner un mystère somme toute peu prometteur pour évoquer un sujet qui lui tenait bien plus à cœur. L'été précédent, Jack Radley n'avait été pour Emily qu'une agréable diversion ; elle avait flirté avec lui pour prouver à George qu'elle était capable de se montrer aussi séduisante, sûre d'elle et spirituelle que sa rivale, Sybilla March. Au début de l'enquête, Jack lui aussi avait été suspecté. Mais il s'était révélé un ami généreux, bien moins superficiel et égoïste que sa réputation ne le laissait supposer. Il était plutôt démuni et sans grandes perspectives d'avenir. On pouvait donc s'imaginer qu'il poursuivait Emily de ses assiduités pour l'argent dont elle avait hérité après la mort de son mari. Sa réputation de coureur de jupons n'était plus à faire ; il aurait pu décider de se débarrasser de George, avant de courtiser Emily et de lui demander sa main.

Bien que totalement innocenté, Jack n'était pas pour autant le prétendant que la bonne société aurait souhaité pour Emily, le moment de son remariage venu. Leur mère, Caroline Ellison, serait épouvantée d'apprendre que sa fille avait l'intention de convoler avec un homme impécunieux et sans avenir !

Mais au fond, l'opinion des gens importait peu à Charlotte : rien ne serait comparable au tollé qu'avait suscité son mariage avec un policier ! Jack Radley avait beau être désargenté, c'était un gentleman ; alors qu'un policier était à peine mieux considéré qu'un chasseur de rats ou un huissier. Mais Jack était-il vraiment capable d'aimer ? s'interrogeait Charlotte. S'imaginer que chacun dispose de cette capacité, à condition d'avoir le bon compagnon, est une illusion très courante ; mais ce n'en est pas moins une illusion. Beaucoup de gens désirent simplement, par sens des conventions, partager un foyer et jouir d'un statut social honorable, avoir des enfants et élargir le cercle de leur famille ; ils ne souhaitent ni partager leurs pensées et leurs loisirs, ni surtout révéler les rêves qui pourraient mettre leur âme à nu et s'exposer ainsi à la souffrance. Ils refusent de prendre ce risque. Seule compte la sécurité, et non le don de soi. On ne donne pas quand cela peut vous coûter quelque chose.

Indépendamment de son charme, de son esprit, de ses manières amicales et chaleureuses, si Jack Radley était un de ces hommes-là, il ne rendrait pas Emily heureuse. Et Charlotte ferait tout ce qui était en son pouvoir pour contrarier ses projets matrimoniaux.

— Charlotte ?

La voix de Pitt interrompit ses pensées. Il attendait une réponse. Lui aussi aimait beaucoup Emily ; il savait que si les craintes de Charlotte étaient fondées, sa belle-sœur souffrirait.

— Je crois qu'ils se voient de temps en temps, répondit-elle très vite. Nous étions si occupées par la préparation du repas de Noël que nous avons peu parlé de lui. Oh, à propos, elle amène une oie à rôtir.

Pitt s'enfonça davantage dans son fauteuil, étendit ses longues jambes et observa son épouse à travers ses cils.

— Charlotte... un conseil : je préférerais que vous employiez vos talents de détective à vous forger une opinion sur Jack Radley plutôt que sur Mrs. York.

Elle ne répondit pas. Comme d'habitude, il voyait clair en elle ! Bien qu'il eût parlé avec douceur, le ton de sa voix était péremptoire et, sous ses airs décontractés, elle le sentait inquiet.

Charlotte avait cependant la ferme intention de combiner les deux opérations en une seule. Comment voir sa sœur plus souvent tout en « employant ses talents » à surveiller Jack Radley, comme le suggérait Pitt, sinon en encourageant Emily à jouer les détectives en sa compagnie ? Pendant les fêtes de Noël, toute discussion serait quasiment impossible ; mais plus tard, elle pourrait rendre visite à sa sœur, et rencontrer Jack Radley ; elle serait ainsi en mesure de se forger discrètement une opinion sur lui.

Elle avait déjà préparé son plan de campagne, lorsque Emily apparut le lendemain matin, peu après onze heures. Elle entra directement dans la cuisine, vêtue d'un manteau de laine noir aux parements de fourrure de renard ; une capeline, noire également, dissimulait ses cheveux blonds réunis en chignon. Charlotte ne put s'empêcher d'envier son élégance ; puis, se souvenant de la raison pour laquelle sa sœur était ainsi vêtue, elle eut honte de sa jalousie. Mis à part ses pommettes rosies par le vent, Emily était pâlotte et avait les yeux cernés ; point besoin d'être grand clerc pour voir là des signes de nervosité et d'insomnie. L'ennui n'est certes pas la pire des afflictions, mais il peut à la longue affecter la santé. Que ferait sa sœur après le bref interlude des fêtes de Noël ?

— Une tasse de thé ? proposa Charlotte.

Sans attendre de réponse, elle mit la bouilloire à chauffer et ajouta :

— Es-tu déjà allée à Hanover Close ?

Emily se débarrassa de son manteau, laissant voir une élégante robe noire, s'assit et s'accouda à la table. Charlotte remarqua qu'elle avait maigri.

— Non, mais je connais le quartier. Pourquoi cette question ? s'enquit Emily d'un ton indifférent.

Charlotte alla droit au but.

— Un meurtre a été commis là-bas.

Aussitôt, une lueur d'intérêt s'alluma dans les yeux de sa sœur.

— A Hanover Close ? Grand Dieu ! Dans un quartier résidentiel aussi chic ? Qui est mort ?

— Un certain Robert York, qui travaillait aux Affaires étrangères.

— Comment a-t-il été tué ? Je ne me souviens pas d'avoir vu ce nom dans les journaux.

Une femme du monde n'était pas censée lire la presse, à l'exception des rubriques mondaines, et du *Court Circular*, une gazette consacrée à la vie à la cour de la reine d'Angleterre. Mais, contrairement au père d'Emily et de Charlotte, George Ashworth n'avait jamais rien trouvé à redire au fait que son épouse lût les journaux, dès lors qu'elle n'offensait personne en commentant ouvertement l'actualité en société. Et, depuis le décès de son mari, Emily agissait comme bon lui semblait.

Charlotte versa l'eau bouillante dans la théière, qu'elle posa sur la table, avec un petit pot de crème et deux de ses plus jolies tasses en porcelaine.

— Le meurtre remonte à trois ans, expliqua-t-elle. On vient de demander à Thomas de rouvrir l'enquête ; la veuve de Robert York doit se remarier avec un haut fonctionnaire du Foreign Office.

— Sont-ils déjà fiancés ? releva Emily, aussitôt intéressée. Je lis tous les jours le carnet mondain et je n'y ai pas vu l'annonce de leurs fiançailles. Tu sais, seule la lecture des journaux me permet d'être au courant de ce qui se passe dans le grand monde. Personne ne me dit plus rien. C'est incroyable ! On dirait que les gens font tout pour que j'ignore les mariages ou les fiançailles des uns et des autres ! conclut-elle en serrant les poings.

— Eh bien, justement, on a demandé à Thomas de déterminer si la veuve de Robert York, Veronica, serait une épouse convenable pour Mr. Danver, un diplomate qui attend une importante promotion...

— Pourquoi ne le serait-elle pas ? s'étonna Emily. S'il te plaît, sers-moi du thé. Il est assez infusé et je meurs de soif ! Cette Veronica a-t-elle mauvaise réputation ? Ah, si seulement je pouvais en savoir davantage ! Je suis coupée du monde comme si j'avais la lèpre ! Nombre de mes anciennes amies éprouvent de la gêne à l'idée de me voir ; quant à celles qui ont le courage de me rendre visite, elles restent assises sur le bord de leur fauteuil et se croient obligées de chuchoter, comme si j'étais mourante !

Elle renifla bruyamment, non parce qu'elle s'apitoyait sur son sort, mais à cause de la différence de température entre le froid de la rue et la chaleur de la cuisine. Elle chercha un mouchoir dans son réticule.

Charlotte secoua la tête.

— Je ne sais rien de plus sur Mrs. York. Mais le

meurtre de son mari demeure inexpliqué. C'est plutôt curieux.

Tout en lui rapportant fidèlement les paroles de Pitt, elle servit le thé et tendit à sa sœur une tranche de cake au gingembre, qu'Emily s'empressa d'engloutir.

— Très curieux en effet, conclut celle-ci, quand Charlotte eut terminé son récit. Je me demande si Veronica n'avait pas un amant... Y aurait-il eu querelle entre les deux hommes ? C'est ce que le Foreign Office voudrait découvrir, je suppose, mais il répugne à le dire ouvertement, pour que la rumeur n'arrive pas aux oreilles de Mr. Danver. Imagine sa fureur ! Si la réputation de sa future épouse était entachée, cela lui porterait le plus grand tort.

— Et à elle donc ! s'emporta Charlotte. S'il ne s'agit que de méchants ragots, quelle injustice lui serait faite ! Quoi qu'il en soit, je me demande comment Thomas pourra mener l'enquête. Ce sont là des questions qu'un policier ne peut poser à l'entourage de Mrs. York.

Emily sourit.

— Ma chérie, n'insiste pas, j'ai très bien compris où tu voulais en venir. Tu manques singulièrement de subtilité, pour une fois ! Nous le découvrirons à sa place, bien entendu. Voilà six mois que nous sommes condamnées à broder et à faire de la pâtisserie. Je n'y tiens plus ! A nous de jouer ! Nous démontrerons la totale innocence de Veronica York ou nous ruinerons sa réputation. Bon, par quoi commençons-nous ?

Charlotte avait déjà réfléchi aux difficultés de l'entreprise : Emily, en deuil, ne pouvait évoluer dans le grand monde comme du vivant de son mari ; de son côté, en tant qu'épouse d'un policier, elle n'avait pas les moyens de s'offrir de coûteuses toilettes, et avait perdu de vue les relations qui lui permettraient de s'introduire dans ce milieu. Seule Lady Cumming-Gould, la tante de George, pouvait les aider. Mais elle avait plus de quatre-vingts ans et, depuis la mort de son neveu, se montrait de moins en moins en société. Elle se consacrait à de nombreuses causes, persuadée que la pauvreté et l'injustice pouvaient être combattues par des réformes. Elle était à présent engagée dans le combat pour l'amélioration des conditions de travail dans les usines employant de très jeunes enfants.

Charlotte se resservit une tasse de thé et la but à petites gorgées.

— As-tu revu Jack Radley ? demanda-t-elle d'un ton dégagé, comme si la question avait une relation directe avec l'affaire Veronica York.

Emily reprit une part de cake.

— Il me rend visite de temps à autre. Le crois-tu susceptible de nous aider ?

— Pourquoi pas ? Il pourrait se débrouiller pour nous arranger un rendez-vous chez les York, suggéra Charlotte.

Emily fit la grimace.

— *Nous* arranger ? Non pas. Tu iras toute seule.

En voulant verser du thé dans sa tasse, elle en répandit un peu dans sa soucoupe et poussa un juron, incongru dans la bouche d'une lady ! Sans doute un gros mot que George prononçait dans les écuries. Charlotte se doutait bien que cette réaction ne se rapportait pas à sa maladresse, mais trahissait sa frustration d'être en quelque sorte emprisonnée du fait de son deuil, lequel la condamnait, au surplus, à la solitude.

— Oui, ce sera à moi d'intervenir, admit Charlotte. Tu m'indiqueras la marche à suivre. J'essaierai de réunir le maximum d'informations et, à nous deux, nous parviendrons bien à démêler les fils de cette sombre affaire...

Emily savait que l'idée de sa sœur était la bonne et elle lui en fut reconnaissante. Bien sûr, une intervention directe de sa part lui aurait permis de saisir les nuances d'une intonation, les expressions fugitives passant sur un visage, les regards discrets échangés en coulisse, mais elle devait bien s'accommoder de cette solution.

Il eût été convenable d'attendre la prochaine visite de Jack Radley pour l'entretenir de ce projet. Il ne tarderait sans doute pas à venir la voir ; au cours de l'été, Jack ne lui avait pas caché l'intérêt qu'il lui portait et, depuis le décès de George, lui avait rendu visite à maintes reprises. Ce n'était pas de l'intensité de ses sentiments qu'elle doutait, mais de leur qualité profonde. La courtisait-il pour elle-même ou parce qu'elle était la veuve d'un aristocrate fortuné ? Elle devait reconnaître qu'elle appréciait sa compagnie plus que toute autre, chose qui ne manquait pas de la surprendre, étant donné les doutes qu'elle entretenait à son endroit. Mais apprécier la compagnie de quelqu'un signifie-t-il l'aimer ?

George, lors de leur rencontre, était la coqueluche de ces dames. Elle l'avait épousé en connaissance de cause, consciente de ses défauts, qu'elle regardait comme faisant partie de l'enjeu du marché, et les avait volontiers acceptés. Il s'était par ailleurs révélé un mari exquis, qui ne critiquait jamais ses imperfections. La parfaite compréhension mutuelle du début de leur union s'était transformée au fil du temps en profonde tendresse. Au départ, elle considérait le séduisant et désinvolte Lord Ashworth comme l'époux idéal. Puis son sentiment avait mûri pour devenir un amour paisible et loyal, après la découverte de sa véritable personnalité : George évoluait avec aisance dans le monde du sport et de la finance, il se montrait charmant en société, sans la moindre duplicité, ni d'ailleurs la moindre subtilité. Emily avait toujours eu la sagesse de cacher qu'elle était sans doute plus intelligente et plus courageuse que lui. En revanche, elle s'était souvent révélée moins tolérante et moins généreuse dans son jugement sur autrui. George s'emportait vite, mais sa mauvaise humeur ne durait jamais. Il fermait les yeux sur les petites manies des gens de sa caste et ignorait, ou feignait d'ignorer, les faiblesses des autres, au contraire d'Emily, que l'injustice révoltait. Plus le temps passait, plus elle ressemblait à Charlotte, encore que celle-ci ait toujours eu des opinions très arrêtées et fût prompte à se rebeller contre toutes les injustices, parfois hâtivement et de façon trop ouverte. Emily était demeurée plus raisonnable — du moins jusqu'à présent.

Elle s'assit à son secrétaire pour écrire à Jack Radley, l'invitant à venir la voir au plus tôt, selon sa convenance. Dès qu'elle eut scellé la lettre, elle dépêcha son valet chez lui.

La réponse ne tarda pas ; il se présenta à sa porte en début de soirée, heure à laquelle, en d'autres temps, Emily aurait été en train de s'habiller pour sortir à un dîner, à un bal ou au théâtre. Assise près de la cheminée, elle était plongée dans la lecture du roman de Robert Louis Stevenson, *Le Dr Jekyll et M. Hyde*, publié l'année précédente. Elle fut heureuse d'être interrompue, car le livre, qu'elle avait pris soin de recouvrir de papier kraft afin de ne pas choquer les domestiques, était noir et angoissant ; elle entrevoyait déjà le sombre dénouement.

Dès que la soubrette eut annoncé son arrivée, Jack entra, vêtu d'un costume classique à la coupe impeccable ; de toute évidence, son tailleur était son principal créancier ! Mais c'était son sourire qu'elle guettait...

Il la dévisagea avec sollicitude.

— Emily, comment vous sentez-vous ? Votre message avait l'air urgent. Rien de grave, j'espère ?

Elle se sentit un peu ridicule.

— Navrée de vous avoir alarmé, Jack. Il n'y a pas d'urgence et je me sens tout à fait bien. Je vous remercie. Mais je m'ennuie à mourir et Charlotte vient de m'apprendre qu'il y a un mystère à éclaircir.

A quoi bon mentir ? Il lui ressemblait trop pour se laisser duper.

Jack se détendit, sourit et s'assit en face d'elle.

— Un mystère ? Tiens, tiens...

Réalisant qu'il allait peut-être s'imaginer qu'elle avait invoqué ce prétexte pour le faire venir, elle s'efforça de prendre un air nonchalant.

— Il est possible qu'un meurtre, commis il y a trois ans, cache un scandale ; mais si ce n'est pas le cas, une femme innocente verrait sa réputation ruinée et ne pourrait épouser l'homme qu'elle aime.

— Je comprends, mais qu'y pouvons-nous ? s'étonna Jack.

— Eh bien, voilà : la police est certes capable de découvrir beaucoup de choses, quant aux faits, expliqua-t-elle, mais certains détails psychologiques peuvent lui échapper complètement. Il faudrait nous montrer très discrets...

Constatant avec plaisir qu'elle avait réussi à capter son attention, elle poursuivit :

— Face à un policier, une personne de la haute société changera d'attitude ; et celui-ci ne devinera jamais les sous-entendus subtils d'une conversation mondaine, si tant est qu'on daigne lui adresser la parole.

— Mais comment pouvons-nous entrer dans l'intimité de tous ces gens ? demanda-t-il, très sérieux. A propos, vous ne m'avez pas encore dit leur nom. Souvenez-vous que vous n'avez pas le droit de sortir dans le grand monde.

Emily eut la brève mais pénible impression qu'il avait pitié d'elle. Elle l'aurait accepté de n'importe qui, mais venant de sa part, cette réaction lui était intolérable.

— Je le sais très bien ! s'exclama-t-elle avec fougue, regrettant aussitôt la sécheresse de sa réplique, mais Charlotte, elle, est libre de ses mouvements. A elle d'agir. Nous pourrions ensuite discuter toutes les deux de ce qu'elle a appris. Pour ce faire, il faudrait que vous acceptiez de l'aider.

Il eut un petit sourire coupable.

— M'introduire en société ? Ne vous faites pas de souci, c'est ma spécialité ! Au fait, qui sont ces gens ?

Elle l'observa attentivement, admirant ses beaux yeux ombrés de longs cils. Comme il était séduisant !

Combien de femmes avaient dû se faire la même réflexion en le regardant ? Vraiment, elle était stupide ! Charlotte avait raison ; elle avait bien besoin de s'occuper l'esprit, avant qu'il ne s'embrouille complètement.

— Robert York, la victime, vivait à Hanover Close. Son épouse, Veronica...

Elle n'eut pas le temps de finir sa phrase. Jack souriait, sûr de lui.

— Aucun problème. Veronica ? Je l'ai très bien connue. En fait, nous...

Il hésita, craignant visiblement d'en dire trop.

Emily ressentit une pointe de jalousie qui ne lui était pas coutumière, tout en sachant qu'il s'agissait là d'une réaction puérile de sa part ; elle connaissait sa réputation de séducteur. Et elle n'avait pas un tempérament à se bercer d'illusions. En outre, elle savait que, à l'inverse des femmes, les hommes n'étaient pas tenus de rendre des comptes sur leur vie privée. Il leur suffisait de se montrer suffisamment discrets pour que les autres n'aient pas à feindre l'ignorance ; ce que l'on soupçonnait n'avait dès lors aucune importance. Une épouse réaliste savait qu'une ignorance judicieuse était la seule façon de conserver sa tranquillité d'esprit. Mais c'était là une convention qu'Emily acceptait de plus en plus difficilement.

— Vous êtes-vous quittés en des termes qui puissent vous permettre de reprendre aisément contact ? s'enquit-elle d'un ton crispé.

— Absolument.

Elle baissa les yeux afin qu'il ne devine pas son trouble.

— Dans ce cas, auriez-vous l'obligeance de lui présenter Charlotte, puisque je ne peux la rencontrer en personne ?

— C'est promis, répondit-il avec lenteur, en la dévisageant attentivement. Mais Pitt n'élèvera-t-il pas d'objections ? Je ne peux présenter votre sœur comme étant l'épouse d'un policier. Il va falloir trouver une solution.

— Inutile d'en informer Thomas. Je prêterai une robe à Charlotte et vous direz qu'elle est...

Elle hésita.

— Une cousine de province. Une cousine très proche, ainsi il ne paraîtra pas inconvenant qu'elle se promène avec vous sans dame de compagnie.

— Votre sœur acceptera-t-elle de se prêter à ce petit jeu ? reprit-il, soudain intéressé.

Jack aurait sans doute fait preuve de davantage de scepticisme s'il ne s'était pas agi de Charlotte. Il devait se souvenir qu'elle avait, la première, deviné l'identité de l'auteur des meurtres de Cardington Crescent.

— Oh oui ! Je peux vous assurer qu'elle sera tout à fait d'accord.

En quittant Emily, Jack se rendit aussitôt chez les York, où il laissa sa carte, demandant s'il pouvait présenter à ces dames une jeune cousine, Miss Elisabeth Barnaby, qui venait de passer de longs mois au chevet d'une tante malade. Cette dernière étant tout à fait rétablie, Miss Barnaby avait besoin de se changer un peu les idées ; il avait jugé bon de la présenter à Mrs. Veronica York.

Il reçut une réponse, brève, mais très aimable, l'assurant qu'il était attendu à Hanover Close, à sa convenance.

Aussi, deux jours plus tard, Charlotte monta dans le cabriolet de Jack Radley, vêtue d'une toilette ravissante que sa sœur avait portée l'hiver précédent et qu'elle avait fait reprendre afin de l'adapter à la dernière mode — depuis six mois Emily n'achetait plus que des vêtements noirs. Sa cameriste l'avait échancrée au niveau de la poitrine et avait rallongé les poignets ; la robe, déjà portée, mais point trop, siérait parfaitement à une provinciale ; les jeunes femmes de la haute société londonienne, elles, portaient des toilettes du dernier cri.

L'attelage filait bon train dans Park Lane en direction d'Hanover Close. A l'intérieur de la voiture, il faisait très froid et Charlotte grelottait, en dépit du plaid qui couvrait ses genoux. Dehors, il pleuvait dru ; la pluie frappait les portières, des gerbes d'eau jaillissaient sous les roues. Le cuir des sièges et l'encadrement des vitres étaient humides au toucher.

Le cabriolet s'arrêta. Pleine d'appréhension, Charlotte jeta un bref coup d'œil à Jack Radley. L'entreprise était extrêmement risquée, et ce, pour deux raisons : si Pitt l'apprenait, il serait furieux ; et elle risquait à tout moment de se trahir, par un lapsus ou une maladresse. Le pire serait de rencontrer quelqu'un qu'elle avait connu avant son mariage, lorsqu'elle fréquentait la bonne société.

La portière s'ouvrit et Jack lui tendit la main pour l'aider à descendre. Aussitôt, une pluie glacée lui fouetta le visage. Elle frissonna, autant de froid que d'inquiétude à l'idée de ce qui l'attendait ; mais elle ne pouvait décemment pas changer d'avis au dernier moment. Elle hésita, mettant sur un plateau de la balance son sens de la prudence ajouté à la fureur qui pourrait saisir Thomas et, sur l'autre, l'excitation qu'elle avait ressentie en inventant ce stratagème avec Emily.

Elle n'avait pas encore résolu le dilemme quand une soubrette ouvrit la porte. Jack tendit sa carte, sur laquelle il avait ajouté à la main « *accompagné de Miss Elisabeth Barnaby* ». Les dés étaient jetés. Charlotte entra, affichant son plus beau sourire.

La soubrette avait la taille fine, un nez mutin, un teint de pêche, de beaux cheveux noirs et des yeux immenses. Les domestiques chargées de recevoir les visiteurs étaient en général choisies pour leur physique avenant, marque du bon goût des maîtres de maison.

Charlotte eut juste le temps d'apercevoir, au fond du vaste vestibule illuminé par les feux d'un grand lustre, un large escalier aux balustres magnifiquement sculptés. Déjà, la soubrette les introduisait dans le salon ; là non plus, Charlotte n'eut pas le loisir d'observer le mobilier et les tableaux. Son attention fut aussitôt attirée par deux femmes assises, face à face, dans des bergères capitonnées de rouge. La plus jeune, qu'elle supposa être Veronica York, était d'une extrême minceur, mais il émanait de sa gorge et de ses épaules graciles une grande féminité. Ses cheveux noirs et soyeux, relevés en chignon, laissaient voir un joli front. Elle avait des traits délicats, des joues un peu creuses et des lèvres étonnamment sensuelles.

L'autre femme, plus âgée, possédait des traits réguliers et une épaisse chevelure châtain clair, si frisée qu'il était évident que l'usage du fer et des papillotes lui était inconnu. Nettement plus petite et plus robuste que la jeune femme, elle n'en n'était pas moins séduisante, habillée d'une toilette richement brodée. Charlotte lui donna environ quarante-cinq ans. Elle avait dû être fort belle dans sa jeunesse : son teint n'était pas flétri par l'âge ; à peine devinait-on quelques petites rides d'expression autour de la bouche. Son visage dénotait une force de caractère saisissante. Il devait s'agir de la mère du défunt, Loretta York, qui s'était comportée, selon les dires de Thomas, avec tant de dignité le soir du drame.

En parfaite hôtesse, elle inclina la tête en direction de Jack et lui offrit sa main.

— Bonjour, Mr. Radley, comme c'est aimable à vous de nous rendre visite et de nous présenter votre cousine !

Elle tourna vers Charlotte un regard scrutateur.

— Miss Barnaby, je crois ?

Charlotte prit un air innocent, sans toutefois faire de révérence. Elle devait se montrer timide, et reconnaissante d'être introduite dans la haute société londonienne, où une jeune célibataire était censée chercher un époux.

— Enchantée de faire votre connaissance, Mrs. York. C'est vraiment très gentil à vous de nous recevoir.

— J'espère que vous êtes en aussi bonne santé que vous le paraissez, madame, fit Jack. Votre beauté me fait oublier l'hiver et les longues années qui se sont écoulées depuis notre dernière rencontre.

Dans ce milieu, la flatterie était toujours de mise ; et Jack s'était servi de son charme sa vie durant.

— Je vois que vous n'avez pas changé, protesta-t-elle pour la forme, mais ses joues avaient rosi.

Elle avait beau considérer le compliment comme une simple convention, il lui était toujours agréable d'entendre flatter sa beauté.

— Vous connaissez ma belle-fille, dit-elle en désignant cette dernière d'un simple regard de côté.

Jack s'inclina très légèrement devant Veronica.

— Bien entendu. C'est avec grande tristesse que j'ai appris la disparition de votre époux, Mrs. York. J'espère que l'avenir vous apportera du bonheur.

Un léger sourire effleura les lèvres de la jeune femme.

— Merci, Jack.

Charlotte, attentive, remarqua qu'ils avaient aisément retrouvé leur ancienne complicité. Un instant, elle pensa à sa sœur, mais le moment était mal choisi.

Le regard des deux femmes s'arrêta sur la robe de Charlotte, examinant sa coupe pour en évaluer l'âge et le prix. Elle se félicita de ce que ce vêtement pût si bien traduire son statut de jeune provinciale issue d'une famille aisée, qu'elle avait dû quitter quelque temps pour s'occuper d'une parente.

— J'espère que la capitale répondra à vos espérances, Miss Barnaby, fit Veronica d'un air gracieux. Vous y trouverez de nombreux divertissements, mais prenez garde à ne pas vous fourvoyer en mauvaise compagnie ; il est hélas facile de se retrouver dans des endroits peu recommandables, si l'on ne fait pas des choix judicieux.

Charlotte profita de l'occasion.

— C'est très gentil à vous de m'avertir, Mrs. York, fit-elle avec un sourire timide. Je suivrai vos conseils, croyez-moi. La réputation d'une femme peut être si rapidement salie...

— Vous avez raison, acquiesça Loretta. Je vous en prie, asseyez-vous, Miss Barnaby.

Charlotte la remercia et prit place sur une chaise, en arrangeant ses jupes. Ce faisant, elle se souvint de l'époque précédant son mariage, où elle s'était trouvée dans des situations aussi déplaisantes que celle-ci. Sa mère l'accompagnait à toutes sortes de réceptions, dans l'espoir que sa fille, habillée à son avantage, finirait par attirer l'attention d'un beau parti. Immanquablement, Charlotte finissait par donner une opinion trop tranchée sur tel ou tel sujet, éclatait de rire au mauvais moment, ou bien, cherchant à séduire à tout prix, obtenait le résultat contraire. Elle le faisait en général à dessein, car, se croyant amoureuse de Dominic Corde, son beau-frère, l'idée d'épouser un autre homme lui était intolérable. Comme ces souvenirs lui paraissaient lointains et puérils ! Néanmoins, elle n'oublierait jamais les interminables séances d'habillage ainsi que les conseils de bienséance que lui prodiguait sa mère dans l'espoir de lui trouver un mari.

— Êtes-vous déjà venue à Londres, Miss Barnaby ? s'enquit Loretta York.

Son regard gris et froid détaillait sa silhouette, s'attardant sur les retouches du haut de sa robe.

Charlotte n'en fit aucun cas. Après tout, elle devait s'en tenir à son rôle d'observatrice, de façon à rapporter à Emily ce qu'elle avait vu, jusque dans les moindres détails.

— Oui, mais il y a fort longtemps. J'ai dû m'occuper d'une tante malade. Heureusement, depuis qu'elle est rétablie, je suis à nouveau libre de mes mouvements. Mais j'ai l'impression de ne plus être au courant de rien. Il a dû se passer tant de choses...

— Sans aucun doute, répondit Loretta York avec un léger sourire, bien que d'une année sur l'autre, les événements soient un peu toujours les mêmes; seuls les noms changent.

— Oh, les gens changent aussi, intervint Veronica. Et il y a de nouvelles pièces de théâtre.

Loretta York lança à sa bru, très brièvement, un regard critique, dépourvu d'aménité.

— Que connaissez-vous des nouveautés théâtrales? remarqua-t-elle. Vous êtes très peu sortie, cette année.

Elle se tourna vers Charlotte.

— Ma belle-fille a perdu son mari, offrit-elle en guise d'explication. Elle était encore en deuil il y a peu.

Charlotte, résolue à feindre de tout ignorer du meurtre d'Hanover Close, prit aussitôt une expression de circonstance.

— Je suis navrée, Mrs. York. Je vous prie d'accepter mes sincères condoléances. Si j'avais eu connaissance de ce décès, je me serais bien gardée de vous déranger.

Elle se tourna vers Jack, qui évita soigneusement son regard.

— Cela fait trois ans, corrigea Veronica, pour briser le silence menaçant de s'installer.

Elle ne regarda pas sa belle-mère, préférant fixer le brocart lie-de-vin de sa robe, puis ajouta à l'adresse de Charlotte :

— Nous commençons à mener à nouveau une vie normale.

— *Vous* commencez, la reprit Loretta, d'une voix chargée d'une émotion indéfinissable.

Cherchait-elle à lui rappeler qu'elle avait perdu son fils, et que cette perte était irremplaçable, alors que Veronica, elle, envisageait de se remarier? Sa remarque exprimait plus que de la simple compassion, ou de la jalousie, ou de l'apitoiement sur elle-même. Ses mains potelées étaient crispées sur ses genoux, ses yeux gris étincelaient. Si l'idée n'avait pas été aussi déplacée, Charlotte aurait pu y déceler une sorte d'avertissement. Mais c'était une observation sans fondement.

Les coins de la bouche de Veronica se relevèrent en un minuscule sourire. Elle avait manifestement compris la signification de la repartie.

— Mr. Radley, vous pouvez me féliciter, dit-elle en levant les yeux vers Jack. Je vais me remarier.

A la façon dont la phrase fut prononcée, Charlotte songea que les sentiments qui unissaient ces deux êtres à une certaine époque ne devaient rien avoir de platonique.

Jack sourit, comme si la nouvelle le surprenait agréablement.

— Alors je vous prie d'accepter tous mes vœux de bonheur.

— Acceptez aussi les miens, ajouta Charlotte. J'espère que vos tristes souvenirs se dissiperont.

— Quel esprit romantique ! remarqua Loretta York en haussant les sourcils.

Elle souriait presque, mais il y avait en elle une froideur, une dureté quasi palpables. Peut-être étaient-elles dues au contrecoup d'une souffrance ancienne, sans rapport avec le remariage de sa bru. On ignore souvent les peines intimes de nos semblables, leurs désillusions, leurs espoirs perdus. Charlotte se dit qu'elle devrait faire la connaissance de l'honorable Piers York ; cette rencontre lui permettrait peut-être de mieux comprendre ce que, pour l'instant, elle ne pouvait que pressentir.

Elle adressa à Loretta York un sourire lumineux.

— Romantique ? Pourquoi pas ? Même si la réalité n'est pas toujours à la hauteur de nos rêves, on peut essayer d'envisager la vie sous son meilleur aspect.

Avait-elle raison de feindre une telle naïveté ? N'était-elle pas exagérée ? Elle n'avait pas l'intention de quitter cette maison au bout d'une demi-heure sans avoir rien appris, car il lui faudrait respecter un certain délai avant de pouvoir leur rendre à nouveau visite.

— Je suis d'accord avec vous, la rassura Veronica. Vos vœux me vont droit au cœur. Mr. Danver est un vrai gentleman et je suis certaine d'être heureuse auprès de lui.

— Peignez-vous, Miss Barnaby ? demanda Loretta York, changeant brutalement de sujet, cette fois sans même regarder sa belle-fille. Mr. Radley pourrait vous emmener à l'exposition d'hiver de l'Académie royale.

— J'avoue ne pas être très habile de mes mains...

« Qu'elles prennent cela comme une marque de modestie ou non, peu me chaut », songea Charlotte. En fait, comme à toutes les jeunes filles de bonne famille, on lui avait enseigné l'aquarelle, mais son pinceau n'avait jamais réellement su reproduire les fruits de son imagination. Depuis son mariage, son passe-temps favori consistait à jouer les détectives dans les enquêtes criminelles dont était chargé son inspecteur d'époux. Elle était très douée pour cela — même Pitt en convenait — mais elle ne pouvait faire état de ses talents en société !

— Je ne parlais pas de peindre une œuvre d'art, Miss Barnaby, répliqua Loretta York avec un petit geste de la main, qui balayait une réponse qu'elle jugeait stupide, seulement de vous montrer des expositions.

Charlotte put piquée au vif. Mais le rôle qu'elle avait endossé l'empêchait de lancer la repartie appropriée.

— On ne vous demande aucune habileté particulière, poursuivit Loretta, sinon d'être élégante et de parler avec modestie, ce que, je crois, vous savez fort bien faire.

— C'est très aimable à vous, murmura Charlotte.

Veronica se pencha en avant. Elle était vraiment très belle. Sa bouche, ses yeux, tout son visage reflétaient un mélange de fragilité et d'énergie. Son attitude envers Charlotte était aussi amicale que si elle la connaissait depuis longtemps. Celle-ci se prit à espérer que Pitt parvienne à la blanchir auprès de ces messieurs du Foreign Office. L'idée de la piètre opinion qu'ils semblaient avoir d'elle éveilla sa colère.

— Accepteriez-vous de m'accompagner à l'Académie royale ? proposa Veronica. Je serais ravie d'avoir votre compagnie. Nous pourrions commenter les œuvres et échanger nos impressions en toute franchise.

Sans un regard pour sa belle-mère, elle eut un léger haussement d'épaules qui l'excluait de cette sortie.

— Ce serait avec grand plaisir, fit Charlotte, sincère.

A côté d'elle, Jack toussota, cachant un sourire derrière son mouchoir.

— Alors, c'est décidé ! L'Académie royale n'est pas la sortie favorite de belle-maman. Je suis sûre qu'elle sera ravie de se voir épargner cette corvée.

— Je vous ai accompagnée dans maints endroits qui n'étaient pas nécessairement à ma convenance, rétorqua Loretta, en fixant sur elle un regard froid. Et sans aucun doute, je recommencerai. A tout âge, on a des obligations envers sa famille. Je suis sûre que vous êtes d'accord avec moi, Miss Barnaby ?

Elle s'était adressée à Charlotte, mais non sans avoir auparavant jeté un étrange regard en direction de sa belle-fille. Charlotte eut la nette impression qu'elles ne s'aimaient guère.

Une crispation soudaine raidit la nuque, la gorge et les lèvres de Veronica. Elle garda le silence. Charlotte sentait que les deux femmes faisaient allusion à un tout autre sujet, mais à en juger par la tension qui régnait entre elles et la violence sous-jacente à leurs propos, il était clair qu'elles se comprenaient parfaitement.

— Bien sûr, murmura-t-elle, les familles sont unies par l'amour et le devoir.

N'était-elle pas supposée avoir passé ces deux dernières années à s'occuper d'une parente malade, le plus grand des sacrifices pour une jeune femme célibataire ?

Ils allaient bientôt devoir prendre congé. Il lui fallait s'efforcer de découvrir un détail plus important pour l'enquête que cette seule sensation de tristesse et d'amertume que lui laissait cette visite. Elle promena un regard discret autour de la pièce, sans tourner la tête, et remarqua une pendule en similor. Si elle devait mentir, autant que ce fût de belle manière.

— Oh, comme elle est jolie ! s'extasia-t-elle. La fille de ma tante en possédait une à peu près semblable, quoique plus petite. L'un des personnages était habillé différemment.

Elle frissonna pour ajouter de la véracité à son propos.

— Malheureusement, on la lui a volée, au cours d'un cambriolage. N'est-ce pas affreux ?

Ignorant l'expression horrifiée de Jack, elle poursuivit :

— Il est terrible de perdre des objets auxquels on tient... Mais le pire est de penser que quelqu'un s'est introduit chez vous pendant votre sommeil. Il nous a fallu beaucoup de temps pour pouvoir nous retirer le soir dans nos chambres sans appréhension.

A travers ses cils, elle observait ses interlocutrices. Veronica eut un petit hoquet de surprise. Dans les plis somptueux de sa robe de satin, le corps de Loretta se raidit.

— Nous avons appelé la police, poursuivit Charlotte, mais le cambrioleur n'a pas été appréhendé. Et nous n'avons jamais récupéré nos précieux objets.

Immobile, Veronica ouvrit la bouche et la referma sans qu'un son en sortît.

— Quelle tristesse, Miss Barnaby, répondit Loretta York d'une voix sourde et tendue. Mais les cambriolages font partie des vicissitudes de la vie moderne. On est moins en sécurité qu'on ne l'imagine...

Elle parlait en séparant bien ses mots, comme si elle avait du mal à articuler.

— ... remerciez le ciel que l'on ne vous ait dérobé que vos biens.

Charlotte se sentit un peu honteuse, mais prit une expression d'innocente perplexité. Jack, ayant fait mine de ne pas prêter attention à ce qu'elle disait, ne pouvait lui être d'aucun secours. Veronica blêmit, voulut parler, leva les yeux vers sa belle-mère, puis les détourna avant que leurs regards ne se croisent. Ce fut finalement cette dernière qui brisa le silence.

— Mon fils a été tué au cours d'un cambriolage, Miss Barnaby. C'est un sujet qu'il nous est encore très douloureux d'évoquer. Voilà pourquoi je disais que vous avez eu de la chance de ne perdre que des biens matériels.

— Oh! Je suis absolument navrée! s'exclama Charlotte. Pardonnez-moi de vous avoir remis en mémoire ces terribles moments. Comment ai-je pu me montrer si maladroite!

A cette minute, elle eut vraiment honte de jouer la comédie. Le besoin d'éclaircir une énigme, aussi mystérieuse soit-elle, ne justifiait pas de telles méthodes.

— Vous ne pouviez pas savoir, intervint Veronica d'une voix rauque. Ne vous sentez pas en faute. Je vous promets que nous ne vous en tiendrons pas rigueur.

— Mais j'espère que votre tact vous empêchera d'en reparler, enchaîna Loretta York avec froideur.

Voyant les joues de Charlotte s'empourprer, Veronica vola à son secours.

— Cela va sans dire, belle-maman, fit-elle d'un ton de reproche.

Charlotte y décela encore cette animosité, si pénible à entendre dans un salon où tout respirait l'opulence et le confort. Venant de Veronica, il ne s'agissait pas d'un simple éclair d'irritation mais d'une amertume longtemps contenue qui refaisait surface.

— Miss Barnaby ne doit pas se sentir coupable d'avoir fait état du vol dont a été victime sa famille; comment aurait-elle pu être au courant de notre tragédie? On ne peut cesser toute conversation, au motif qu'elle risquerait d'éveiller de douloureux souvenirs chez autrui.

— C'est ce que j'ai voulu dire, en substance, répliqua Loretta York, dardant sur sa bru un regard étincelant. Si Miss Barnaby est bien la personne pleine de tact qu'elle paraît être, étant au courant de notre deuil, elle ne mentionnera plus aucun sujet s'y rapportant lorsqu'elle se trouvera en notre compagnie. Est-ce clair?

Veronica se tourna vers Charlotte et lui tendit la main.

— J'espère que vous reviendrez nous voir, Miss Barnaby, et que vous m'accompagnerez à l'Académie royale. J'y tiens beaucoup; je ne disais pas cela à la légère.

— Ce sera avec un grand plaisir, répondit Charlotte en serrant chaleureusement la main tendue. J'attends ce moment avec impatience.

Elle se leva; l'heure de prendre congé était venue. Et après une telle conversation, elle n'avait d'autre choix! Jack se leva à son tour; ils exprimèrent leurs remerciements à Loretta et leurs vœux de bonheur à Veronica.

Cinq minutes plus tard, ils se trouvaient dans le cabriolet, qui partit sous la pluie dans un grincement de roues. Charlotte s'enveloppa dans le plaid, sans pouvoir se protéger du courant d'air glacial. La prochaine fois qu'elle emprunterait une robe à Emily, se promit-elle, elle n'oublierait pas de lui demander un manchon en fourrure.

— J'imagine que vous irez à l'Académie royale? demanda Jack au bout d'un moment.

— Bien entendu!

Elle se tourna vers lui.

— Ne pensez-vous pas qu'il y a entre ces deux femmes beaucoup de non-dits que la police ignorera toujours? A mon avis, elles savent quelque chose au sujet de la nuit du cambriolage — mais comment arriver à le découvrir, ça, je l'ignore.

3

Pitt ignorait tout de la visite de Charlotte à Hanover Close. Il comprenait son souci pour sa sœur et s'attendait à ce qu'elle use de toutes ses capacités d'analyse et de déduction pour se faire une juste idée de la valeur de Jack Radley, s'il s'avérait qu'Emily était réellement amoureuse de lui. Si Charlotte le jugeait indigne de sa sœur, le défi serait de taille : il lui faudrait persuader Emily de renoncer à le voir, ou décourager Jack ! Toute l'habileté de Charlotte serait nécessaire pour trouver la solution qui ferait le moins souffrir Emily. C'est pourquoi Pitt n'évoqua plus devant elle le cambriolage de Hanover Close, ni le meurtre de Robert York et préféra ne pas la tenir informée des dernières évolutions de l'enquête.

Ballarat demeurait évasif sur le réel motif de la réouverture du dossier. Désirait-on découvrir l'assassin de Robert York ou seulement les raisons qui l'avaient conduit au meurtre ? Le Foreign Office souhaitait-il établir de façon certaine qu'il s'agissait d'un simple cambriolage ayant dégénéré de façon imprévue, de manière à mettre un terme définitif aux rumeurs d'espionnage ? Ou soupçonnait-il Veronica York d'être impliquée de façon plus ou moins délibérée dans le meurtre de son mari, ou d'avoir été le catalyseur involontaire d'un crime passionnel maladroitement maquillé en cambriolage ? Ou encore, les autorités cherchaient-elles à s'assurer que la vérité soit tue à jamais, afin d'être certaines, si rien ne transpirait, que l'affaire était bien enterrée ?

Cette dernière hypothèse lui paraissait particulièrement odieuse ; il se montrait peut-être injuste vis-à-vis de ses supérieurs en leur attribuant un tel machiavélisme, mais il était décidé à faire le tour de la question avant de donner à Ballarat une réponse formelle et irréfutable.

Pitt commença par les objets volés. Aucun d'entre eux n'avait été retrouvé dans les boutiques de recel, en dépit des recherches effectuées par la police l'année suivant le délit. Tous les receleurs, les prêteurs sur gages et les collectionneurs d'art indélicats avaient été systématiquement interrogés à intervalles réguliers. A chaque occasion, les pièces dérobées chez les York se trouvaient sur la liste des marchandises recherchées.

Travaillant pour la police métropolitaine depuis bientôt vingt ans, Pitt connaissait des gens dont Ballarat lui, n'avait jamais entendu parler, des individus dangereux qui toléraient sa présence en contrepartie de « faveurs » passées et à venir. Et c'est ces gens-là qu'il avait décidé d'aller voir pendant que Charlotte hantait les beaux salons d'Hanover Close.

Il quitta Bow Street, prit la direction de l'Est, vers les docks et s'enfonça dans l'enchevêtrement des taudis surpeuplés qui bordaient la Tamise. Le ciel était d'encre ; des relents humides montaient des eaux lentes et noirâtres du fleuve. Ici, point d'attelage avec falots et valets de pied, seulement des chariots chargés de ballots se dirigeant vers les quais et des marchands de quatre-saisons poussant des carrioles emplies de légumes défraîchis.

La charrette d'un rétameur, chargée de casseroles, passa en brinquebalant sur le pavé inégal. Un fripier avançait en psalmodiant d'un ton lugubre « Vieilles fripes, vieux habits ». Le bruit des sabots de son cheval était étouffé par le brouillard.

Pitt marchait d'un pas vif, la tête entrée dans les épaules, vêtu de l'accoutrement qu'il gardait pour ses incursions dans les bas-fonds : bottes aux semelles usagées et veste crasseuse, déchirée dans le dos. Il avait beau remonter son col jusqu'aux oreilles, la pluie glaciale coulait dans son cou. Personne ne lui prêtait attention, à part, de temps à autre, un petit revendeur ou un marchand ambulant espérant lui vendre leur marchandise, mais y renonçant très vite, car il paraissait trop pauvre. Tête baissée, le corps tendu par le souvenir de la chaleur qu'il avait laissée derrière lui, il s'enfonça rapidement dans le dédale de cette taupinière.

Il finit par trouver la porte qu'il cherchait ; une porte noircie par le temps et la saleté, aux clous polis par les innombrables mains qui l'avaient poussée. Il frappa vivement, à deux reprises, attendit, puis frappa à nouveau.

Au bout d'un moment, elle s'entrebâilla de quelques centimètres, s'arrêtant avec un bruit sourd lorsque la chaîne de sûreté se bloqua. Bien que l'on fût au milieu de la matinée, la lumière du jour pénétrait avec parcimonie dans ces ruelles étroites, dont les maisons à encorbellement se rejoignaient presque au-dessus de la tête des passants. La pluie gouttait des avant-toits, à un rythme incessant et inégal. Un rat s'enfuit en couinant. Une ombre trébucha sur un tas d'ordures et poussa un juron. Dans le lointain, revenait l'écho de la complainte du fripier et du fleuve en contrebas monta le ronflement d'une corne de brume. L'odeur de pourriture prit Pitt à la gorge.

— Mr. Pinhorn, dit-il à voix basse, j'aimerais parler affaire avec vous.

Il y eut un silence, puis la lueur d'une bougie éclaira la semi-obscurité. Pitt discerna le contour d'un visage, des orbites sombres, un grand nez pointu. Pinhorn ouvrait toujours la porte lui-même, craignant que ses apprentis ne s'octroient le bénéfice de son trafic et gardent l'argent pour eux.

— Ah, c'est vous, fit celui-ci d'une voix rude, le reconnaissant enfin. Qu'est-ce que vous m' voulez? J'ai rien pour vous.

— Quelques renseignements, Mr. Pinhorn. Et aussi un avertissement...

L'homme eut un bruit de nez, se racla la gorge comme s'il s'apprêtait à cracher, puis émit une sorte d'aboiement qui exprimait l'étendue de son mépris.

Connaissant Pinhorn depuis plus de dix ans, Pitt ne s'attendait pas à un autre accueil de sa part.

— Le vol est une chose, mais le meurtre en est une autre, expliqua-t-il, nullement impressionné. Et l'espionnage en est une troisième, bien plus méprisable encore.

Nouveau silence. Pitt se garda d'en dire davantage. Pinhorn, receleur depuis quarante ans, savait parfaitement évaluer les risques qu'il prenait, sinon il n'aurait plus été en vie depuis longtemps; il demeurait seulement prisonnier de la pauvreté, de l'ignorance et de la cupidité. Moins prudent, il se serait retrouvé dans les geôles de Sa Majesté, à Coldbath Fields, par exemple, où des peines aussi terribles que le moulin de discipline ou la manœuvre des boulets de canons à la chaîne, jusqu'à épuisement, auraient eu raison de son corps solidement bâti.

La chaîne de sûreté cliqueta et la porte s'ouvrit silencieusement sur ses gonds huilés.

— Entrez, Mr. Pitt.

Pinhorn verrouilla la porte derrière son visiteur puis le précéda dans un couloir encombré de vieux meubles qui sentaient le moisi; il le fit entrer dans une pièce où il faisait étonnamment bon. Un feu envoyait des lueurs vacillantes sur les murs tachés de moisissure. Un épais tapis rouge, sans doute conservé par le receleur après un cambriolage, était étendu devant l'âtre, entre deux fauteuils recouverts de soie peluchée. En dehors de cet espace à peu près dégagé, la pièce était emplie d'objets divers, chaises aux pieds chantournés, tableaux, boîtes, pendules, pichets d'étain et assiettes empilées. Un miroir, accroché de travers, reflétait le rougeoiement des braises.

— Qu'est-ce que vous cherchez, Mr. Pitt ? répéta Pinhorn en plissant les yeux.

C'était un colosse à la tête ronde et aux cheveux gris coupés en brosse, comme ceux des repris de justice, bien qu'il n'eût jamais été arrêté ni jugé. Dans sa jeunesse, il avait été un lutteur à mains nues renommé et il était encore capable d'assommer un homme s'il se mettait en colère, ce qui lui arrivait parfois, de manière violente et inattendue.

— Avez-vous vu passer deux portraits miniatures du XVIIIe siècle, représentant un homme et une femme ? demanda Pitt. Ainsi qu'un vase en argent, un presse-papiers de cristal gravé aux motifs de fleurs et une édition originale des *Voyages de Gulliver* de Jonathan Swift ?

Pinhorn parut surpris.

— Vous avez fait tout ce chemin pour me demander ça ? C'est de la marchandise qui vaut pas grand-chose.

— Je ne les cherche pas. Je veux seulement savoir si vous en avez entendu parler. Il y a trois ans environ.

Pinhorn haussa un sourcil sidéré.

— Trois ans ! Bougre d'imbécile ! Vous croyez vraiment que je me souviendrais de ça au bout de trois ans ?

— Vous vous souvenez de tout ce que vous achetez ou vendez, Pinhorn, répondit Pitt calmement. Vos affaires en dépendent. Vous êtes le meilleur receleur de ce côté-ci de la Tamise et vous connaissez la valeur d'un objet au penny près. Vous n'auriez jamais oublié une rareté comme une édition originale de Swift.

— J'en ai jamais eu sous les yeux.

— Alors qui ? Je vous répète que je ne cherche pas à récupérer ces objets, mais seulement à savoir si vous en avez entendu parler.

Pinhorn fronça son grand nez, plissa les yeux et dévisagea Pitt, d'un air soupçonneux.

— Vous me mèneriez pas en bateau, des fois ? Parce que dans ce cas-là, j' pourrai plus vous aider, à l'avenir.

Il pencha la tête de côté.

— Même que j' pourrai p'têt' pas empêcher qu'il vous arrive des histoires dans le quartier. On aime pas trop les argousins, par ici.

Pitt sourit.

— Ce serait une perte de temps pour moi, Mr. Pinhorn. Vous n'essaieriez pas de me mentir, de votre côté... Alors, avez-vous entendu parler de ce Swift, oui ou non ?

— Pourquoi vous avez parlé de meurtre et d'espionnage, Mr. Pitt ? C'est sérieux, ça.

— Ce sont des crimes qui valent la corde, Mr. Pinhorn, répliqua Pitt en articulant bien ses mots. Meurtre il y a eu, c'est sûr. Trahison, peut-être. Avez-vous entendu quelqu'un parler du Swift ? Vous savez tout ce qui se dit sur cette rive de la Tamise.

— Non, j'en ai pas entendu parler. Un fourgue qui aurait hérité d'un bouquin pareil, il le revendrait pas à Londres, ou alors en privé, à un client qui l'aurait commandé ; mais pourquoi quelqu'un le voudrait à tout prix, ce bouquin, ça j'en sais rien. Il vaut pas si cher. Vous avez dit édition originale, c'est ça ? Pas le manuscrit ?

— Non, seulement la première édition.

— J' peux pas vous aider.

Pitt le crut. Il n'était pas naïf au point d'imaginer que Pinhorn lui était reconnaissant de faveurs passées, mais il savait que ce filou préférait l'avoir de son côté. Celui-ci était trop puissant dans le milieu pour craindre des rivaux ; et il n'avait aucune parole. S'il avait eu un tuyau pouvant lui rapporter quelque chose, il l'aurait donné à Pitt sans hésiter.

— Si j'en entends parler, j' vous le dirai. Vous m' devez quelque chose en contrepartie, Mr. Pitt.

— En effet, rétorqua celui-ci. Mais pas grand-chose.

Là-dessus, il tourna les talons, franchit la porte et sortit dans la ruelle, sous la pluie.

Pitt connaissait des officines où exerçaient les plus pauvres des prêteurs sur gages, qui prêtaient des sommes dérisoires à des gens qu'une situation désespérée obligeait à se séparer de leurs casseroles ou de leurs outils de travail pour acheter à manger. Pitt détestait ce genre d'endroit; leur vue le rendait malade. Jeune policier, son impuissance face à la misère lui avait donné envie de pleurer, mais peu à peu sa pitié s'était muée en rage contre les riches, les parlementaires, tous ceux qui, vivant dans le confort, ignoraient les dizaines de milliers d'indigents dont la survie ne tenait qu'à un fil et qui, sans éducation ni instruction, n'avaient d'autre morale, que celle, cruelle, de leur milieu.

Cette fois, étant donné la nature des objets volés, il n'avait pas à se rendre dans ces antres mal famés, pas plus que dans les repaires où des chefs de bande apprenaient à des gamins à voler, tout en gardant le produit de leurs larcins. Il n'avait pas davantage besoin d'enquêter dans les échoppes de fripiers qui achetaient vêtements et souliers usés, les transformaient et les revendaient pour chaussures et habits neufs à ceux qui n'avaient pas les moyens de s'acheter autre chose. Les loques les plus abîmées étaient laborieusement défaites, puis retissées pour donner des tissus de mauvaise qualité. Tout était bon pour couvrir ceux qui, sans cela, auraient été nus dans le froid.

Le vol commis chez les York était l'œuvre d'un connaisseur en matière d'art et de littérature, qui devait être en rapport avec un bon receleur. Ces pièces ne pouvaient être d'aucune utilité aux clients de misérables prêteurs sur gages.

Pitt rebroussa chemin et longea la Tamise vers Mayfair et Hanover Close. En général, les malfrats opéraient dans des zones bien délimitées. Comme il ne pouvait remonter la piste des objets volés, le meilleur moyen de débuter l'enquête était d'interroger ceux qui connaissaient le secteur. S'il s'agissait de l'un d'entre eux, la rumeur du vol devait être parvenue aux oreilles des plus chevronnés. Et si l'homme était étranger au quartier, quelqu'un le saurait aussi. La police avait déjà enquêté, ce n'était un secret pour personne. La pègre devait donc avoir des renseignements à donner.

Arrivé à Mayfair, il lui fallut environ une demi-heure pour trouver l'homme qu'il cherchait, un boiteux maigre et sans âge, appelé William Winsell[1] et surnommé, paradoxalement, l'Hermine. Pitt le trouva dans l'arrière-salle d'une taverne mal fréquentée, fixant d'un œil torve un bock de bière au bord crasseux. Voyant Pitt se glisser à ses côtés, l'Hermine lui jeta un regard furibond.

— Non, mais qu'est-ce que vous faites, sale roussin ? Qu'est-ce qu'on va penser, si on me voit assis à côté d'un flicard ! Vous croyez qu'on vous renifle pas à cent mètres, même déguisé avec des vieilles frusques ? Vous ressemblerez toujours à un argousin, avec vos mains bien propres, et vos croquenots qu'on dirait des péniches !

Il ne prit même pas la peine de regarder les pieds de Pitt.

— Vous allez ruiner ma réputation !

— Je ne fais que passer, dit Pitt sans perdre son flegme. Je vais déjeuner dans un pub, à un mile d'ici. *Le Chien et le Canard*. Je pensais que vous pourriez m'y rejoindre, disons dans une demi-heure ? Je vais manger une tourte au bœuf et aux rognons bien chaude. Mrs. Billows la prépare à merveille. Et je prendrai aussi un pudding aux raisins secs, dégoulinant de crème et de graisse de bœuf. Et peut-être deux bons verres de cidre du Somerset.

L'Hermine avala sa salive.

— Vous êtes cruel, Mr. Pitt... Bon, vous devez vouloir faire pendre un pauvre bougre !

Joignant le geste à la parole, il fit mine de se passer un nœud coulant autour du cou.

1. La prononciation de ce mot ressemble à celle de *weasel*, qui signifie belette. (*N.d.T.*)

— Peut-être, acquiesça Pitt. Pour l'heure, j'ai seulement besoin de tuyaux sur un cambriolage. Je vous attends au pub, dans une demi-heure. Soyez-y, l'Hermine, sinon nous nous verrons dans un endroit moins agréable et moins intime...

Il se leva et, tête basse, sans jeter un regard en arrière, se fraya un chemin parmi les consommateurs et sortit dans la rue.

Il était assis devant un verre de cidre pétillant et doré, quand l'Hermine fit son apparition. Pitt le vit passer nerveusement les doigts dans son col de chemise crasseux, comme pour respirer plus à l'aise, avant de s'installer sur une chaise en face de lui. Il jeta un coup d'œil furtif alentour, mais ne vit que de respectables commerçants et des employés de bureau. Personne de sa connaissance.

— Alors, tourte aux rognons ? demanda Pitt.

— D'abord, dites-moi ce que vous m' voulez, répondit l'Hermine, soupçonneux.

Ses narines frémissantes humaient la viande, comme s'il se nourrissait de son fumet.

— Qui vous cherchez ?

— Un homme qui a commis un cambriolage à Hanover Close il y a trois ans, expliqua Pitt, en faisant un signe de tête à l'aubergiste.

L'Hermine se retourna, grimaçant de fureur.

— A qui vous faites signe ? Qu'est-ce qui se passe ?

— Au patron, fit Pitt en haussant un sourcil. Vous ne voulez pas manger ?

L'Hermine se calma. Un peu de couleur était montée à ses joues grises.

— Un cambriolage commis il y a trois ans, répéta Pitt.

— Y a trois ans, hein ? Vous êtes pas des rapides... C'est maintenant que vous vous y mettez ? Qu'est-ce qui a été volé ?

Pitt lui décrivit les objets en détail.

L'Hermine eut un rictus méprisant.

— Me dites pas que vous les cherchez encore ! Vous courez après celui qui a descendu le type qui l'a surpris.

— Disons que cela m'intéresserait de le retrouver, concéda Pitt. Mais je dois d'abord prouver l'innocence de quelqu'un.

— Ça, c'est la meilleure, ricana l'Hermine. Un copain à vous, peut-être ?

Pitt sourit.

— Vous avez faim ?

Le patron apparut avec deux assiettes fumantes : des tourtes à la viande, nageant dans la sauce, agrémentées de légumes. La serveuse leur apporta un pichet de bon cidre doux.

— Un crime, ce n'est pas bon pour les affaires, reprit Pitt. Ça donne mauvaise réputation aux voleurs.

— Patron ! Servez-nous ! lança l'Hermine en se léchant les babines. Vous avez raison, ajouta-t-il. C'est pas utile et ça fait mauvais effet.

Il huma le fumet délicat qui montait de l'assiette, prit un air extasié et émit un claquement satisfait tandis qu'on lui servait le cidre, veillant à ce que sa chope soit remplie à ras bord.

— Que savez-vous de ce vol ? demanda Pitt.

L'Hermine écarquilla les yeux ; ils étaient d'un gris clair très lumineux. On ne voyait qu'eux dans son visage tout chiffonné. Il prit une part de tourte, la mâcha lentement en la faisant tourner dans sa bouche.

— Rien du tout, dit-il enfin. Vraiment rien du tout, si vous voyez ce que je veux dire. D'habitude, on en entend parler, même si c'est pas tout de suite, un mois ou deux après. Ou, si le type s'est évanoui dans la nature parce que l'affaire a mal tourné, peut-être un an après. Mais alors là, je suis dans le brouillard...

— Si notre homme s'était mis au vert pour échapper à la police, vous le sauriez ? insista Pitt.

L'Hermine enfourna une deuxième cuillerée dans sa bouche et répondit, d'un ton méprisant :

— Pour sûr ! Je connais toutes les planques, les gargotes, les galetas, les arrière-salles de bistrots, à des kilomètres à la ronde. Et j' vais vous dire une bonne chose, ajouta-t-il en dégustant une gorgée de cidre d'un air appréciateur, ce type-là, c'est un amateur. D'après ce que je comprends, y avait personne pour faire le pet dehors, même pas de gamin pour passer entre les barreaux et se faufiler dans la maison et ouvrir la porte. Faut vraiment être le dernier des imbéciles pour entrer par le devant d'une maison dans Hanover Close. D'autant plus que c'est une impasse ! Tout le monde sait que les argousins font des rondes toutes les vingt minutes !

L'agent Lowther avait dit à Pitt que selon lui le voleur n'était pas un professionnel, mais il était intéressant de se l'entendre confirmer par un spécialiste.

— Un amateur... Savez-vous s'il a commis d'autres cambriolages depuis lors ?

L'Hermine secoua la tête tout en avalant sa bouchée.

— Non, je vous l'ai dit. On est en plein brouillard. Rien fait ni avant, ni après. C'est pas un gars du secteur, Mr. Pitt. J'ai même pas entendu parler d'objets recelés, ni d'un gars qui se planque à cause du type zigouillé. Finies les longues peines à Coldbath, y a plus que des pendaisons. A Newgate y a encore des cages d'écureuil et des peines de fouet, mais à Coldbath c'est la cravate en chanvre au petit matin, et un ticket pour l'enfer.

A la fin de son monologue, l'Hermine se cala contre le dossier de sa chaise en se frottant l'estomac.

— Ah, ça vous tient au corps, Mr. Pitt ! dit-il en lorgnant son assiette vide. J' vous aiderais si je pouvais. Tout ce que je peux vous conseiller, c'est de chercher du côté d'un type de la haute qui pensait qu'un fric-frac c'était du gâteau et qui s'est rendu compte que c'est pas si simple que ça...

Il tira vers lui l'assiette de pudding aux raisins, y plongea sa cuillère, puis releva brusquement la tête.

— Tiens, et si c'était la dame qu'avait un amant ? Il aurait pu zigouiller le mari. Ça aurait rien à voir avec un cambriolage. Vous avez pensé à ça, Mr. Pitt ? En tout cas, c'est pas un gars de chez nous.

— Oui, l'Hermine, j'y ai pensé, dit Pitt en poussant la jatte de crème vers lui.

L'Hermine sourit, montrant des gencives à moitié édentées, et se versa une généreuse portion de crème.

— Vous êtes pas bête pour un argousin, reconnut-il à contrecœur, mais avec un certain respect.

Pitt avait beau croire l'Hermine, il se sentit néanmoins obligé, jusqu'à la veille de Noël, d'interroger tous les gens du milieu susceptibles de lui fournir des renseignements. Mais aucun n'avait eu vent de ce cambriolage et surtout aucun ne paraissait inquiet, ce qui était déjà une preuve en soi ; il arpenta des kilomètres de ruelles, cachées derrière les façades majestueuses des belles avenues, questionnant souteneurs, receleurs, filles publiques, tenancières de maisons closes, mais personne n'avait entendu parler d'un malfaiteur qui aurait cherché à se débarrasser d'objets volés ou à se cacher de la police. Face à ses questions, tout ce vilain monde le regarda de travers, avec des clins d'œil complices, mais tous lui offrirent un visage tout à fait innocent.

Le soleil se coucha, dans un dégradé de verts. Il était quatre heures et demie de l'après-midi et il faisait déjà sombre. Les lampadaires à gaz éclairaient les chaussées gelées d'une lumière jaunâtre. Les voitures se croisaient bruyamment, les cochers s'interpellaient avec hargne, les passants se présentaient leurs vœux ; les vendeurs des rues proposaient leur marchandise aux chalands : marrons chauds, allumettes, lacets, bouquets de lavande, petits gâteaux, flûtiaux en fer et petits soldats de plomb. Ici et là, des groupes d'enfants entonnaient d'une voix fluette des chants de Noël.

Au fur et à mesure qu'il avançait dans des artères illuminées, Pitt se sentait plus gai, plus léger. La joyeuse excitation qui régnait autour de lui chassa de son souvenir la misère et le désespoir des bas-fonds. Il décida de se débarrasser, comme il l'aurait fait d'un habit sale, de ce sentiment de pitié coupable qu'il éprouvait chaque fois qu'il quittait l'East End pour retrouver le confort de sa maison.

Arrivé devant chez lui, il ouvrit la porte en lançant un joyeux « Bonsoir tout le monde ! ». Il y eut un silence, puis il entendit Jemima sauter de son tabouret et courir dans le couloir à sa rencontre.

— Papa ! Papa ! C'est bien le réveillon, hein ?

Il la prit dans ses bras et la fit sauter en l'air.

— Oui, ma chérie, c'est Noël, enfin !

Il déposa un gros baiser sur sa joue et la porta jusqu'à la cuisine. Toutes les lumières étaient allumées. Charlotte et Emily, assises à la table, terminaient le glaçage d'un énorme gâteau et Gracie finissait de farcir l'oie. Emily était arrivée une heure plus tôt, escortée d'un valet portant une montagne de boîtes, de papier coloré et de rubans. Les trois enfants les avaient entourés, muets d'étonnement, puis Edward s'était mis à sautiller d'un pied sur l'autre et Daniel avait effectué une ronde effrénée jusqu'à tomber à la renverse.

Pitt posa Jemima par terre, embrassa Charlotte, salua Emily, fit un signe de tête à Gracie, puis s'assit, se déchaussa et étendit ses jambes devant le poêle, avec un soupir d'aise. Gracie mit la bouilloire à chauffer et sortit du placard la théière et sa tasse préférée.

Après le dîner, Pitt pressa les enfants d'aller au lit, de façon à pouvoir emballer les cadeaux qu'il avait cachés au fond d'une armoire. Les trois adultes s'installèrent à la table de la cuisine, encombrée de ciseaux, de papier brillant, de ficelles et de rubans. De temps en temps, l'un d'eux disparaissait dans le salon, demandant à ne pas être dérangé, et revenait, les yeux brillants, affichant un sourire satisfait.

Ils allèrent se coucher un peu avant minuit. Pitt entendit Charlotte se lever, une fois dans la nuit, lorsqu'une petite voix plaintive s'éleva dans l'obscurité pour demander si ce n'était pas déjà le matin.

Il s'éveilla à sept heures et aperçut Daniel en chemise de nuit sur le seuil de la porte. Charlotte, déjà habillée, se tenait près de la fenêtre.

— Je crois qu'il neige, chuchota-t-elle. Il y a une drôle de clarté dans l'air.

Elle se retourna et vit Daniel.

— Joyeux Noël, mon chéri, dit-elle en se penchant pour l'embrasser.

L'enfant ne bougea pas, il avait presque cinq ans et se demandait s'il aimait encore être embrassé, surtout devant témoin.

— C'est vraiment Noël ? murmura-t-il à l'oreille de sa mère.

— Eh oui ! Debout, Thomas, c'est Noël !

Elle tendit la main à son fils.

— Veux-tu venir voir ce qu'il y a sous le sapin, avant de t'habiller ?

Il hocha la tête, sans la quitter des yeux.

— Alors, viens !

Elle le poussa hors de la pièce et ils filèrent en laissant la porte ouverte. Charlotte cria à Jemima et Edward de la suivre.

Pitt s'extirpa des couvertures, rassembla ses vêtements, se débarbouilla à la hâte à même le broc d'eau posé sur la table de toilette et descendit quatre à quatre au rez-de-chaussée. Charlotte, Emily et les trois enfants, debout devant le sapin, regardaient, silencieux, les cadeaux enveloppés de papier multicolore.

— D'abord, petit déjeuner, ensuite, la messe, après quoi nous verrons ce qu'il y a là-dedans, annonça Pitt, brisant le charme.

Il ne voulait pas qu'Emily, en se retournant, voie son visage et pense à George.

Jemima ouvrit la bouche pour protester, puis se ravisa.

— Tiens, où est Gracie ? demanda Pitt.

— Je lui ai dit de prendre sa soirée, hier soir. Nous pouvons très bien nous débrouiller sans elle, répondit Charlotte.

— Ne croyez-vous pas qu'elle aurait été mieux ici, avec nous ? reprit Pitt pensant à la différence entre la maison de Gracie et leur nid confortable et chaleureux, et à l'oie qui dorait dans le four.

— Peut-être, remarqua Charlotte en se dirigeant vers la cuisine, mais elle aurait manqué à sa mère. Emily lui a donné un gros poulet. Petit déjeuner dans une demi-heure ! reprit-elle en haussant la voix. Tout le monde va s'habiller. Allez !

Elle claqua dans ses mains. Tandis qu'Emily s'occupait d'habiller les enfants, Charlotte partit préparer un petit déjeuner traditionnel : porridge, œufs au bacon, toast et marmelade, miel et thé. Pitt remonta se raser.

Une mince couche de neige était tombée pendant la nuit ; des nuages gris perle s'effilochaient dans le ciel bleu entre les toits. Ils se rendirent tous ensemble au temple, situé à quelques centaines de mètres de là. Partout les cloches carillonnaient.

Le service fut court ; ils se serrèrent sur les bancs étroits tandis que le pasteur racontait la Nativité, accompagné par l'orgue qui jouait *Oh Come All Ye Faithful* et *God Rest Ye Merry Gentlemen*. L'assemblée reprit les paroles en chœur ; les chants emplirent toute la nef.

Sur le chemin du retour, ils furent pris sous une petite averse de neige et s'amusèrent à voir les empreintes de leurs pas sur la neige fraîche. Arrivés à la maison, ils allèrent de nouveau contempler les cadeaux empilés sous le sapin ; puis, après quelques instants d'affairement dans la cuisine, ils s'installèrent à table devant l'oie farcie agrémentée de petites pommes de terre et de navets doux sautés. Pitt ouvrit une bouteille de bon vin français ; ensuite, à la grande joie des enfants, on fit flamber le pudding de Noël, avant de le napper de crème. Charlotte le découpa, en veillant à ce que tout le monde eût sa pièce.

Il n'était plus question de retarder la cérémonie des cadeaux. Tout excités, ils se rassemblèrent dans le salon pour faire la répartition. Les trois adultes regardèrent les enfants déchirer le papier d'emballage avant de découvrir, émerveillés, leurs présents. Daniel reçut le train fabriqué par son père et un diablotin à ressort offert par Emily ; Edward eut des cubes en bois de toutes les couleurs, de taille et de forme différentes, que Pitt avait lui-même sculptés et peints, ainsi qu'une boîte de petits soldats, cadeau de sa mère ; Jemima fut enchantée par sa poupée, pour laquelle Charlotte avait confectionné trois tenues différentes ; Emily lui avait offert un kaléidoscope dans lequel elle pouvait apercevoir en le tournant un monde magique de fragments de verre colorié qui changeait à l'infini. Leur grand-mère avait fait parvenir un livre à chacun des enfants : *Les Aventures d'Alice au pays des merveilles*, de Lewis Carroll, pour Jemima, *Les Enfants de l'eau*, de Charles Kingsley, pour Daniel, et, pour Edward, *L'Ile au trésor* de Robert Louis Stevenson.

Le vase d'albâtre rose de Pitt et la broche en grenat de sa sœur comblèrent Charlotte. Emily adora le cadeau que lui firent Pitt et Charlotte, un joli fichu de dentelle. Pitt se vit offrir deux chemises, cousues par Charlotte, et une paire de bottes Wellington rutilantes, choisies par Emily à son intention. Il la remercia très sincèrement, non seulement pour l'attention mais aussi parce qu'il ne s'agissait pas d'un cadeau trop coûteux, qui eût pu le gêner. Emily savait qu'un policier ne gagnait guère plus qu'un ramoneur ; même alors, son salaire d'inspecteur n'aurait pas suffi à couvrir les dépenses vestimentaires qu'elle faisait en un mois.

Emily leur était profondément reconnaissante de la chaleur de leur accueil ; sa joie visible d'appartenir à une famille était pour eux le plus beau des remerciements. Lorsque l'excitation retomba enfin, ils s'assirent devant la cheminée, ne lésinant pas à la charger de charbon, afin de voir les flammes s'élever, rouges et jaunes, et d'entendre le feu gronder joyeusement dans l'âtre. Pendant que les deux sœurs bavardaient, Pitt s'assoupit dans son fauteuil, les pieds posés sur le pare-étincelles.

Dans la soirée, quand les enfants, épuisés, furent enfin montés dans leur chambre en serrant contre leur cœur leurs précieux cadeaux, Charlotte, Pitt et Emily s'installèrent devant un puzzle géant représentant le couronnement de la reine Victoria. Ils veillèrent jusqu'à minuit, heure à laquelle Emily, triomphante, posa la dernière pièce manquante.

Deux jours plus tard, alors que le vent du nord transformait la neige fondue en plaques de verglas glissantes et craquantes et éparpillait la glace des caniveaux comme s'il s'agissait de verre pilé, Pitt retourna travailler. Après avoir chargé ses subordonnés des affaires courantes, il quitta le commissariat et héla un fiacre. Il était très désireux de rencontrer la famille York, car il avait une petite idée en tête.

Le cab le déposa dans Hanover Close, paisible impasse aux élégantes façades georgiennes ; les ramures dénudées des arbres se découpaient en filigrane sur le ciel blanc. Le cocher, un peu éberlué, faillit demander à Pitt s'il ne s'était pas trompé d'adresse, mais devant son expression sévère, empocha la course en silence et repartit en faisant claquer les rênes sur l'encolure fumante de son cheval.

Pitt gravit les marches du perron, prêt à affronter le mépris du valet qui ne manquerait pas de lui dire que les policiers entraient par la porte de service. Il avait beau être habitué à ce genre d'accueil, il sentit ses épaules se raidir.

La porte s'ouvrit presque aussitôt. Le valet, bien entendu, ne put dissimuler sa surprise à la vue du policier.

— Je m'appelle Thomas Pitt, fit ce dernier, sans mentionner son grade. Je pense être en possession de renseignements qui peuvent intéresser Mr. York. Auriez-vous l'obligeance de lui demander de me recevoir ?

Le domestique n'osa pas le rembarrer sans avoir auparavant informé son maître de cette visite, comme Pitt l'espérait.

— Si vous voulez bien patienter dans le salon, monsieur, je vais me renseigner, dit-il en reculant pour le laisser entrer.

Il portait un petit plateau où les visiteurs étaient censés déposer leur carte, mais Pitt n'en avait point. Il envisagea l'acquisition d'une carte toute simple, mentionnant seulement son nom.

Le salon était vaste et confortable, d'essence masculine, avec un tissu d'ameublement vert d'eau, et, aux murs, des gravures représentant des scènes de chasse. Une bibliothèque vitrée renfermait des livres reliés ; sur un guéridon près de la fenêtre était posé un globe cerclé d'un méridien de cuivre sur lequel toutes les nations de l'Empire britannique étaient marquées en rouge.

— Puis-je donner à Mr. York le motif de votre visite ? fit le valet d'un air grave.

— Le décès de Mr. Robert York, répondit Pitt, exagérant un peu la vérité.

Ne trouvant rien à répondre, l'homme s'inclina très légèrement et partit en refermant la porte derrière lui.

Pitt savait qu'il n'attendrait pas longtemps. Il ne lui servait à rien d'examiner les volumes alignés dans la bibliothèque pour en savoir un peu plus sur les occupants des lieux. Les beaux livres reliés étaient souvent achetés pour leur apparence plutôt que pour leur contenu. Il préféra se répéter mentalement ce qu'il avait l'intention de dire, se préparant à mentir à un homme pour lequel, a priori, il ressentait une profonde compassion et qui lui serait peut-être fort sympathique.

L'honorable Piers York apparut cinq minutes plus tard. Un homme grand, approchant les soixante-dix ans, qui avait dû être svelte dans sa jeunesse. Il se tenait encore très droit, bien qu'il eût les épaules légèrement voûtées ; dans ce visage émacié par le chagrin et marqué par des années de retenue, on décelait malgré tout un certain humour.

Il referma la porte.

— Mr. Pitt ? s'enquit-il avec une pointe de curiosité, en désignant un fauteuil d'un geste. John me dit que vous aviez quelque chose à m'annoncer, au sujet du décès de mon fils. Je ne me trompe pas ?

Pitt se sentit un peu embarrassé, mais il ne pouvait revenir sur ce qu'il avait dit au valet.

— Oui, monsieur. Il est possible que quelques-uns des objets dérobés dans cette maison aient été retrouvés. Si vous pouviez me donner une description plus précise du presse-papiers...

York leva vers lui un regard intrigué. Pitt y devina de la tristesse, mais aussi un certain amusement, sans doute provoqué par la vue de ses Wellington toutes neuves.

— Êtes-vous de la police ?

— Oui, monsieur, fit Pitt, se sentant rougir.

York s'assit d'un mouvement élégant, en dépit d'une légère raideur dans le dos.

— Qu'avez-vous découvert ?

Pitt avait bien préparé son mensonge. Il s'assit et, évitant le regard de son hôte, lui expliqua que la police avait récemment retrouvé de nombreux objets volés, parmi lesquels on comptait plusieurs pièces d'argent et de cristal.

— Je vois, fit York avec un sourire triste. Vous savez, ces pièces n'avaient pas une grande valeur. Je ne me souviens plus exactement à quoi ressemblait le vase. Le presse-papiers était gravé de fleurs, je crois. Mais vous avez sans doute des enquêtes plus importantes à mener, Mr. Pitt...

— Ces objets pourraient nous aider à remonter jusqu'au voleur et donc jusqu'à l'assassin de votre fils, expliqua Pitt avec gravité.

York eut un sourire las. Il abordait le sujet avec détachement, ayant dissocié son chagrin des événements survenus trois ans plus tôt.

— Depuis 1885, Mr. Pitt, les objets ont dû passer entre de nombreuses mains.

C'était une simple remarque, non une question.

— Je ne crois pas, monsieur. Nous avons de fréquents contacts avec des receleurs.

York soupira.

— L'enquête est-elle vraiment indispensable ? Je me moque bien de ce vase, et ma femme aussi d'ailleurs. Robert était notre seul fils. Ne pouvons-nous pas...

Il ne termina pas sa phrase.

« Est-elle réellement indispensable ? » songea Pitt. Cette comédie allait-elle vraiment l'aider à obtenir des informations sur le meurtrier de Robert York ? L'enquête jetterait-elle une quelconque lumière sur la responsabilité de son épouse ? N'était-ce pas tout simplement une peine supplémentaire infligée à une famille durement éprouvée ?

Tout de même, il y avait quelque chose de bizarre dans ce cambriolage, qui ne ressemblait pas à un fric-frac ordinaire. Pitt croyait Pinhorn, l'Hermine et leurs comparses quand ils lui affirmaient que ce n'était pas là l'œuvre d'un professionnel. Peut-être s'agissait-il d'un proche de la famille ayant décidé de s'improviser voleur. Surpris et reconnu par Robert York, il aurait préféré, dans son affolement, le tuer plutôt que d'être dénoncé. Ou alors le vol cachait l'homicide : York ayant surpris sa femme dans les bras de son amant, ce dernier l'avait tué, avant de subtiliser des objets pour faire croire à un cambriolage. Pis encore, le meurtre était peut-être prémédité.

Restait l'hypothèse tant redoutée par le Foreign Office : que des documents confidentiels ramenés chez lui par Robert York aient été dérobés ce soir-là. Il y aurait non seulement eu meurtre, mais aussi forfaiture.

— Oui, je crains que l'enquête soit nécessaire, affirma Pitt. Vous m'en voyez navré. J'imagine que votre épouse ne souhaiterait pas que le meurtrier soit laissé en liberté, si nous avons une chance de l'appréhender.

York soutint son regard pendant plusieurs secondes, puis se leva lentement.

— Je suppose que vous savez ce que vous faites, Mr. Pitt, dit-il en allant tirer sur le cordon de la sonnette.

Il n'y avait aucune condescendance dans sa voix ; il lui parlait d'égal à égal.

— Dites à Mrs. York de descendre, ordonna-t-il au valet, dès que celui-ci apparut.

Ils attendirent en silence durant plusieurs minutes. Dès que Loretta York entra, Pitt se leva et l'observa avec attention : c'était elle dont le sang-froid, la nuit de la mort de son fils, avait tant impressionné l'agent Lowther, et le lendemain, l'inspecteur Mowbray. Plutôt petite, encore mince malgré une taille un peu épaisse, des épaules bien en chair et une gorge blanche prise dans de la belle dentelle française. Pitt sentit l'odeur légère et sucrée de son parfum au gardénia. Elle avait des traits doux et ronds, un joli nez, des lèvres aux contours bien dessinés, un teint parfait, des cheveux châtains épais, naturellement bouclés. Elle avait dû être très belle.

Elle dévisagea Pitt avec une froide surprise.

— Monsieur est de la police, expliqua York. Il se peut que l'on ait retrouvé certains objets volés ici. Pourriez-vous lui décrire le vase en argent ? Personnellement, je serais incapable de le reconnaître, si je le voyais.

Loretta York ouvrit de grands yeux.

— Au bout de trois ans, la police me rendrait un vase volé ? C'est bien le dernier de mes soucis.

La critique était justifiée. Pitt répondit d'un ton plus sec qu'il ne l'aurait souhaité :

— La justice est souvent lente, madame, et fait parfois souffrir les innocents. Vous m'en voyez navré.

Elle s'efforça de sourire ; il lui en fut reconnaissant.

— Le vase était en argent massif, d'une vingtaine de centimètres de haut, rond à la base, le corps quadrangulaire, avec un bec cannelé. Il pouvait contenir cinq ou six tiges. En général, j'y mettais des roses.

On ne pouvait rêver description plus précise. Il la regarda attentivement : une femme intelligente, très maîtresse d'elle-même, avec un visage expressif ; un être capable d'éprouver de violentes passions. Pitt baissa les yeux vers ses mains, fortes et potelées : elles étaient un peu raidies, mais non crispées.

— Merci, madame. Et le presse-papiers ?

— Une sphère de cristal, très lourde, d'environ sept centimètres, sur laquelle étaient gravées deux roses des Tudor et une sorte de volute. Un ruban, peut-être. Avez-vous retrouvé le voleur ? demanda-t-elle, le front plissé.

Pitt décela un léger tremblement dans sa voix et vit un petit muscle se contracter sur sa tempe.

— Non, madame.

Cette fois-ci, il ne mentait pas.

— Seulement des objets, trouvés chez un receleur qui pourrait nous permettre de remonter jusqu'à lui.

York se tenait debout à quelque distance de son épouse. Pitt crut qu'il allait tendre la main vers elle, dans un geste de réconfort, pour lui manifester son soutien, mais il n'en fut rien. Quelles émotions dissimulaient les traits aristocratiques de l'honorable Piers York et le visage si bien conservé de son épouse ? Soupçonnaient-ils leur belle-fille d'avoir un amant ? Pensaient-ils que leur fils avait été assassiné pour des raisons d'État ? Ou bien qu'un ami de la famille, ruiné, aurait choisi par désespoir la solution du vol plutôt que le risque d'une disgrâce et l'emprisonnement pour dettes ?

Il n'apprendrait rien de plus en se contentant de les regarder. Une éducation sévère leur avait appris à juguler toute émotion, à se montrer dignes en toute circonstance et à respecter leur appartenance à leur caste. Aussi profondes que soient leur angoisse ou leur peine, jamais leurs mains ni leur voix ne trembleraient en face d'un policier. Pitt regrettait presque que Charlotte ne fût pas là pour les voir ; elle au moins aurait deviné ce que dissimulaient leurs manières polies.

Il ne pouvait prolonger l'entretien plus longtemps ; n'ayant aucune raison de rencontrer Veronica York, il prit congé de ses hôtes et sortit dans la grisaille et la froidure.

Trois jours de recherches lui furent nécessaires pour dénicher un vase en argent à peu près analogue à celui décrit par Loretta York ; il lui manquait trois centimètres de hauteur et il possédait cinq faces au lieu de quatre, mais la ressemblance était suffisante. En revanche, Pitt renonça à trouver un presse-papiers ; aucun receleur n'en détenait un qui fût identique ; il irait à l'encontre de son propre subterfuge s'il en présentait un qui différât trop de la description qu'elle en avait faite.

On était la veille du Jour de l'An. Le manteau neigeux qui recouvrait la chaussée assourdissait le sifflement des roues du cab. Celui-ci stoppa dans Hanover Close peu après trois heures. Un agent qui faisait sa ronde avait appris à Pitt que c'était la meilleure heure pour rencontrer Veronica York, sa belle-mère étant partie en visite.

Une jolie brunette portant bonnet et tablier de dentelle amidonné ouvrit la porte et l'examina de la tête aux pieds ; cet inconnu aux mèches en bataille s'échappant de son chapeau, portant des bottes neuves et un manteau élimé aux poches gonflées, ne lui inspirait guère confiance.

— Monsieur ?

Il lui sourit.

— Je suis venu voir Mrs. York. Je pense qu'elle doit s'attendre à ma venue.

La soubrette accorda plus de crédit à son sourire qu'à ses paroles, qu'elle avait du mal à croire.

— Mrs. York a de la visite, pour le moment, monsieur, mais si vous voulez bien patienter dans le salon, je vais l'informer de votre présence.

— Merci, dit-il en lui tendant l'une des cartes dont il venait de faire l'acquisition.

Geste peut-être un peu prétentieux, de la part d'un policier, mais il avait bien le droit de se faire plaisir, et l'utilité d'une carte de visite pourrait un jour justifier la dépense. Il n'avait pas osé parler à Charlotte de cet achat, craignant de passer pour un idiot à ses yeux.

Après le départ de la soubrette, il ouvrit la porte qui donnait dans le vestibule et se posta derrière elle, aux aguets, de façon à surprendre une éventuelle conversation sans être vu. Même si les visiteurs présentaient peu d'intérêt pour son enquête, il était curieux de les connaître. En arrivant, il n'avait pas remarqué de voiture garée devant le numéro deux ; les visiteurs avaient donc l'intention de rester plus d'une demi-heure, durée normale d'une simple visite de politesse. L'attelage avait dû gagner les écuries, situées à l'arrière de la maison.

Le quiproquo qu'il avait espéré provoquer ne tarda pas à se produire, la soubrette étant, de bonne foi, allée prévenir Veronica York. Au bout d'une dizaine de minutes, celle-ci apparut, accompagnée d'un homme blond d'une quarantaine d'années, dont la physionomie reflétait une très vive intelligence. Ils saluèrent Pitt avec civilité, tout en restant sur leurs gardes.

Veronica York était en effet une femme superbe, très mince, avec des épaules étroites et une poitrine menue ; elle se déplaçait avec une grâce extraordinaire. Ses traits délicats reflétaient une grande sensibilité. Elle plut aussitôt à Pitt, qui songea que ce visage inoubliable, sous son calme apparent, devait cacher un tempérament passionné.

— Mr. Pitt? fit-elle, surprise. Je crois ne vous avoir jamais rencontré. J'ai demandé à Mr. Danver de m'accompagner; j'espère que vous n'y voyez pas d'inconvénient.

Conscient de la vulnérabilité de la jeune femme, ce dernier plaça autour d'elle un bras protecteur, comme s'il craignait que Pitt ne lui manquât de respect. Cependant, son expression ne trahissait aucune hostilité, seulement une certaine méfiance.

— Pardonnez-moi, madame. Je pensais rencontrer Mrs. Piers York. Je me suis mal expliqué. Mais à mon avis, vous pourrez tout aussi bien me renseigner.

Il sortit le vase d'argent de sa poche.

— Il est possible que cet objet vous ait été dérobé il y a trois ans. Auriez-vous l'obligeance de l'examiner?

Veronica devint livide et écarquilla les yeux, comme si Pitt avait fait surgir devant elle une chose étrange et repoussante. Redoutant de la voir défaillir, Danver l'enlaça de plus près et se tourna vivement vers Pitt.

— Pour l'amour du ciel, mon vieux, n'avez-vous donc aucune pitié? Vous faites irruption sans prévenir en brandissant un vase qui a été volé le soir même de l'assassinat de l'époux de Mrs. York!

Il jeta un coup d'œil à la jeune femme et, voyant l'extrême angoisse qui l'étreignait, ajouta en haussant le ton:

— Je me plaindrai à vos supérieurs de votre manque de doigté! Tout de même, vous auriez pu vous adresser à Mr. York!

Pitt avait pitié de Veronica, comme il avait eu pitié de beaucoup d'êtres humains, qu'ils fussent coupables ou innocents. Il n'éprouvait pourtant pas le même sentiment vis-à-vis de Julian Danver; en effet, soit ce dernier jouait la comédie, soit il ne lui était jamais venu à l'esprit que la vérité pût être différente de celle admise jusqu'à présent.

80

— Vous m'en voyez sincèrement désolé. Mr. Piers York m'a dit, lors de ma précédente visite, qu'il ne saurait reconnaître le vase. C'est Mrs. York qui me l'a décrit. Avec votre permission, je pourrais demander à un domestique...

Veronica, toujours très pâle, s'efforça de se ressaisir.

— Vous êtes injuste, Julian, articula-t-elle avec difficulté. Mr. Pitt ne fait que son devoir. Belle-maman serait tout aussi émue que moi en voyant ce vase.

Elle leva les yeux vers Pitt qui fut encore frappé par l'intensité bouleversante de son regard ; c'était une femme dont l'exceptionnelle beauté se remarquait partout, et pas seulement dans les salons.

— Je ne suis pas certaine qu'il s'agisse de notre vase, dit-elle en s'efforçant de contrôler le tremblement de sa voix. Je n'y avais jamais prêté vraiment attention. Il se trouvait dans la bibliothèque, une pièce où je me rends rarement. Oui, il vaudrait mieux questionner les domestiques, plutôt que de troubler ma belle-mère en le lui montrant.

— Bien entendu.

Pitt, qui cherchait justement un prétexte pour interroger le personnel, tenait là l'occasion rêvée.

— Si vous voulez bien informer le majordome ou la gouvernante que vous m'autorisez à questionner les femmes de chambre, je me rendrai de ce pas à l'office pour parler à la personne chargée à l'époque du ménage de la bibliothèque.

— Oui, acquiesça-t-elle avec un soulagement non dissimulé. Ce serait une excellente idée.

— Je m'en occupe, proposa Danver. Voulez-vous monter vous reposer dans votre chambre, ma chère ? Je vous excuserai auprès de Papa et d'Harriet.

Elle se tourna vivement vers lui.

— Je vous en prie, Julian, pas un mot de tout cela.

— Bien entendu. Je leur dirai qu'une légère indisposition vous a obligée à vous allonger une demi-heure et que vous viendrez nous rejoindre plus tard. Voulez-vous que j'appelle votre camériste, ou votre belle-mère?

— Non! s'exclama-t-elle avec véhémence, en s'agrippant à lui. Surtout pas! Tout ira bien. Ne dérangez personne. Un peu d'eau de Cologne et il n'y paraîtra plus. Je ne tarderai pas à descendre au salon. Auriez-vous l'obligeance d'appeler Redditch et de lui expliquer la situation?

Il acquiesça, sans grand enthousiasme.

Veronica salua Pitt avec courtoisie, avant de disparaître dans le vestibule. Danver sonna le majordome, qui apparut sur-le-champ; un homme au visage aimable et attentif, qui avait conservé une naïveté enfantine assez étrange, étant donné la dignité attachée à sa position. Danver lui expliqua la requête de Pitt, puis s'éclipsa.

Redditch le précéda dans le vestibule, poussa la grande porte verte matelassée qui séparait la maison des maîtres des quartiers des domestiques et l'introduisit dans une pièce inoccupée, sans doute le salon de la gouvernante.

— J'ignore qui était de service au rez-de-chaussée, à l'époque, monsieur, fit-il d'un ton circonspect. La plus grande partie du personnel a été renouvelée depuis le décès de Mr. Robert. Moi-même, je suis nouveau ici, et la gouvernante également. Mais la fille de cuisine était déjà là. Il est possible qu'elle se souvienne du vase.

— Si vous voulez bien aller la chercher? s'enquit Pitt.

Il attendit une vingtaine de minutes, pendant lesquelles il pensa à Veronica York. Enfin, une jolie bonne d'une vingtaine d'années entra dans le salon, vêtue d'une robe bleue, d'un petit tablier blanc et d'un bonnet. De toute évidence, ce n'était pas la fille de cuisine : elle paraissait coquette et soignée; ses mains n'étaient pas rougies par les vaisselles répétées et ne devaient plus frotter les parquets depuis longtemps. Le majordome l'accompagnait, sans doute pour s'assurer de sa discrétion.

— Je m'appelle Dulcie, monsieur, fit-elle, en inclinant légèrement la tête.

Un domestique n'était pas tenu de se courber avec déférence devant un policier, qui lui était socialement à peu près égal.

— Je m'occupais du ménage, à l'époque où Mr. Robert a été tué. Aujourd'hui, de tout le personnel, il ne reste que Mary et moi. Mr. Redditch pense que je peux vous aider, monsieur.

Pitt regrettait que ce dernier soit resté, mais il aurait dû s'y attendre ; tout majordome aurait agi de la même façon.

— Oui, je crois.

Il sortit le vase de sa poche et le lui montra.

— Regardez cet objet avec attention, Dulcie, et dites-moi si c'est bien le vase qui se trouvait dans la bibliothèque.

La jeune fille demeura un instant interloquée. Apparemment, Redditch s'était contenté de lui dire que le policier désirait lui parler parce qu'elle était depuis longtemps au service des York. Elle ouvrit de grands yeux et observa le vase, sans y toucher.

— Eh bien, Dulcie ? Réponds ! intervint Redditch. Est-ce bien ce vase, ma fille ? Tu as dû le dépoussiérer souvent !

— Il lui ressemble beaucoup, monsieur, mais je ne pense pas que ce soit lui. Dans mon souvenir, il avait quatre côtés. Mais je peux me tromper.

Elle n'aurait pu lui donner de meilleure réponse. Cela permettait à Pitt de lui poser d'autres questions.

— Ce n'est pas grave, dit-il en souriant. Vous souvenez-vous des jours qui ont précédé le décès de Mr. York ?

— Oui, murmura-t-elle.

— Alors, racontez-moi. Y a-t-il eu de nombreuses visites ?

Un sourire éclaira le visage de Dulcie, et s'évanouit aussitôt.

— Oh, oui, beaucoup, jusqu'à la mort de Mr. Robert. Ensuite, plus personne n'est venu, sauf pour présenter ses condoléances.

— Des dames venaient l'après-midi ?

— Oui, presque tous les jours, pour voir Mrs. Piers ou Mrs. Robert. En général, l'une des deux restait ici, pendant que l'autre était de sortie.

— Des dîners ?

— Non, pas souvent. La plupart du temps, ils dînaient en ville, ou allaient au théâtre.

— Mais il y avait des visiteurs réguliers ? Mr. Danver, par exemple ?

— Oui, Mr. Julian Danver, son père, Mr. Garrard et Miss Harriet. Et aussi Mr. et Mrs. Asherson...

Elle mentionna ensuite une demi-douzaine de noms, que Pitt nota sur son calepin, sous l'œil réprobateur du majordome.

— A présent, essayez de vous remémorer l'une de vos journées et énumérez-moi les tâches que vous aviez à accomplir.

— Bien, monsieur.

Dulcie, les yeux baissés, mains croisées sur son tablier, se mit à réciter lentement :

— Je me levais à cinq heures et demie. Je descendais vider les cendres des cheminées. Mary me donnait une tasse de thé. Ensuite je m'assurais que toutes les grilles étaient passées au noir, les cuivres et les chenets bien astiqués. J'allumais le feu pour que les pièces aient le temps de se réchauffer avant que la famille ne descende. Je vérifiais que le valet avait bien rempli et rentré les seaux à charbon — il faut souvent être derrière eux. Après le petit déjeuner, je commençais à essuyer la poussière et à balayer...

— Étiez-vous chargée du ménage dans la bibliothèque ?

Il devait absolument obtenir des réponses précises pour justifier cet interrogatoire.

— Oui, monsieur. Ah, maintenant, je me souviens

bien du vase ! Il ressemblait beaucoup à celui-ci, mais ce n'était pas lui.

— Tu en es sûre ? intervint Redditch.

— Oui, Mr. Redditch. Ce n'est pas notre vase ; je suis prête à le jurer.

N'ayant pas d'autre question à poser, Pitt se leva et les remercia. Il avait quand même glané quelques noms et pouvait commencer à chercher du côté d'un monte-en-l'air amateur.

Redditch se détendit.

— Voulez-vous prendre le thé à la cuisine, Mr. Pitt ?

Celui-ci accepta sans hésiter. Une tasse de thé bien chaud n'était pas pour lui déplaire ; ce serait aussi l'occasion de rencontrer les autres membres du personnel.

Une demi-heure plus tard, après avoir bu trois tasses de thé et dégusté deux parts de quatre-quarts, il se rendit dans la bibliothèque, une pièce agréable dont deux des murs étaient couverts de livres ; le troisième comportait de hautes fenêtres habillées de tentures de velours rouille. Le quatrième était occupé par une énorme cheminée de marbre flanquée de deux consoles marquetées de bois exotique. Devant les fenêtres se dressait une grande table de chêne massif entourée de trois fauteuils en cuir.

Pitt, debout au milieu de la pièce, essayait de se représenter la scène de l'assassinat de Robert York, quand soudain, il entendit un léger bruit. Il se retourna et aperçut Dulcie sur le pas de la porte.

— Entrez, Dulcie. Vous vouliez me dire quelque chose ? demanda-t-il, remarquant ses yeux brillants et son front soucieux.

— Oui, monsieur. Tout à l'heure, vous m'avez demandé s'il y avait des invités, des gens de passage...

— Oui ?

— Eh bien, cette semaine-là, c'est la dernière fois que je l'ai vue...

Elle s'interrompit et se mordilla la lèvre, hésitant à continuer.

— Qui donc, Dulcie?

— La dame habillée en rouge cerise. Je ne connais pas son nom. Ce n'était pas une invitée officielle — enfin, je veux dire qu'elle n'entrait jamais par la porte principale. Je n'ai jamais vu sa figure, sauf une fois, sur le palier du premier étage. Je l'ai entraperçue une seconde. Elle portait toujours du rouge cerise, une robe, des gants, ou une fleur... je connais les toilettes de Miss Veronica. Elle ne porte jamais cette couleur. Un jour j'ai trouvé un gant, sous un de ces coussins, là-bas...

Elle désigna le fauteuil le plus éloigné.

— Et une autre fois, un ruban rouge.

— Êtes-vous sûre qu'ils n'appartenaient pas à Mrs. Piers York?

— Certaine, monsieur. Avec les cáméristes, nous parlions souvent de leurs toilettes. C'est une couleur très difficile à porter. Non, le gant et le ruban appartenaient à la dame en rouge. Mais je vous jure que je sais pas qui c'était. Elle entrait et sortait comme une ombre, comme si elle voulait pas qu'on la voie. Et après, je l'ai jamais revue. J'aimerais bien que vous attrapiez celui qui a fait ça, monsieur. Je parle pas du vase. Mr. Piers dit qu'on peut toujours récupérer l'argent, grâce à l'assurance, comme la fois où Mrs. Loretta a perdu un collier de perles avec un fermoir en saphir.

Elle se mordit la langue et se tut.

— Merci, Dulcie, la rassura Pitt en voyant son minois soucieux. Vous avez bien fait de m'en parler. Je ne le répéterai pas à Mr. Redditch, à moins d'y être obligé. A présent, raccompagnez-moi à la porte. Personne n'aura remarqué votre présence ici.

— Merci, monsieur. Je...

Elle hésita, comme si elle s'apprêtait à ajouter quelque chose, puis changea d'avis, fit une petite révérence, le précéda dans le grand vestibule et lui ouvrit la porte.

Un instant plus tard, Pitt était dehors, dans l'impasse silencieuse. La glace craquait sous ses bottes. Qui était donc cette femme en rouge qui n'avait pas réapparu depuis le décès de Robert York? Pour quelle raison personne ne lui en avait-il encore parlé? C'était peut-être une amie de Veronica, ou une parente excentrique, au comportement jugé inacceptable. Ou bien alors... Se pouvait-il qu'elle soit justement celle que le Foreign Office cherchait à cacher, en espérant que Pitt ne parviendrait jamais à retrouver sa trace... une espionne?

Il se dit qu'il devrait interroger à nouveau Dulcie, dès qu'il en saurait un peu plus.

4

Le surlendemain de Noël, Emily retourna dans sa vaste et élégante demeure de Parangon Walk. Au cours de leur première année de mariage, George, avec la générosité qui le caractérisait, avait fait presque entièrement redécorer leur intérieur au goût de son épouse. Rien de ce qui pouvait ajouter du charme ou de la personnalité ne lui avait été refusé ; néanmoins, l'ensemble restait sans prétention : point de pièces décorées à la française, ni dorures ni fioritures, seulement un mobilier de style Regency, en harmonie avec l'architecture georgienne de la maison. Au début de leur mariage, ils s'étaient chamaillés à cause du goût immodéré des parents de George pour les franges et les pompons ; Emily avait relégué la plupart des portraits de famille dans les chambres d'amis. Une fois la surprise passée, George s'était déclaré enchanté par le résultat des travaux, quand il avait comparé son nouvel intérieur avec celui, trop encombré, de leurs amis.

Après avoir ordonné aux domestiques d'emporter ses valises et de préparer le déjeuner, Emily éprouva un sentiment de solitude angoissant, comme si sa demeure lui était étrangère. Elle prit une grande inspiration, prête à dire au valet de redescendre les bagages ; à tout prendre, elle préférait retourner chez Charlotte. La maison de sa sœur était pourtant exiguë, pauvrement meublée et située dans un quartier peu recherché. Mais pendant trois jours, Emily y avait été si heureuse qu'elle en avait presque oublié son veuvage. A partir du moment où ils étaient tous réunis, leur différence sociale s'effaçait ; si parfois elle s'était réveillée la nuit, enviant sa sœur endormie bien au chaud contre Thomas, de l'autre côté de la cloison, son insomnie ne durait pas et elle replongeait rapidement dans le sommeil.

Quel contraste brutal avec l'atmosphère glaciale de cette somptueuse demeure dont elle était désormais l'unique propriétaire ! Elle frissonna, alors que tous les feux étaient allumés. Elle entendait les pas précipités des domestiques dans les couloirs, le tintement de l'argenterie et du cristal dans la salle à manger, le papotage des femmes de chambre sur le palier, le rebond caractéristique de la grande porte matelassée après le passage d'un valet.

Elle monta vivement à l'étage, tout en se débarrassant de son manteau. Sa camériste le lui prit des mains, ainsi que sa capeline ; c'était elle qui déferait les valises, trierait le linge à laver et accrocherait les robes dans la penderie ; la nurse ferait de même avec les habits d'Edward.

Lorsque Emily redescendit au rez-de-chaussée, dans son boudoir, la cuisinière vint lui demander ses instructions pour le dîner et les repas des jours suivants. Emily réalisa qu'elle n'avait rien d'autre à faire que de prendre des décisions sur des sujets insignifiants. C'était bien là le problème : les jours s'étiraient devant elle, vides d'occupations intéressantes ; elle passerait les journées pluvieuses de janvier à broder, rédiger son courrier, jouer du piano dans un salon vide, et à essayer, sans succès, de traduire ses états d'âme sur une toile avec des pinceaux et de la couleur.

Quoi qu'elle fasse, elle n'avait pas envie de le faire seule. Mais la plupart de ses connaissances n'étaient que de simples relations ; les considérer comme des amies eût été dénaturer le sens de ce mot. Leur compagnie tromperait simplement le silence, sans lui donner la sensation d'être entourée d'affection ; cependant elle n'était pas désespérée au point de désirer à tout prix une présence à ses côtés.

Son esprit logique lui faisait remarquer que pour avoir des fréquentations intéressantes, il lui fallait entretenir des relations, mais elle ne savait pas trop qui rencontrer, en dehors de sa famille proche. Bien que sa mère fût également veuve depuis peu, elles n'avaient pas grand-chose en commun. Caroline Ellison, qui avait vécu toute sa vie à l'abri du besoin, s'était aperçue que la solitude du veuvage ne présentait pas que des inconvénients ; elle lui apportait même une certaine euphorie ! Pour la première fois de son existence, elle n'avait de comptes à rendre à personne : ni à un père despotique, ni à une mère ambitieuse, ni à un mari charmant mais aux idées très arrêtées. Même son impossible belle-mère avait cessé d'exercer sa tyrannie, depuis le décès de son fils. Caroline était enfin libre d'exprimer ses opinions. Ces derniers temps, elle avait plus d'une fois amené sa belle-mère au paroxysme de la fureur en lui disant de se mêler de ses affaires, ce qu'elle n'aurait jamais osé faire auparavant ; cela n'en aurait pas valu la peine, étant donné les conflits qui en auraient résulté sans qu'elle obtînt la possibilité de se justifier.

A la différence du père d'Emily, qui s'était éteint paisiblement, à soixante-cinq ans, après une courte maladie, George avait été assassiné dans la fleur de l'âge. Il avait toujours laissé son épouse libre de ses mouvements. Ses seules contraintes étaient celles en vigueur dans la haute société ; elle se sentait d'ailleurs davantage liée par elles maintenant que du vivant de George. Son isolement l'effrayait, car elle pressentait qu'il ne ferait qu'empirer. Elle serait amenée à meubler ses journées d'activités inutiles et à entretenir des conversations ennuyeuses avec des gens qui n'éprouvaient aucune amitié réelle à son égard.

De ce fait, la prolongation de son « amitié » avec

Jack Radley lui paraissait fort séduisante. A cet instant, il lui était facile de chasser de son esprit les questions que la raison aurait dû lui conseiller de se poser : Jack était-il davantage pour elle qu'un compagnon charmant et plein d'humour, capable d'égayer le plus anodin des passe-temps et de si bien la comprendre qu'elle ne se sentait presque jamais obligée de s'expliquer ou de se justifier devant lui ?

L'affection est une bien belle chose, entre amis. Mais un couple doit éprouver confiance et respect mutuels. Une femme souffrante ou victime de calomnie doit être sûre du soutien de son époux. Et si celui-ci se montre inconstant — cette pensée la blessa, car le souvenir des infidélités de George était encore cuisant dans sa mémoire —, il fallait espérer que sa conduite soit sans conséquence, et qu'il fasse preuve d'une discrétion suffisante pour que l'entourage n'en sache jamais rien.

Mais un couple doit aussi partager les mêmes valeurs morales. Que pouvait-elle en effet avoir en commun avec un individu qui ne posséderait pas le courage de ses opinions et n'éprouverait aucune compassion pour autrui ? Elle mépriserait bien vite un époux dont l'imagination ne dépasserait pas ses propres intérêts.

Elle eut un sursaut embarrassé. A quoi diable pensait-elle ? Au mariage ? Elle devait être folle ! Depuis qu'elle avait fait la connaissance de Jack, à Cardington Crescent, elle le savait désargenté. Il avait besoin d'épouser une héritière fortunée. C'était d'ailleurs pour cette raison que l'oncle Eustace l'avait invité chez lui : Jack était supposé apporter à Tassie March la renommée de sa famille, en échange de la fortune des March [1]. Mais Emily était infiniment plus riche que Tassie, depuis qu'elle avait hérité du patrimoine de George. Une veuve fortunée est la proie de vautours qui tournent autour d'elle comme autour d'un cadavre, attendant leur tour, sans trop d'empressement pour ne

---

1. Voir *Meurtres à Cardington Crescent*, 10/18, n° 3196.

pas paraître indélicats et gâcher leurs chances, mais sans trop attendre non plus, pour ne pas être battus sur le poteau.

Cette pensée sordide lui donna presque la nausée. Quand elle était arrivée sur le marché du mariage, Emily avait superbement joué le jeu et avait bien mérité de gagner. A l'époque, elle possédait l'arrogante innocence que confère l'inexpérience, mais à ce moment, elle se sentait beaucoup moins sûre d'elle. Elle avait, encore récemment, goûté la défaite, et avait tout à perdre.

Veronica York se trouvait-elle dans la même situation? Tenait-elle le même raisonnement? Son mari avait lui aussi été assassiné et elle devait avoir hérité d'une partie de la fortune des York. Considérait-elle désormais ses admirateurs avec la même méfiance qu'Emily, les mettant en pensée à l'épreuve, afin de juger si leur cour était sincère ou s'ils n'en voulaient qu'à son argent?

Quelle prétention de sa part! Jack Radley n'avait jamais mentionné le mot mariage, ni fait la moindre allusion à ses intentions. Elle devait contrôler ses pensées, sinon elle finirait par dire des bêtises en sa présence et par se trahir complètement, ce qui rendrait la situation impossible!

Ah, si seulement Charlotte venait à dénicher une affaire criminelle de première importance! Elles pourraient ensemble s'atteler à la résoudre, et toutes ces spéculations brumeuses et ridicules lui sortiraient enfin de l'esprit. Car, se disait-elle, comment une femme douée d'un minimum de cervelle pouvait-elle occuper son existence à donner des ordres à une cohorte de domestiques qui savaient très bien ce qu'ils avaient à faire? Une personne aurait suffi à veiller à la bonne marche d'une maison habitée par une femme seule et un garçonnet!

Ce fut dans cet état d'esprit troublé qu'elle accueillit le lendemain Wainwright, son majordome, lorsqu'il lui annonça que Mr. Jack Radley venait lui présenter ses hommages. Ce dernier attendait dans le petit salon et demandait si Lady Ashworth acceptait de le recevoir.

Emily retint son souffle et essaya de se composer un visage serein ; Wainwright ne devait pas deviner son émotion.

— L'heure n'est pas très convenable, dit-elle d'un ton désinvolte. Mais j'avais chargé Mr. Radley d'une commission. Il a peut-être une nouvelle intéressante à m'annoncer. Oui, faites-le entrer, je vous prie.

— Bien, madame.

Si Wainwright avait deviné quelque chose, il ne le montra pas. Impassible, il se retira à pas lents, comme s'il suivait une procession. Fils du jardinier en chef de la maison, il travaillait au service de la famille Ashworth depuis son enfance, mais Emily se sentait encore mal à l'aise en sa présence.

Jack entra quelques instants plus tard, d'une démarche légère et nonchalante. Comme toujours, il était tiré à quatre épingles, mais son élégance vestimentaire semblait innée, et non volontairement recherchée. Certains hommes auraient dépensé des fortunes pour paraître aussi distingués.

Par politesse, il faillit lui dire qu'elle avait très bonne mine, mais préférant ne pas mentir, il déclara en souriant :

— Vous semblez mourir d'ennui, Emily, tout comme moi. Je déteste le mois de janvier. Nous devrions nous trouver une occupation passionnante, pour que le temps passe plus vite !

Emily lui rendit son sourire, un peu malgré elle.

— Ah ? Et que suggérez-vous ? Je vous en prie, asseyez-vous.

Il s'exécuta, puis la regarda droit dans les yeux.

— Poursuivre l'enquête chez les York, répondit-il. Charlotte va sûrement retourner les voir, n'est-ce pas ? J'ai la nette impression qu'elle en meurt d'envie. D'ailleurs, n'est-ce pas elle qui a eu cette idée ?

Emily saisit la balle au bond.

— En effet ! Je suis certaine qu'elle serait ravie d'avoir l'occasion de retourner là-bas.

Elle n'ajouta pas qu'il devrait l'y accompagner. Il le savait. Aucune femme seule dans la position que Charlotte avait adoptée pour la circonstance ne pouvait se permettre de solliciter un rendez-vous dans la bonne société. Par ailleurs, elle n'avait pas les moyens de se déplacer en voiture particulière, ni de s'offrir de belles toilettes. Emily pouvait lui procurer l'attelage et les robes, mais pas lui servir de chaperon. Elle devait penser à rappeler à sa sœur la promesse qu'elle avait faite à Veronica York de l'accompagner à l'Académie royale Dans l'effervescence des fêtes de Noël, Charlotte l'avait peut-être oubliée.

— Je lui ferai porter un message, reprit-elle à voix haute. Il est possible que Pitt ait du nouveau, de son côté ; nous devons nous tenir au courant des derniers événements.

Jack, pensif, fixait les motifs du tapis.

— J'ai tenté, discrètement, de sonder un ou deux amis au sujet des Danver, mais je n'ai rien appris de très utile. Le père est un haut fonctionnaire des Affaires étrangères, ce qui peut expliquer que les deux familles soient proches. Cela dit, la bonne société est un milieu très restreint. Tout le monde se connaît de vue ou de réputation, si ce n'est intimement, mais il reste très difficile de s'y introduire. Garrard Danver a eu trois enfants, une fille, Harriet, restée célibataire, et deux fils : le premier, officier de l'armée des Indes, a été tué, l'autre, Julian, épousera ou non Veronica York, selon les résultats de l'enquête de Pitt.

Emily eut un petit reniflement irrité. Sans la connaître, elle se sentait tant de points communs avec Veronica York que cette rumeur mettant en cause sa réputation avait le don de l'exaspérer.

— Quelqu'un a-t-il pris la peine de se demander si ce monsieur est assez bien pour elle ! s'exclama-t-elle sèchement.

Aussitôt elle regretta ses paroles, qui risquaient de trahir ses propres doutes au sujet de Jack. Pourvu qu'il n'établisse pas un parallèle avec leur propre situation ! Elle voulut nuancer ses propos, puis se ravisa, craignant qu'il ne devine ses pensées. Pour se donner le change, elle le dévisagea crânement.

— Vous parlez de Julian Danver ? s'étonna Jack.

Elle ne trouva aucune repartie. S'imaginer qu'un homme, lui aussi, devait avoir une moralité irréprochable était absurde. Elle se rendrait ridicule et passerait pour folle de suggérer pareille énormité. Comment sortir de cette discussion sans être prise en flagrant délit de mensonge ? Elle sentit ses joues s'empourprer. Il lui fallait absolument dire quelque chose, car le silence devenait intolérable.

— Eh bien... Le Foreign Office pourrait chercher à s'assurer de l'honorabilité de Mr. Danver... bredouilla-t-elle, en cherchant les mots susceptibles de préciser sa pensée. Certains hommes ont des conduites peu recommandables. Ayant participé à quelques enquêtes criminelles, j'ai appris sur de bons pères de famille des choses affreuses, totalement ignorées de leurs épouses.

Consciente de trop en dire, elle s'interrompit et leva les yeux vers Jack.

— Voyez-vous là un rapport avec la mort de Robert York ? demanda-t-il, imperturbable.

— Non... à moins qu'il ne soit l'assassin.

— Julian Danver ? Vous plaisantez ?

— Pourquoi pas ?

— Aurait-il été l'amant de Veronica York ? Oui, après tout, ce n'est pas impossible, reconnut-il.

Jack ne trouvait donc pas l'idée invraisemblable. Emily savait que Veronica n'aurait pu divorcer, même en apportant des preuves flagrantes d'adultère, et a fortiori si elle n'en apportait aucune. Seuls les hommes étaient autorisés à divorcer pour infidélité conjugale, et, dans cette hypothèse, l'honneur de leur épouse était perdu. Une femme devait faire en sorte que ce malheur ne s'abatte pas sur son foyer ou bien s'accommoder avec grâce de l'inconstance de son mari. Veronica mise au ban de la haute société pour cause d'adultère, Julian Danver perdrait toute perspective de promotion dans sa carrière, s'il désirait l'épouser. Plus personne ne les recevrait et ils cesseraient virtuellement d'exister aux yeux du monde.

— Croyez-vous Julian Danver épris d'elle au point de perdre la tête et d'assassiner son mari ? demanda-t-elle, non tant pour obtenir une réponse que pour connaître l'opinion de Jack sur Veronica ; la pensait-il femme à inspirer une telle passion ?

La réponse fut bien celle qu'elle craignait.

— Je ne connais pas Danver, répondit-il, très sérieux. Mais s'il est capable de commettre un crime pour les beaux yeux d'une femme, Veronica est bien la créature désignée pour inspirer de tels sentiments.

— Je vois... fit Emily d'une voix étranglée. Alors nous avons intérêt à poursuivre notre enquête, pour qu'au moins justice soit faite, à défaut d'autre chose, ajouta-t-elle un peu sèchement. Je vais écrire à Charlotte afin qu'elle donne suite à l'invitation de Veronica de visiter l'exposition d'hiver. De votre côté, faites votre possible pour qu'elle puisse rencontrer les personnes susceptibles d'être impliquées dans l'affaire.

Sa frustration de ne pas participer directement à l'enquête explosa soudain, malgré elle.

— Ah, si seulement je n'étais pas cloîtrée ici comme une nonne ! Je pourrais apprendre tant de choses, si j'avais la liberté de mes mouvements !

Elle ponctua sa phrase d'un juron bien senti. Jack la dévisagea avec surprise, puis une lueur amusée éclaira son regard.

— A vous entendre, Emily, je crois que vous n'êtes pas prête à fréquenter les salons de l'honorable Mrs. Piers York...

— Au contraire ! s'exclama-t-elle, les joues en feu, je n'attends que ça !

Mais elle n'avait, elle le savait, d'autre choix que d'accepter son sort, de bonne ou de mauvaise grâce. Ils bavardèrent encore quelques minutes, puis Jack prit congé, avec pour mission d'arranger les invitations nécessaires. Emily, restée seule, se répéta mentalement tout ce qu'elle lui avait dit, changeant un mot par-ci, une phrase par-là, transformant l'intonation de sa voix pour la rendre plus aimable, moins révélatrice. Si elle avait pu recommencer la discussion, elle aurait montré plus de légèreté, en émaillant la conversation de traits d'esprit. Les hommes aiment les femmes amusantes, du moment qu'elles ne se montrent ni trop intelligentes, ni trop prétentieuses.

Se pouvait-il qu'elle soit amoureuse de Jack? Non, c'était quelque chose d'impensable, six mois après la mort de George. N'éprouvait-elle pas seulement pour lui une simple amitié, elle qui s'ennuyait à mourir, seule dans sa maison?

Six jours plus tard, par une fin d'après-midi de janvier sinistre et glacial, Emily envoya son équipage chercher Charlotte. Dès son arrivée à Parangon Walk, celle-ci passa une superbe robe de satin bleu foncé, tandis qu'Emily et sa camériste s'affairaient autour d'elle. Bientôt, enveloppée d'un manteau de laine aux parements de fourrure, elle monta dans le cabriolet de Jack Radley, qui devait les conduire à Mayfair, chez les Danver.

Les trottoirs étaient couverts de neige. La brume givrée qui montait des pavés absorbait la lumière, déformait les bruits, obstruait la gorge des rares passants qui osaient s'aventurer dans la rue, les isolant du reste du monde.

Le cabriolet avançait avec lenteur dans des tourbillons de brouillard; Charlotte distinguait à peine la lumière des becs de gaz qui tantôt brillaient d'un éclat jaune vif, tantôt semblaient emmaillotés de filaments d'un blanc sale.

La voiture s'arrêta enfin. L'heure était à nouveau venue d'endosser le rôle d'Elisabeth Barnaby. Il lui était plus aisé de passer à l'action que de rester recroquevillée sur son siège dans l'obscurité à réfléchir à toutes les erreurs qu'elle pourrait commettre. Comment expliquerait-elle sa supercherie, si celle-ci venait à être découverte ? Elle en frémit à l'avance, s'imaginant déjà exposée aux regards de tous, tel un papillon cloué sur une planche. Sa seule excuse serait de dire qu'elle avait perdu la tête.

Même si elle parvenait à les duper, découvrirait-elle un indice qui jetterait quelque lumière sur la mort du jeune diplomate ? Cette mascarade, au fond, n'était-elle pas qu'une sotte tentative pour sortir Emily de son ennui et l'occasion, pour elle, d'essayer de se forger une opinion sur Jack Radley ?

Un valet de pied ouvrit la portière et lui tendit la main pour l'aider à descendre du cabriolet. L'air glacé et piquant lui gifla le visage. Elle monta vivement les marches du perron et pénétra dans un vaste vestibule au fond duquel s'élevait un escalier monumental.

Elle n'eut guère le loisir d'observer la décoration, car le majordome s'approchait pour lui prendre son manteau et son manchon, tandis qu'une soubrette ouvrait les portes du salon. Charlotte, au bras de son chevalier servant, s'avança dans un bruissement soyeux, en s'efforçant d'adopter un port altier. Un léger coup de coude de Jack dans ses côtes lui fit comprendre qu'elle devait au contraire se montrer modeste, et obligée envers ses hôtes. Elle baissa les yeux, vaguement agacée.

En accord avec l'étiquette, ils se devaient d'être les derniers arrivants, étant les seuls invités étrangers à la famille Danver.

Les six personnes présentes dans le salon se retournèrent pour les observer, avec un degré d'intérêt varié. La première à prendre la parole fut une jeune femme d'une trentaine d'années, au visage intéressant, qu'on aurait pu qualifier de joli si son nez n'avait pas été trop retroussé. Il y avait dans ses yeux sombres une hardiesse un peu déplacée chez une femme célibataire. Sa silhouette était dépourvue des rondeurs à la mode, mais sa chevelure de jais, épaisse et brillante, était superbe. Elle adressa à Charlotte un sourire engageant.

— Enchantée de faire votre connaissance, Miss Barnaby. Je me présente : Harriet Danver. Je suis heureuse que vous ayez répondu à notre invitation. Appréciez-vous votre séjour à Londres, malgré cet affreux brouillard?

— Enchantée, Miss Danver, répondit Charlotte avec courtoisie. Oui, je m'y plais beaucoup. Cela me change agréablement de la province. Et les gens sont si gentils.

Un homme grand, maigre, aux joues émaciées, au profil aquilin, qui se tenait dans l'ombre appuyé contre le dossier d'un gros fauteuil, se redressa pour venir à sa rencontre. Charlotte lui donna environ quarante-cinq ans, mais quand il passa sous les lumières du lustre, elle s'aperçut que ses cheveux étaient tout gris et son visage sillonné de rides.

— Garrard Danver, dit-il d'une voix au timbre agréable. Ravi de vous rencontrer, Miss Barnaby.

Il ne lui tendit pas la main et, se tournant vers Jack, lui adressa un sourire de bienvenue, avant de présenter les nouveaux arrivants aux autres personnes présentes. Celui qui intéressait le plus Charlotte était bien entendu Julian Danver. De la même taille que son père, mais de stature plus athlétique, il devait avoir hérité des traits de sa mère, car il ne ressemblait pas du tout à Garrard, tandis qu'Harriet était le portrait de son père, surtout par le regard. Julian avait un visage à l'architecture puissante, des yeux clairs, bleus ou gris, des cheveux châtains, avec une mèche plus blonde qui lui barrait le front. Il paraissait très réservé. Charlotte comprenait fort bien que Veronica pût le trouver attirant.

Miss Adeline Danver, la sœur de Garrard, était une femme d'une extraordinaire maigreur, dont la robe vert foncé ne parvenait pas à masquer les épaules osseuses.

On aurait dit la caricature d'Harriet : mêmes yeux sombres, mêmes cheveux épais, commençant à grisonner, un menton fuyant et un nez proéminent.

— Tante Adeline est un peu dure d'oreille, chuchota Harriet. Elle comprend souvent tout de travers. Ne prêtez pas attention à ses réponses et souriez...

— C'est promis, répondit Charlotte poliment.

Les deux autres invités étaient Felix Asherson et son épouse Sonia. Asherson travaillait au Foreign Office avec Julian Danver. C'était un homme brun, aux yeux d'un gris très lumineux, à la bouche ourlée et sensuelle, peut-être révélatrice d'une certaine veulerie. Sonia Asherson avait des traits réguliers et dénués d'expression ; le genre de visage recherché par les journaux de mode, car il mettait en valeur un chapeau sans que l'on fût attiré par la personne qui le portait. Elle était vêtue d'une robe rose corail qui soulignait son corps bien proportionné, aux épaules rondes et laiteuses.

Après le traditionnel échange de salutations, débutèrent les conversations d'usage, centrées sur Charlotte et Jack, puisque les autres invités se connaissaient déjà. Charlotte s'efforça de répondre aussi simplement que possible, s'en tenant au personnage qu'elle s'était composé : une jeune femme de bonne famille aux revenus modestes, à la recherche d'un époux. Tenir ce rôle lui demandait une attention soutenue, et ce ne fut qu'après être passée dans la salle à manger qu'elle put enfin observer les convives.

La conversation tourna autour du mauvais temps, de faits divers anodins — aucune allusion à une actualité politique brûlante ou à un sujet qui eût suscité un litige — et d'une représentation théâtrale à laquelle la plupart des invités avaient assisté. Charlotte ne répondait que lorsque les bonnes manières l'exigeaient, ce qui lui laissait le temps de réfléchir. L'occasion de revenir chez les Danver ne se représenterait peut-être pas de sitôt. Elle devait en profiter pour glaner quelques confidences qui, ajoutées à ce qu'elle savait déjà, lui permettraient de déterminer si par exemple Julian Danver et Veronica York se connaissaient depuis longtemps. Si leur amour était antérieur au décès de Robert York, il aurait pu en être la cause. Danver était-il un homme socialement et politiquement ambitieux ? Y avait-il une différence notable entre le statut social des futurs époux, qui expliquerait que l'argent ait pu entrer en ligne de compte, pour l'un ou pour l'autre ?

Charlotte avait grandi dans une famille où l'on appréciait par-dessus tout le raffinement, même si ses parents n'avaient pas toujours eu les moyens de s'offrir ce qu'il y avait de plus beau. Une jeune fille de bonne famille devait être capable de reconnaître au premier coup d'œil la valeur exacte d'un objet. Ce qu'elle avait vu du vestibule et du salon des York lui avait permis de constater qu'il s'agissait assurément d'une vieille famille fortunée : aucun tape-à-l'œil, indice de l'argent récemment acquis. Ils n'éprouvaient pas le besoin de faire étalage de nouveau mobilier, ni de mettre des objets d'art bien en vue.

Bien sûr, la situation financière de chacun peut changer à tout moment ; elle avait connu des maisons où l'on recevait les invités dans des salons somptueux, alors que les autres pièces étaient dépourvues de tapis et qu'aucun feu n'y brûlait jamais. Certains préféraient garder un grand train de domestiques, alors qu'ils avaient à peine de quoi se nourrir, plutôt que de paraître manquer de personnel. Mais ce soir-là, en observant les toilettes d'Harriet et de Sonia, Charlotte, qui avait elle-même retouché tant de robes qu'elle savait repérer à coup sûr la moindre piqûre d'aiguille trahissant une reprise, ne remarqua aucune trace d'usure aux coudes ou aux poignets ; elles étaient toutes deux vêtues à la dernière mode.

Tout en faisant mine de suivre la conversation, elle jetait de discrets coups d'œil alentour. La salle à manger était décorée dans des tons gris pâle et bleus, bleu tendre pour les murs, bleu roi pour les tentures, nullement décolorées par le soleil, alors que le bleu est une couleur qui passe très facilement ; leur acquisition était donc récente. Cela indiquait-il une légère tendance au gaspillage de la part de la maîtresse de maison ? Sur le mur, en face d'elle, était accroché un tableau représentant un canal vénitien, mais elle n'aurait pu dire s'il s'agissait d'un original ou d'une reproduction. La table en acajou était recouverte d'une nappe richement damassée. Le cristal et l'argenterie étincelaient. Chaises et dessertes semblaient à première vue signées par Robert Adam, célèbre architecte d'intérieur du XVIIIe siècle.

Après avoir vérifié que personne ne la regardait, elle retourna sa cuillère en argent pour en examiner le poinçon, puis reporta à nouveau son attention sur les robes des dames, essayant d'en évaluer le prix et en y cherchant des détails pouvant lui donner des indications sur la personnalité de chacune. Harriet et tante Adeline, célibataires, devaient dépendre financièrement de Garrard. Adeline n'avait jamais dû s'intéresser à la mode ; sa robe, coupée dans un satin d'excellente qualité, n'était pas du dernier cri ; l'eût-elle été, elle n'aurait pu la mettre en valeur à cause de son extrême maigreur.

Charlotte parvint à la conclusion qu'à moins d'un élément inconnu, tel un problème d'héritage, l'argent n'entrait pas en ligne de compte chez les Danver.

— .... n'est-ce pas, Miss Barnaby ?

Charlotte sursauta. Felix Asherson s'adressait à elle, mais que diable avait-il dit ?

— Je trouve les interminables opéras de Mr. Wagner plutôt lassants, répéta-t-il en souriant. Je préfère les œuvres moins abstraites, plus proches de la réalité, pas vous ? Je n'aime pas du tout cette féerie qui relève de l'irrationnel.

— Cela ne m'étonne pas ! intervint Adeline, avant que Charlotte ait eu le temps de répondre. Il y en a assez comme ça. On ne peut l'éviter.

La remarque n'avait aucun sens. Tous la dévisagèrent, interloqués, Charlotte davantage encore que les autres.

— Mr. Asherson n'a pas parlé de tragédie, mais de féerie, tante Addie, lui fit remarquer Harriet avec douceur.

— Ah vraiment? s'exclama Adeline, nullement troublée. Moi non plus, je ne l'apprécie guère. Et vous, Miss Barnaby?

— Je ne saurais me prononcer, Miss Danver. J'avoue ne pas avoir d'expérience personnelle en ce domaine.

Jack toussota discrètement dans sa serviette. Julian Danver sourit et versa un peu de vin dans le verre de Charlotte. Entre-temps, un valet assisté de deux bonnes avait servi le poisson.

— L'amour non partagé semble être le thème de nombreux opéras et pièces de théâtre, observa-t-elle pour briser le silence. En fait, il semble indispensable à l'intrigue.

— C'est une situation que la plupart d'entre nous peuvent imaginer, même si nous avons eu la chance de ne pas en souffrir, répondit Julian.

— Croyez-vous au réalisme de telles histoires? demanda Charlotte, guettant sa réaction.

Allait-il acquiescer ou dédaigner la question? Il eut la politesse de réfléchir avant de donner sa réponse.

— Peut-être pas dans les détails. L'intrigue a besoin d'être condensée, sinon, comme l'a souligné Felix, l'histoire devient vite lassante. Notre capacité d'attention est de courte durée. Mais les émotions que nous ressentons sont si fortes, du moins pour certains d'entre nous...

Il s'interrompit, soudain embarrassé, baissa les yeux et les releva vivement vers elle. Charlotte, à cette minute, se prit de sympathie pour lui. Il avait involontairement laissé échapper cette petite phrase, qui, elle l'aurait juré, ne le concernait pas directement, mais touchait une personne assise à cette table.

— Mon cher Julian, fit Garrard, irrité, tu prends les choses trop au sérieux. J'imagine que Miss Barnaby évoquait des sujets beaucoup plus légers...

— Bien entendu, Père, acquiesça Julian avec vivacité. Veuillez m'excuser.

Charlotte avait parfaitement conscience que les deux hommes parlaient au contraire d'un problème bien réel. Il devait s'agir d'Adeline ou d'Harriet. Cette dernière avait dépassé l'âge où une jeune fille de bonne famille peut espérer se marier. Pourquoi ne lui avait-on pas trouvé un époux convenable ?

— C'était en effet une remarque tout à fait anodine de ma part, fit Charlotte avec un grand sourire. Je pense, comme vous, qu'une intrigue trop éloignée de la réalité et pleine de coïncidences gâche la véracité de l'histoire et empêche de s'identifier aux personnages. Mrs. York, ajouta-t-elle de but en blanc, a eu l'amabilité de m'inviter à l'accompagner à l'Académie royale de peinture. L'un d'entre vous a-t-il visité l'exposition d'hiver ?

— Oui, j'y suis allée, répondit Sonia Asherson, sans conviction. J'avoue ne rien y avoir vu d'intéressant.

— Des portraits ? s'enquit Adeline. J'adore les portraits.

— Moi aussi, acquiesça Charlotte. Tant qu'ils ne sont pas idéalisés au point qu'il n'y ait plus un seul défaut. Je pense que la vraie personnalité d'un visage réside justement dans les lignes et les proportions qui s'écartent des modèles de la beauté classique. Ce sont elles qui révèlent le vécu de chaque individu.

— Vous êtes très perspicace, fit soudain Adeline, montrant pour la première fois un réel intérêt pour Charlotte.

Celle-ci comprit tout de suite qu'un esprit très pénétrant habitait cette créature maigrichonne et bizarre. Comme il était artificiel de juger les gens sur leur simple apparence ! Pourquoi par exemple Felix Asherson avait-il choisi pour épouse une personne aussi inexpressive que Sonia, plutôt qu'une femme moins belle, mais pleine de personnalité et de caractère, comme Harriet ?

Peut-être ne l'avait-il pas choisie. De quel droit présumait-elle qu'il était heureux en mariage ? Sous ses manières policées et son expression insaisissable, Felix Asherson pouvait cacher un personnage fort complexe.

Mais tout ceci n'avait aucun rapport avec le sujet qui l'intéressait. Elle devait absolument s'y tenir.

— C'est vraiment très gentil à Mrs. York de m'avoir invitée à l'accompagner, répéta-t-elle un peu trop brusquement. Savez-vous si elle peint ? J'aime les portraits, mais j'avoue apprécier particulièrement les aquarelles. Certains voyageurs croquent dans leurs carnets de merveilleux paysages. Ils nous permettent de partir en voyage en imagination. Je me souviens en particulier de paysages africains où l'on pouvait sentir la chaleur du soleil sur les pierres, tant l'atmosphère était bien rendue.

Tous les regards étaient tournés vers elle. Sonia Asherson paraissait surprise et Felix amusé de cette soudaine prolixité. Harriet la regardait sans l'écouter, l'esprit ailleurs. Garrard l'observait poliment. Seule Adeline la fixait avec un intérêt passionné. Jack Radley demeurait silencieux. Il avait apparemment décidé de lui laisser le champ libre.

— J'ignore si Veronica peint, répondit Julian. Nous n'en avons jamais parlé.

— La connaissez-vous depuis longtemps ? demanda Charlotte d'un ton qu'elle espérait ingénu, tout en se demandant si elle ne se montrait pas trop directe. J'imagine qu'en tant que diplomate vous avez dû beaucoup voyager ?

— Pas en Afrique, répondit-il en souriant. Mais j'aimerais bien y aller.

— Il y fait beaucoup trop chaud, remarqua Felix avec une grimace.

— Peu vous chaut, sans doute, intervint Adeline en

lui lançant un regard aigu, mais ce serait tout de même une excellente idée !

Harriet retint son souffle. Charlotte remarqua que ses doigts étaient crispés sur le pied de son verre. Elle se remémora soudain avec acuité l'époque où, jeune fille, elle était amoureuse de Dominic Corde, le mari de sa sœur aînée. Elle se souvint de ses craintes atroces, du désespoir d'être laissée pour compte, de moments d'intimité imaginés. Chaque fois que leurs regards se croisaient, que leurs mains s'effleuraient accidentellement, elle croyait lire de la tendresse dans ses yeux et son cœur se mettait à chanter avant d'être à nouveau glacé de détresse, sachant cet amour sans espoir. Jamais elle n'aurait voulu d'un autre homme, quoi que fît sa mère pour lui trouver des prétendants. N'était-ce pas tout cela qu'elle devinait sur le visage d'Harriet, qui se tenait les yeux baissés, les lèvres exsangues et les joues en feu ?

— Felix n'a pas dit « peu me chaut », tante Adeline, corrigea Julian, mais « il y fait trop chaud ». J'imagine qu'il pensait à la santé de Veronica.

— Des bêtises ! s'exclama Adeline avec mépris. Une Anglaise, dont j'ai oublié le nom, a remonté le Congo toute seule. Comme je l'envie !

— Ce serait une excellente occupation pour toi, ma chère, remarqua Garrard, agressif. Iras-tu l'été ou l'hiver ?

Elle darda sur son frère un regard étincelant.

— Le Congo est situé sur l'équateur, Garrard. Alors la saison n'a pas d'importance. On ne vous apprend donc rien, aux Affaires étrangères ?

— Pas à remonter le Congo à la rame, en tout cas, riposta-t-il. Nous laissons ce passe-temps aux vieilles demoiselles qui adorent ce type d'expérience.

— Encore heureux que vous nous laissiez quelque chose à faire !

Jack se décida à intervenir.

— J'ai connu Mrs. York il y a plusieurs années,

dit-il en se tournant vers Julian. Avant son mariage avec Robert. Je ne me souviens pas l'avoir entendue dire qu'elle appréciait les voyages. Mais les goûts des gens évoluent. Le fait d'avoir épousé un diplomate a pu lui ouvrir l'esprit et lui donner envie de découvrir le monde.

Charlotte le bénit intérieurement d'être intervenu ; elle prit une expression très intéressée.

— Mr. York était-il un grand voyageur ?

Il y eut un silence. On entendit des couverts s'entre-choquer et les pas d'un valet résonner dans le couloir.

— Non, répondit Julian. Je crois qu'il voyageait rarement. Mais je l'ai très peu approché, ayant pris mes fonctions au Foreign Office deux mois seulement avant son décès. Felix le connaissait mieux que moi.

— Il aimait Paris, intervint Sonia Asherson. Il me l'a dit un jour. Cela ne m'a pas surprise : c'était un homme si charmant, si élégant, si plein d'esprit. Un jour, j'aimerais m'installer à l'étranger, dans une ville sophistiquée, comme Paris, ajouta-t-elle à l'adresse de son mari. Surtout pas en Afrique et pas davantage en Inde, même si ce pays offre davantage d'intérêt.

Charlotte regarda Harriet ; cette fois, elle fut certaine d'avoir deviné juste : cet air perdu et affolé était exacte-ment le même que celui qu'elle avait eu autrefois, quand Sarah et Dominic avaient annoncé d'un ton léger qu'ils songeaient à partir à l'étranger. Oui, Harriet était amoureuse de Felix Asherson. Le savait-il ? Dominic Corde, lui, n'avait jamais soupçonné les tourments qu'endurait sa jeune belle-sœur ni les illusions stupides qu'elle entretenait à son égard.

Elle regarda Felix, mais celui-ci tenait les yeux fixés sur la nappe damassée.

— Je ne peux rien prévoir, répondit-il d'un ton irrité. Il n'y a aucune raison pour que l'on m'envoie en poste dans un pays d'Europe, sauf peut-être en Allemagne, étant donné que mon département s'occupe des relations avec l'Empire, en particulier avec le continent africain, et avec les autres nations colonisatrices. Si l'on m'y envoyait, je n'y resterais que peu de temps, et la plus grande partie de ce temps serait occupée par le voyage.

Harriet se taisait, s'efforçant de dissimuler son émotion. Garrard, carré contre le dossier de sa chaise, admirait les reflets de la lumière dans son verre de vin. Cet homme est un peu trop conscient de l'image qu'il veut donner, songea Charlotte, bien qu'elle devinât chez lui un tempérament plus émotif que son abord sévère ne le laissait transparaître ; ses rides profondes, le pli amer de sa bouche, ses gestes soigneusement contrôlés, trahissaient les efforts destinés à masquer une nervosité intérieure. Au fond, il ressemblait peut-être plus à sa sœur qu'on ne l'imaginait.

— Je parlerai de Paris avec Mrs. York, dit Charlotte en souriant à la cantonade. Je n'ai jamais voyagé à l'étranger, et je pense que je n'en aurai jamais l'occasion, mais j'adore entendre les autres raconter leurs voyages...

— Des histoires de nourriture immangeable et de plomberie défectueuse, ironisa Garrard. Le voyage est une distraction surévaluée, croyez-moi, Miss Barnaby. On a toujours trop chaud, ou trop froid, vos bagages sont égarés, vous avez le mal de mer pendant la traversée de la Manche et, en arrivant à Calais, vous ne comprenez rien de ce que disent les gens.

Charlotte faillit riposter qu'elle parlait français, quand elle se rendit compte qu'il se moquait d'elle.

— Ah bon ? fit-elle mine de s'étonner. Il n'est pas besoin d'aller à l'étranger pour trouver une nourriture immangeable et une plomberie défectueuse. C'est là monnaie courante en Angleterre. Vous n'avez peut-être pas quitté Londres depuis longtemps, Mr. Danver ?

— Bien dit ! s'exclama Adeline avec satisfaction. Tu as trouvé à qui parler, mon cher !

Garrard sourit, mais ses yeux ne souriaient pas.

— En effet, concéda-t-il, peu convaincu.

— Il ne faut pas gâcher les rêves des gens, Père, dit Julian en portant sa fourchette à sa bouche. De toute façon, Miss Barnaby verra peut-être les choses sous un angle différent, si elle en vient à voyager. La mère de Robert adorait les déplacements. Elle parlait souvent de Bruxelles.

— Vous en a-t-elle parlé récemment ? s'enquit Charlotte. Les choses se sont peut-être améliorées depuis votre dernier séjour à l'étranger, Mr. Danver.

Elle vit les traits de Garrard se durcir et ses pommettes se colorer. Il était manifestement furieux. Pourquoi se mettait-il dans cet état à cause d'une réflexion aussi insignifiante ? Aucun des convives ne lui avait démontré qu'il se trompait ni n'avait émis un avis différent du sien. C'était décidément un homme à l'humeur changeante.

— Mes désirs ne deviendront peut-être jamais réalité, reprit-elle avec douceur. Mais il est toujours bon de rêver.

Garrard leva les yeux au ciel.

— Dieu nous préserve de l'imagination féminine ! dit-il d'un ton exaspéré.

En d'autres circonstances, Charlotte lui aurait demandé de s'expliquer, mais ce soir-là, elle n'osa pas.

— C'est le seul moyen dont nous disposons pour obtenir quelque chose, remarqua Adeline, tout en humant l'arôme de son verre de chablis. Mais bien entendu, les hommes ne s'en rendent jamais compte.

Tous la regardèrent, déconcertés. Felix jeta un coup d'œil à Julian. Le visage de Sonia, avec ses traits parfaits et sa peau lisse, ne reflétait que sa propre stupidité, Charlotte en était convaincue, même s'il était injuste de sa part de la juger avec autant de sévérité. Sa sympathie allait tout naturellement vers Harriet.

— Je vous demande pardon, Miss Danver ? dit Jack en fronçant les sourcils.

— Ce n'est pas de votre faute, répondit gracieusement Adeline. N'étant pas marié, vous ne pouvez pas comprendre.

Jack, dérouté, lança à Charlotte un regard interrogateur.

— De quoi parles-tu, tante Adeline ? s'enquit Harriet avec gentillesse.

Celle-ci haussa les sourcils et ouvrit des yeux ronds.

— Des machinations féminines, bien entendu. Tu n'écoutes donc pas ce que je dis ?

— Henderson ! tonna Garrard. Qu'attendez-vous pour nous amener les desserts ?

— Père parlait d'imagination, non de machination, tante Addie, fit Julian d'un ton patient.

— Oh, vraiment ? Pardonnez-moi, Mr. Radley...

— C'est sans importance, la rassura-t-il. L'une peut aisément mener à l'autre, n'est-ce pas ? On commence à rêver, et si l'on est tant soit peu dénué de sens moral, il est facile de tout faire pour obtenir ce que l'on désire.

Charlotte embrassa du regard l'ensemble des convives, sans oser s'attarder trop longtemps sur Julian. Elle se demanda s'ils n'avaient pas deviné sa supercherie. Jouaient-ils au chat et à la souris avec elle ?

— Vous surestimez le sens moral des gens, remarqua Garrard avec un sourire sarcastique. Ils essaient plutôt de concilier leurs intérêts avec la norme communément admise, bien qu'il y ait hélas, Dieu nous en protège, d'affreuses exceptions !

A ce moment, le valet apporta un pudding fumant nappé d'une sauce au brandy.

— Merci, Henderson, posez donc le plat, mon vieux ! s'exclama Garrard. Miss Barnaby, évoquons des sujets moins sordides. Avez-vous prévu d'aller au théâtre ? On donne en ce moment des pièces très divertissantes ; rien ne vous oblige à assister aux opéras de ce Mr. Wagner.

A moins de se montrer particulièrement mal élevée, Charlotte ne pouvait revenir sur le sujet précédent. Et le ferait-elle, cela ne servirait à rien, sinon à se trahir et à ruiner son plan.

— Ce serait une bonne idée d'aller au théâtre, n'est-ce pas, Jack ? Nous recommandez-vous une pièce, Mr. Danver ?

Jusqu'à la fin du dîner, personne n'aborda un sujet qui pût ramener la conversation sur Robert York ou les relations entre les deux familles.

Selon l'usage, les dames quittèrent la table avant que l'on ne servît le porto et se retirèrent au salon. Charlotte s'attendait à ce que la conversation languisse, étant donné les sentiments d'Harriet envers Felix Asherson. Que Sonia en fût consciente ou non, elles ne pouvaient se sentir à l'aise ensemble. Quant à Felix, Charlotte demeurait dans l'expectative : était-il conscient de l'amour que lui portait Harriet ? En était-il épris ? Si tel était le cas, l'aimait-il d'un amour chaste et sincère ?

Charlotte se dit que la langue acérée et la surdité d'Adeline n'allaient certainement pas faciliter la conversation. Elle s'apprêtait donc à l'alimenter de papotages anodins, mais s'aperçut très vite que son pressentiment était erroné. De toute évidence, les trois femmes se connaissaient depuis suffisamment long-temps pour avoir trouvé un terrain d'entente. Elles savaient d'instinct — ou par force — faire des com-mentaires inoffensifs à propos de la mode, échanger les derniers potins mondains et parler des nouvelles parues dans le *London Illustrated News*.

Charlotte, qui ne lisait pas ce journal, par manque de temps et d'argent, et qui ne connaissait aucune des rela-tions des Danver, resta donc silencieuse, arborant une expression d'intérêt poli. Mais au fur et à mesure que le temps passait, son sourire se faisait de plus en plus crispé et de moins en moins naturel. A une ou deux reprises, elle croisa le regard de tante Adeline, crut y voir un éclair amusé et détourna les yeux.

Au bout d'un moment, cette dernière se leva.

— Miss Barnaby, au cours du dîner vous avez mani-festé un certain intérêt pour la peinture. Aimeriez-vous admirer les tableaux du boudoir ? C'était la pièce favorite de ma pauvre belle-sœur, qui adorait les voyages. Elle rêvait de visiter tant d'endroits...

— L'a-t-elle fait ? demanda Charlotte en se levant pour la suivre.

— Non, hélas. Elle est morte très jeune, à vingt-six ans. Harriet marchait à peine. Julian devait avoir sept ou huit ans.

Charlotte pensa avec émotion à cette jeune femme morte dans la fleur de l'âge, laissant un mari et deux jeunes enfants. Comment se débrouilleraient Daniel, Jemima et Thomas si elle devait les quitter prématurément ?

— Vous m'en voyez navrée, dit-elle à voix haute.

— Oh, c'était il y a très longtemps, répondit Adeline par-dessus son épaule.

Elles traversèrent le vestibule, empruntèrent un large couloir et entrèrent dans le boudoir, une pièce originale, décorée dans des tons beiges et sable avec, çà et là, des touches de vert d'eau. La seule tache de couleur vive était un fauteuil capitonné de rose corail. Ce petit salon ne ressemblait en rien au reste de la maison. La jeune Mrs. Garrard Danver ne s'était peut-être pas sentie chez elle dans cette demeure. Avait-elle cherché à créer ici un îlot réservé à elle seule, contrastant avec les autres pièces ?

Sur le mur opposé à la cheminée, il y avait un tableau représentant le Bosphore et la Corne d'Or, vus du palais de Topkapi. Une flottille de minuscules embarcations sillonnait les eaux turquoise et, au loin, estompées par la brume de chaleur et l'éclat du soleil, se profilaient les rives de l'Asie. Un homme fort pouvait aisément traverser le détroit à la nage, comme l'avait fait le malheureux Léandre pour rejoindre son amante Hero, de l'autre côté de l'Hellespont. Mrs. Danver avait-elle pensé à cette légende en choisissant ce tableau ?

— Vous ne dites rien, remarqua Adeline.

Charlotte était lasse de proférer des banalités. Elle avait envie de quitter son personnage engoncé dans les conventions et de se montrer sous son vrai jour, face à cette femme qu'elle appréciait chaque minute un peu plus.

— Mes commentaires n'ajouteraient rien à la beauté du tableau, et aux rêves qu'il inspire, expliqua-t-elle. Je refuse d'ajouter des platitudes à toutes celles qui ont été dites ce soir.

— Alors, ma chère enfant, vous êtes condamnée au désastre ! fit Adeline avec franchise. Vous voulez voler comme Icare, et comme Icare, vous tomberez dans la mer. Vous vous apercevrez un jour que la bonne société ne permet pas aux femmes de voler. Pour l'amour du ciel, ne faites surtout pas un mariage de convenance ! Imaginez-vous entrer dans de l'eau froide, petit à petit, jusqu'à ce qu'elle vous recouvre complètement.

Charlotte eut la folle envie de lui avouer qu'elle avait justement fait un mariage tout ce qu'il y avait de moins conventionnel et qu'elle était très heureuse ainsi. Mais, se souvenant d'Emily, elle tint sa langue.

— Dois-je me marier hors de la norme, si je le peux ? demanda-t-elle avec un petit sourire contraint.

— J'imagine que vos parents ne vous y autoriseront pas, objecta Adeline. Les miens, en tout cas, ne me l'auraient pas permis.

Charlotte se retint de lui dire qu'elle était désolée pour elle. Cela aurait pu paraître condescendant de sa part. Adeline Danver n'était pas femme à supporter qu'on la prenne en pitié, à moins que celle-ci soit accompagnée de réelle sympathie. Jamais elle n'avait dû, par lâcheté, reculer devant une décision à arrêter ; et quand bien même l'aurait-elle fait, Charlotte n'avait ni le droit, ni le désir de la juger.

— Dans ma famille, c'est ma grand-mère qui émettrait le plus d'objections, remarqua-t-elle, se souvenant de la fureur de celle-ci lorsqu'elle lui avait annoncé qu'elle épousait un policier.

Adeline eut un sourire triste, mais son regard ne reflétait aucun apitoiement sur elle-même. Elle s'assit de côté sur le bras d'un fauteuil.

— Ma mère avait une petite santé. Elle usait de son état pour exiger de nous une obéissance absolue et une attention constante. Quand j'étais jeune, chacun s'attendait à ce qu'elle succombât à l'une de ses fameuses « crises ». C'est Garrard, le premier, qui l'a mise devant le fait accompli en se mariant. Je l'admirerai toujours de l'avoir fait. Mais pour moi, il était trop tard.

Elle prit une profonde inspiration.

— Bien entendu, si j'avais été une beauté, j'aurais vécu dans le péché ! Mais aucun homme ne m'ayant jamais demandée en mariage, je suis bien obligée de prétendre que si l'occasion s'était présentée, je l'aurais refusée ! Avez-vous remarqué, ajouta-t-elle, les yeux brillants, que les gens condamnent avec vigueur les actes qu'ils n'ont jamais osé accomplir ?

— C'est vrai, reconnut Charlotte. Cela éclaire d'un nouveau jour le dicton « faire de nécessité vertu » ! Ce genre d'hypocrisie m'exaspère !

— Dieu sait si vous aurez l'occasion d'y être confrontée. Vous feriez mieux d'apprendre à garder vos opinions pour vous et à vous borner à dialoguer avec vous-mêmes.

— Je crains que vous n'ayez raison, soupira Charlotte.

— Bien sûr, j'ai raison ! fit Adeline en se levant.

Elle était vraiment très maigre, mais possédait une vitalité qui faisait d'elle la personne la plus intéressante de la famille Danver. Son regard se porta à nouveau sur le tableau.

— Saviez-vous qu'une courtisane nommée Theodora est devenue impératrice de Byzance ? dit-elle d'un ton léger. Je me demande si elle portait des couleurs violentes. Moi, je raffole du bleu paon, du rouge garance, du jaune safran — ces noms sont si évocateurs — mais je n'ose pas les porter. Garrard ne me laisserait pas en paix et cesserait de m'allouer un budget vestimentaire !

Elle fixa le tableau comme si elle cherchait à voir au-delà.

— A propos de couleurs, il faut que je vous dise... Une femme est venue dans cette maison, une ou deux fois, la nuit. Elle était d'une beauté exceptionnelle. Elle portait du rouge, non pas un rouge tirant vers le jaune, mais un rouge cerise, très violent. Moi j'aurais l'air d'un épouvantail dans une couleur pareille !

Elle tourna vers Charlotte un regard émerveillé.

— Elle était superbe. A qui pouvait-elle rendre visite, je l'ignore. Julian, peut-être ? Tout de même, il aurait dû se montrer plus discret. Garrard aurait été furieux, s'il l'avait appris. Pourtant, à ma connaissance, depuis qu'il courtise Veronica York, mon neveu a une attitude irréprochable. Que demander de plus à un homme ? Son passé le regarde. Si seulement on pouvait dire la même chose des femmes... Mais je ne suis pas naïve au point de croire que cela puisse arriver un jour.

L'esprit de Charlotte était en ébullition. Adeline venait de dire tant de choses; elle avait besoin de les démêler.

— Ma tante, Lady Cumming-Gould, vous plairait beaucoup, je crois, dit-elle, se rendant compte qu'elle sortait de plus en plus de son rôle. C'est une merveilleuse vieille dame. A quatre-vingts ans, elle est prête à se battre pour que les femmes obtiennent le droit de vote.

Tout en parlant, elle se rendait compte de la hardiesse de son propos.

— Un engagement très désintéressé de sa part, répondit Adeline, les yeux brillants d'un enthousiasme mêlé d'un brin d'ironie. Elle ne verra pas la loi publiée de son vivant...

— Le croyez-vous ? Si les femmes faisaient pression sur le Parlement, de toutes leurs forces, les hommes finiraient peut-être par comprendre qu'il s'agit d'une cause juste et...

Devant l'expression moqueuse et dubitative d'Adeline, elle ne termina pas sa phrase de peur de paraître naïve.

— Ma chère, fit cette dernière en secouant légèrement la tête, si les femmes unissaient leurs voix, elles pourraient persuader les hommes de les écouter, et même les y contraindre. Mais avez-vous déjà vu ne serait-ce qu'une demi-douzaine de nos consœurs parvenir à se mettre d'accord et à s'unir pour une même cause ? Alors, à plus forte raison, un demi-million !

Du bout de ses doigts maigres, elle lissa le velours du fauteuil.

— Nous vivons isolées les unes des autres, les pauvres, dans leurs cuisines, les riches, dans leurs salons ; jamais nous ne coopérons ; nous voyons dans toute femme une rivale potentielle dès qu'apparaît un prétendant tant soit peu séduisant et fortuné. Les hommes eux, se soutiennent, s'imaginant qu'ils sont là pour défendre et nourrir la nation. Ils font tout leur possible pour que rien ne change, c'est-à-dire pour continuer à tout contrôler, partant du principe qu'ils savent mieux que nous ce qui nous convient et qu'ils doivent veiller à ce que nous l'obtenions, contre vents et marées.

Elle rejeta brusquement la tête en arrière.

— Hélas, beaucoup de femmes sont trop contentes de les y encourager, étant donné que ce statu quo leur agrée fort bien, leurs maris étant ceux qui ont le pouvoir.

— Miss Danver, vous avez vraiment des idées révolutionnaires ! s'exclama Charlotte, ravie. Vous devez absolument rencontrer tante Vespasia ! Vous verrez, vous l'adorerez ! Et ce sera réciproque.

Avant qu'Adeline lui réponde, elles entendirent un bruit de pas dans le couloir. Harriet parut sur le seuil, pâle, les traits tirés, comme si elle souffrait d'insomnie.

— Ces messieurs nous ont rejointes au salon. Veux-tu venir, tante Addie ? Et vous, Miss Barnaby ?

Un éclair de pitié passa sur le visage d'Adeline, si bref que Charlotte se demanda si elle n'avait pas rêvé.

Peut-être avait-elle cru y voir le reflet de sa propre compassion pour Harriet.

Adeline se dirigea vers la porte.

— Nous admirions le tableau représentant le Bosphore, qu'aimait tant ta mère. Venez, Miss Barnaby. Notre retraite est terminée. Adieu, Theodora et Byzance, retournons à notre monde et à des affaires plus pressantes, comme de savoir si Miss Weatherly va annoncer ses fiançailles avec le capitaine Marriott ce mois-ci ou le mois prochain, ou si celui-ci va se soustraire à ses obligations matrimoniales et partir voguer en tamis... conclut-elle en haussant ses épaules décharnées.

Harriet lança à Charlotte un regard perplexe.

— Un poème d'Edward Lear, expliqua celle-ci. *Leurs têtes étaient vertes et leurs mains étaient bleues/ Dans un tamis ils se sont embarqués...* Lear avait le sens de l'absurde, et c'était aussi un grand peintre. Ses paysages grecs sont merveilleux.

— Ah... fit Harriet, soulagée, mais guère plus avancée.

— Alors ? Du nouveau ? s'enquit Jack, dès qu'ils se retrouvèrent dans le cabriolet, serrés l'un contre l'autre pour se protéger de la morsure du froid.

Leur haleine s'exhalait en vapeur blanchâtre. Audehors le vent tourbillonnait en gémissant, la chaussée était recouverte d'un mélange de neige fondue et de boue ; le crottin, pour une fois inodore, gelait dans les caniveaux. Les sabots des chevaux résonnaient sur la glace.

— Toutes sortes de choses, répondit Charlotte en claquant des dents.

Elle décida de ne pas lui parler d'Harriet. S'il n'avait pas remarqué qu'elle était amoureuse de Felix Asherson, autant que cela demeure secret.

— Les Danver paraissent aussi fortunés que les York, donc l'argent n'a rien à voir dans l'affaire. Les deux familles se connaissent de longue date ; Julian et Veronica auraient pu s'éprendre l'un de l'autre avant la mort de Robert York. D'autre part, et j'en arrive au point le plus intéressant, tante Addie...

— Que vous aimez énormément...

— Que j'aime énormément, c'est vrai, concéda-t-elle. Mais cela ne me rend pas aveugle pour autant.

— Bien entendu, ironisa-t-il.

— C'est la vérité ! Adeline m'a dit qu'elle avait à deux reprises aperçu une très belle femme, la nuit, dans cette maison, jusqu'à il y a trois ans, mais pas depuis. Elle était toujours vêtue de rouge cerise.

— Toujours ? Vous voulez dire les deux fois ?

— Oui, si vous préférez. Jack, c'était peut-être elle l'espionne ! Elle aurait cherché à soutirer des informations à Julian Danver !

— Dans ce cas, pourquoi ne l'a-t-on jamais revue depuis ?

— Il se peut qu'elle soit partie se cacher après l'assassinat de Robert York. C'était peut-être lui le traître ! Une fois Robert mort, elle n'avait plus de raison de revenir à Hanover Close. Julian Danver, s'il aimait déjà Veronica, a pu résister à ses charmes ! Enfin, je n'en sais rien !

— Allez-vous en parler à Thomas ?

Elle poussa un profond soupir. Ses mains, enfoncées dans le manchon d'Emily, étaient engourdies par le froid. Il était si tard qu'elle devrait dormir chez sa sœur et ne rentrer chez elle que le lendemain, ce qui ne plairait pas du tout à Pitt. Elle pourrait toujours lui expliquer qu'elle était restée auprès d'Emily qui se sentait seule. Ce n'était pas tout à fait faux, mais ce serait tout de même un vilain mensonge.

L'autre solution consistait à lui avouer la raison pour laquelle elle avait décidé d'enquêter sur le meurtre de Robert York.

— Oui, répondit-elle lentement. Je crois que je vais le lui dire.

— Est-ce bien raisonnable ?

— Je suis une piètre menteuse, Jack.

— C'est la meilleure ! ironisa-t-il. A vous entendre...

— Je vous demande pardon ? releva-t-elle, vexée.

— Je crois avoir été témoin ce soir d'une performance exceptionnelle de votre part !

— Oh, ça, c'est différent. C'est pour les besoins de l'enquête...

Il se mit à rire. Bien qu'irritée, Charlotte l'en apprécia. En fin de compte, Emily ferait peut-être le bon choix en l'épousant.

Le lendemain, Charlotte se leva avant l'aube et, à sept heures, elle se trouvait dans sa cuisine, en train de préparer le petit déjeuner. Emily lui avait donné des œufs et du bacon tout frais, espérant amadouer Thomas par ce gage de réconciliation.

— Emily est-elle souffrante ? s'enquit celui-ci, préoccupé.

Charlotte savait que si sa réponse ne le satisfaisait pas, il entrerait dans une violente colère. Elle devait paraître bien trop excitée et trop contente d'elle, pour avoir passé la nuit au chevet d'une malade.

— Thomas...

Elle avait mûrement réfléchi à ce qu'elle allait dire.

— Oui ? fit-il, sur la défensive.

— Emily n'est pas malade, mais malheureuse. Elle se sent délaissée. La solitude du deuil est si lourde à porter.

— Je le sais bien, Charlotte.

Il y avait une réelle compassion dans sa voix, et elle se sentit d'autant plus coupable.

— J'ai donc pensé que pour se changer les idées elle devait se consacrer à quelque chose... se hâta-t-elle d'ajouter, en retournant le bacon, qui se mit à grésiller dans la poêle, répandant une délicieuse odeur.

— Quelque chose ? Et quoi donc ? releva-t-il, sceptique.

Il la connaissait trop bien pour se laisser berner.

— Quelque chose qui lui occuperait l'esprit, résoudre une énigme, par exemple... Donc nous avons décidé de nous intéresser de plus près à la mort de Robert York, dont vous m'aviez parlé...

Elle prit deux œufs et les cassa dans la poêle.

— Nous en avons parlé à Jack Radley. Je tiens vraiment à mieux connaître ce garçon. Vous savez, Emily envisage de se remarier... Il faut bien que quelqu'un s'occupe de ses intérêts...

— Charlotte !

— Bref, j'avais deux bonnes raisons de rencontrer les York, poursuivit-elle. Je suis donc allée prendre le thé chez eux, en compagnie de Jack. Emily s'était débrouillée pour qu'il obtienne une invitation pour moi — ainsi, j'ai pu observer tout le monde.

Sentant qu'il s'agitait derrière son dos, elle se retourna, le sourire aux lèvres, et posa les œufs dans son assiette, à côté du bacon.

— Hier soir, j'ai dîné chez les Danver. Toute la famille était là. Ce sont des gens très intéressants. Ils paraissent aussi fortunés que les York. J'en conclus que Veronica ne cherche pas à épouser Julian pour son argent, et réciproquement.

Tout en parlant, elle avait préparé le thé et posé les tasses sur la table, en évitant avec soin le regard de Pitt.

— Adeline Danver, la tante de Julian, m'a dit une chose étrange : elle a aperçu chez eux, la nuit, une très belle femme entièrement vêtue de rouge cerise. S'agirait-il d'une espionne ?

Elle leva enfin les yeux vers lui, et fut soulagée de n'y voir que de la stupéfaction.

— De rouge cerise ? répéta-t-il, éberlué, la fourchette en l'air. A-t-elle bien dit : rouge cerise ?

— Oui, j'en suis sûre ! Avez-vous entendu parler d'elle ? Est-ce une espionne ? Thomas ! Répondez-moi !

— Je l'ignore. L'une des domestiques des York a aussi aperçu une femme vêtue de rouge cerise

Charlotte s'assit sur une chaise en face de lui, et se pencha en avant.

— Qu'a-t-elle dit au juste? Quand l'a-t-elle vue? Savez-vous de qui il s'agit?

— Non. Mais je retournerai lui demander d'autres détails. Je dois découvrir l'identité de cette mystérieuse inconnue.

Avant de se rendre à Hanover Close, Pitt passa par le commissariat, pour s'occuper de dossiers en cours, notamment celui d'un cambriolage sur le Strand. Il avait parcouru la moitié des rapports, quand un agent entra dans son bureau, avec une timbale de thé qu'il posa sur la table.

— Merci, fit Pitt d'un ton absent.

— J'ai une nouvelle qui pourrait vous intéresser, Mr. Pitt, dit l'agent en reniflant.

Il éternua, prit un grand mouchoir dans sa poche et se moucha bruyamment.

— Il y a eu un accident hier, à Hanover Close. Triste histoire. Une des domestiques est tombée d'un étage. Elle a dû vouloir se pencher par la fenêtre pour récupérer un chiffon, ou parler à quelqu'un dans la rue. La pauvre gamine est morte sur le coup.

Pitt sentit un frisson glacé le parcourir.

— Morte? Comment s'appelle-t-elle?

L'agent baissa les yeux vers le papier qu'il tenait à la main.

— Dulcie Mabbutt, monsieur. La camériste de Mrs. York.

5

Après le départ de Charlotte, Emily resta éveillée. Une interminable journée l'attendait, et elle n'avait aucun projet. Elle tenta de se rendormir — il n'était que six heures moins le quart — mais en vain. Elle était trop énervée.

Tout d'abord, elle réfléchit à ce que lui avait raconté Charlotte. Qui était cette mystérieuse créature vêtue de rouge cerise ? Une maîtresse que Julian recevait la nuit sous le toit de son père ? Impensable. Un homme intelligent n'aurait jamais fait une chose pareille. Or, Charlotte l'avait décrit en termes élogieux, disant qu'elle comprenait très bien que Veronica York désirât l'épouser. Et Charlotte ne supportait pas la bêtise, elle qui prétendait être tolérante !

La femme en rouge était-elle une espionne ayant poussé Julian Danver, ou son père, à trahir leur pays ? Si personne ne l'avait revue depuis la mort de Robert York, c'est parce qu'elle se montrait simplement prudente.

Ou s'agissait-il d'une ancienne maîtresse de l'un des deux hommes, dont il s'était lassé, et que le dépit amoureux avait poussée à le relancer jusque chez lui ?

Autre hypothèse : Harriet Danver menait une double vie et donnait des rendez-vous nocturnes à Felix Asherson, en s'habillant de rouge, de façon à ce que personne ne la reconnaisse. Pas étonnant, dans ces conditions, que tante Adeline, mal réveillée, n'ait pas reconnu sa nièce au beau milieu de la nuit. Et puis on disait qu'Adeline était un peu originale...

Emily se demanda si elle deviendrait un jour une vieille dame solitaire et excentrique, rendant sans cesse visite à sa famille et vivant une existence par procuration, comprenant tout de travers et inventant des choses qui n'existaient pas ? A cette pensée, elle se sentit si misérable qu'elle décida de se lever, bien qu'il ne fût que sept heures moins cinq. Les domestiques allaient être surpris, mais tant pis !

Elle sonna sa femme de chambre et dut l'attendre plusieurs minutes. Puis elle prit un bain, s'habilla avec soin comme si elle s'apprêtait à recevoir une visite importante, et descendit au rez-de-chaussée. La camériste avait prévenu tout le monde que sa maîtresse était déjà debout, aussi personne ne fut étonné de la voir. Ils se contentèrent de la saluer poliment. Wainwright, le majordome, tel un bedeau portant le plateau de la quête, déposa devant elle avec une petite révérence une assiette d'œufs pochés. Elle aurait bien voulu faire un faux mouvement pour qu'elle lui tombe des mains !

Après avoir pris son petit déjeuner, elle se rendit à la cuisine et mit son grain de sel dans l'élaboration des menus de la semaine, ce qui eut le don d'agacer la cuisinière. Elle mit aussi les nerfs de sa camériste à rude épreuve en vérifiant si le repassage et les reprises de ses robes étaient bien faits. Lorsqu'elle se rendit compte à quel point elle était injuste et désagréable, elle se réfugia dans son boudoir, ferma la porte et entreprit d'écrire une longue lettre à tante Vespasia. Comme elle aurait aimé pouvoir lui parler de vive voix !

Elle en était à la quatrième page quand le valet frappa à la porte pour lui annoncer que sa mère attendait au salon.

— Oh, dites-lui de venir ici ! La pièce est beaucoup plus lumineuse.

Elle cacha la lettre et se prépara à recevoir sa mère, avec des sentiments mitigés.

Caroline Ellison entra quelques instants plus tard, les pommettes rosies par le froid, vêtue d'une superbe robe lie-de-vin agrémentée de fourrure et coiffée d'une capeline coquettement inclinée sur sa tête. Jamais Emily ne l'avait vue aussi élégante.

Caroline semblait d'excellente humeur. Elle déposa un baiser sur la joue de sa fille et prit place dans un fauteuil.

— Comment vas-tu, ma chérie? Tu n'as pas l'air très en forme, observa-t-elle avec une franchise toute maternelle. J'espère que tu manges suffisamment? Il faut te soucier de ta santé, autant pour Edward que pour toi. Bien sûr, les premiers mois de deuil sont très difficiles, mais tu verras, dans quelque temps, tu te sentiras beaucoup mieux. Tu dois préparer ton avenir. D'ici à l'été, tu pourras commencer à sortir en société, dans des réunions où ta présence ne paraîtra plus déplacée.

La phrase sonnait comme une condamnation... Emily eut un serrement de cœur en imaginant le genre de réceptions que lui réservait sa mère : assemblées de veuves posées sur le bord de leurs chaises comme des corneilles sur une clôture, échangeant d'hypocrites propos et d'insignifiantes remarques, ou commentant à n'en plus finir les dernières fredaines de la bonne société; c'était là leur seule façon de participer à la vie mondaine.

— J'ai envie de faire quelque chose d'utile, dit-elle à voix haute.

Caroline eut un petit hochement de tête.

— Louable initiative, mais il ne faut pas aller trop loin. Parles-en à ton pasteur, ou si tu préfères, j'en parlerai au mien. Il doit exister des associations de bienfaisance qui seraient ravies de t'accueillir, le moment venu.

Se lier à une telle association était bien la dernière chose que souhaitait Emily. Elle aspirait plutôt à suivre l'exemple de Vespasia et à faire campagne pour l'amélioration des conditions de vie dans les hospices, œuvrer pour l'amendement des lois sur le travail des enfants, lutter pour l'accroissement du nombre des écoles pour les enfants d'indigents et, pourquoi pas, se battre pour le suffrage des femmes. A présent qu'elle disposait de son argent comme elle l'entendait, elle pouvait se rendre utile.

— Vous n'avez pas l'air habillée pour une réunion de patronage, maman. En fait, je ne vous ai jamais vue aussi élégante.

Caroline tressaillit.

— Il n'est pas nécessaire d'être habillée comme un sac ou d'avoir l'air misérable pour s'occuper de bonnes œuvres. Je sais que tu viens de subir une terrible épreuve, mais il ne faut pas devenir extravagante, ma chérie.

Emily se sentit soudain submergée par une colère mêlée de frustration et de désespoir. Elle eut l'impression qu'une porte de prison venait de se refermer sur elle. La voix calme et raisonnable de sa mère l'enveloppait d'un rideau épais l'isolant à jamais des lumières et des rires du monde extérieur.

— Et pourquoi? releva-t-elle. Pourquoi ne deviendrais-je pas un peu originale?

— Ne fais pas la sotte, fit Caroline d'un ton patient où frisait l'agacement, comme si elle s'adressait à une petite fille refusant de manger son riz au lait. Le moment venu, tu te remarieras. Tu es bien trop jeune pour rester veuve, et tu représentes un beau parti. Si tu te comportes avec prudence durant les deux ou trois années à venir, tu pourras envisager un mariage au moins aussi réussi que le précédent. Tu seras heureuse et financièrement très à l'aise. Mais les quelques mois à venir seront pour toi une période cruciale pendant laquelle tu peux tout gagner ou gâcher toutes tes chances.

Emily haussa un sourcil exaspéré.

— Selon vous, si ma conduite est jugée inconvenante, aucun duc ne voudra m'épouser, et si je passe pour une excentrique, je n'aurai même pas droit à un baronnet !

— Comme tu es agaçante, ce matin, Emily ! constata Caroline en s'efforçant de rester sereine. Voyons, tu connais aussi bien que moi les règles de la bonne société. Toi qui étais la plus raisonnable de mes trois filles ! Tu commences à ressembler à Charlotte. Je n'aurais pas dû te conseiller de passer les fêtes de Noël chez elle, mais je pensais qu'Edward serait heureux de retrouver ses petits cousins. A mon avis, Charlotte a dû t'être reconnaissante du soutien financier que tu as pu lui apporter à cette occasion.

— Charlotte est très heureuse ! s'exclama Emily d'un ton cinglant, qu'elle regretta aussitôt.

Elle se montrait injuste envers sa mère, qui se faisait du souci pour elle, mais cela ne l'empêcha pas d'ajouter :

— J'ai passé un merveilleux Noël.

L'expression de Caroline s'adoucit. Elle posa tendrement sa main sur la sienne.

— J'en suis sûre, ma chérie. L'affection qui vous unit est l'un des bonheurs de mon existence.

Emily se sentit ridiculement émue. Elle ne voulait surtout pas inquiéter sa mère, mais celle-ci, avec les meilleures intentions du monde, prévoyait pour elle un avenir si différent de ses propres projets que c'en devenait insupportable.

— Maman, je refuse d'assister à des réunions paroissiales et il est hors de question que j'aille voir le pasteur. N'en parlez surtout pas au vôtre, vous vous mettriez dans l'embarras, car je n'irai pas à ces assemblées. Si je dois œuvrer pour le mieux-être des gens, je veux faire des choses concrètes, avec tante Vespasia, mais pas de discours pontifiants sur la moralité, en distribuant aux indigents des brochures pour le salut de leur âme d'une main et de la soupe de l'autre...

Caroline soupira en serrant les dents.

— Emily, tu as parfois des réactions très puériles.

Tu ne peux pas te comporter comme Lady Cumming-Gould qui, elle, a un nom dans la bonne société. Les gens tolèrent ses excentricités parce que c'est une très vieille dame, et pour le souvenir respectueux qu'ils gardent de son défunt mari. A son âge, ses prises de position n'ont pas grande importance ; on peut toujours les attribuer à la sénilité.

— Que me chantez-vous là ? Je n'ai jamais rencontré personne qui soit moins sénile que Lady Cumming-Gould !

Emily était prête à soutenir Vespasia bec et ongles, non seulement par affection, mais aussi pour les idées généreuses qu'elle défendait.

— Elle a plus de jugement dans son petit doigt qu'il n'y en a dans tous les cerveaux prétentieux de la bonne société !

— Mais personne n'envisage de l'épouser, ma chère !

— Évidemment, elle a quatre-vingts ans !

— C'est bien là où je voulais en venir, fit Caroline, nullement décontenancée. Toi, tu en as à peine trente. Essaie de réfléchir à ta situation avec un peu de jugeote. Tu es jolie, sans être une vraie beauté, comme l'était Vespasia ; n'étant pas issue de l'aristocratie, tu n'as aucune alliance, aucune relation avec des gens influents à offrir. Mais, ajouta-t-elle, soudain très sérieuse, tu es riche. Si tu veux te marier au-dessous de ton rang, tu seras confrontée à des chasseurs de dot, des hommes douteux qui te courtiseront par appât du gain ou parce qu'ils pensent que Lady Ashworth pourra les introduire dans le grand monde. C'est bien triste à dire, mais tu peux le comprendre. Tu n'es plus une enfant et tu le sais aussi bien que moi.

— Bien sûr, je le sais ! s'exclama Emily en détournant les yeux.

Le visage de Jack lui apparut avec netteté. Il était charmant et paraissait si franc. N'était-il qu'un fieffé menteur, qui la bernait avec art et dont l'avenir pouvait dépendre de la décision d'Emily : s'il la courtisait et gagnait son cœur, il n'aurait en effet plus aucun souci financier jusqu'à la fin de ses jours. Pour la première fois depuis son enfance, il serait à l'abri du besoin, pourrait s'habiller à son gré, acheter des chevaux et des attelages, jouer, aller aux courses, inviter des gens à dîner, au lieu de chercher sans cesse à se faire inviter. Il n'aurait plus à gagner des faveurs ; il pourrait se permettre enfin d'aimer ou de détester selon son bon plaisir. Cette affreuse constatation la touchait davantage qu'elle ne l'aurait cru.

— Bien sûr, je le sais ! répéta-t-elle, le souffle court. Mais je n'ai pas l'intention d'épouser un raseur au seul motif que mon argent ne l'intéresse pas.

— Voyons, ne sois pas ridicule, fit Caroline, dont la patience était à bout. Tu t'accommoderas de la proposition la plus raisonnable, comme nous le faisons toutes.

— Charlotte ne l'a pas fait, elle !

— Moins on en dit sur le mariage de Charlotte, mieux cela vaut ! éclata Caroline. Si tu t'imagines que tu vas épouser un policier, ou je ne sais quel commerçant, et que tu vas être heureuse avec lui, c'est que tu as vraiment perdu l'esprit. Charlotte a beaucoup de chance que son mariage n'ait pas tourné au désastre. Thomas est sans aucun doute un homme charmant ; il s'occupe d'elle autant qu'il le peut, mais te rends-tu compte qu'elle n'a absolument aucune sécurité ? S'il arrivait quelque chose à Thomas demain, elle n'aurait plus rien, tu m'entends, plus rien ! Avec deux enfants à charge !

Elle soupira.

— Ne te berce pas d'illusions. Charlotte ne fait pas toujours ce qu'elle veut. Je ne te vois pas du tout en train de reprendre tes vieilles robes pour les mettre au goût du jour, ou faire la cuisine en priant pour que la viande du dimanche dure jusqu'au jeudi suivant. Et tu n'auras pas une sœur plus riche que toi pour t'aider en cas de besoin. Je ne t'empêche pas de rêver, mais souviens-toi que ce ne sont que des rêves. Quand tu te réveilleras, comporte-toi comme une jeune veuve pleine de charme et de dignité, possédant une fortune et une position sociale qu'elle a tout intérêt à ne pas gâcher par des comportements stupides. Débrouille-toi pour qu'on ne chuchote pas derrière ton dos.

Emily était trop accablée pour réagir.

— Oui, maman, fit-elle d'un ton las.

Les réponses et les explications qui lui venaient à l'esprit étaient trop embrouillées et encore trop vagues pour qu'elle commençât à les démêler et à les ordonner devant sa mère, qui n'avait pas les mêmes façons de voir : celle-ci ne la comprendrait pas.

— Bien, fit Caroline en souriant. A présent, vas-tu te décider à m'offrir une tasse de thé ? Il fait très froid dehors. Dans quelques mois, je parlerai au pasteur. Il existe des œuvres de charité qui feraient des endroits très convenables pour recommencer à te montrer en société.

— Oui, maman, répéta Emily en tirant sur le cordon de la sonnette.

La matinée s'écoula aussi misérablement qu'elle avait commencé. Des rafales de neige fondue s'abattaient sur les vitres. Il faisait si sombre que dans la rue les becs de gaz étaient allumés. Emily termina sa lettre à tante Vespasia, puis la déchira. Elle était trop pleine d'apitoiement sur elle-même. Vespasia le lui pardonnerait certainement, mais Emily ne tenait pas à se montrer à elle sous un jour aussi sombre. L'opinion que la vieille dame avait d'elle comptait beaucoup.

Quand Edward eut fini d'apprendre ses leçons, ils prirent le thé ensemble. Puis la fin de l'après-midi s'écoula, interminable, et ils allèrent se coucher de bonne heure.

Par bonheur, le lendemain se présenta sous de meilleurs auspices. Au courrier du matin, elle trouva une lettre de Charlotte, postée la veille au soir, sur laquelle était écrit : TRÈS URGENT. Elle l'ouvrit et la lut :

Chère Emily,

Un triste accident s'est produit à Hanover Close. Si nos craintes sont justifiées, c'est un événement qui pourrait avoir de graves conséquences. A mon avis, la dame en rouge est la clé de l'énigme. Thomas a entendu parler d'elle par l'une des cameristes des York ; il ne m'en avait rien dit, bien entendu, puisqu'il ignorait que nous nous intéressions à l'affaire. Cette jeune fille avait vu Cerise — c'est désormais le nom que je lui donne — à plusieurs reprises, la nuit chez les York. Quand j'ai rapporté à Thomas les propos de tante Addie au sujet de Cerise, tu imagines quelle a été sa réaction !

Mais attends la suite. Avant de retourner à Hanover Close interroger la femme de chambre, Thomas est passé par le commissariat, où il a appris que celle-ci était décédée la veille. Apparemment, elle est tombée d'une fenêtre. Thomas est très soucieux. Bien sûr, il peut s'agir d'un accident, sans rapport avec le fait qu'elle lui ait parlé de Cerise ; mais le jour où Thomas l'a vue, dans la bibliothèque, la famille Danver était en visite chez les York ; quelqu'un a pu surprendre leur conversation depuis le vestibule.

Nous devons découvrir qui était présent dans la maison lors de la mort de la jeune fille. La police ne peut enquêter, puisque tout laisse supposer qu'il s'agit d'un banal accident. N'importe qui peut faire une chute malencontreuse et il est impensable de laisser peser des soupçons sur une famille comme les York. Si l'enquête de moralité concernant Veronica venait à être divulguée, tu te doutes du scandale qui s'ensuivrait. Dieu sait quel drame pourrait alors se produire. La réputation de Julian Danver serait ruinée, sans parler de celle de Veronica.

Fais part de ces nouvelles à Jack lors de sa prochaine visite.

S'il y a du nouveau, je t'enverrai aussitôt un message.

Ta sœur qui t'aime,
Charlotte

Emily reposa la lettre d'une main tremblante, l'esprit en effervescence. La cameriste qui avait aperçu la femme en rouge chez les York était morte !

Elle réfléchit : jamais elles ne parviendraient à deviner ce qui se cachait derrière la façade paisible des York si elles se bornaient à aller chez eux prendre le thé, à voir des expositions en leur compagnie, à parler chiffons et à échanger des potins mondains. Pitt avait soulevé un lièvre ; on était loin d'un vulgaire cambriolage ou de la réputation de la future épouse d'un diplomate. Il fallait qu'un événement terrible se soit produit trois ans plus tôt pour qu'aujourd'hui l'affaire fasse surface avec tant de violence. Après tout, il y avait peut-être eu un nouveau meurtre.

Elles devaient donc s'immiscer dans la vie privée des York. Mais comment s'y prendre ?

Un stratagème lui vint à l'esprit. Non, il était grotesque. Il ne réussirait jamais... Elle serait tout de suite démasquée.

Démasquée ? Tiens, tiens... Après tout, pourquoi la reconnaîtraient-ils, si elle transformait complètement son attitude, ses expressions, sa coiffure, ses gestes, sa voix ? L'origine sociale d'une femme anglaise se reconnaît dès l'instant où elle ouvre la bouche : même en utilisant un langage châtié, un domestique n'arrive pas à arrondir les voyelles, ni à prononcer les consonnes avec netteté.

Une chose était sûre : Veronica York avait besoin d'une nouvelle femme de chambre à demeure. Or, une cameriste voit et entend tout, en restant invisible. Invisible ! L'idée ne la quittait plus. Emily avait toujours eu des servantes, chez ses parents, puis chez son mari ; elle connaissait leur travail sur le bout des doigts. Elle n'avait jamais vraiment essayé de repasser, mais tout s'apprend. En revanche, elle était habile coiffeuse. Adolescente, avec Charlotte, elle s'amusait à se faire des chignons, avant d'avoir l'âge de porter ses cheveux relevés. Et, sachant manier l'aiguille à broder, elle devrait être capable de repriser.

La principale difficulté serait de se transformer pour parvenir à se faire passer pour une domestique. Et si sa supercherie était découverte ? Elle serait renvoyée, bien sûr. Après tout, quelle importance ? Il arrivait qu'une jeune femme de bonne famille, ayant eu un enfant illégitime, fût contrainte, nécessité oblige, de prendre une place de servante. L'humiliation serait réelle, mais de courte durée. Si plus tard les York rencontraient Lady Ashworth dans un salon, ils ne feraient pas la relation entre elle et une ancienne domestique. Quand bien même croiraient-ils la reconnaître, elle pourrait toujours nier effrontément et prétendre qu'ils avaient perdu l'esprit.

En tant que camériste, elle ne verrait pas les invités ; on ne lui demanderait ni de servir à table, ni de répondre à la porte. Finalement, l'idée n'était pas si absurde. De toute manière, elles ne découvriraient jamais l'assassin de Robert York en continuant à jouer aux détectives amateurs ; elles ne faisaient qu'effleurer le problème, que pressentir une violence larvée sous une apparente façade de respectabilité. Jusqu'à présent, elles se contentaient d'échafauder des hypothèses sans vraiment connaître les raisons qui avaient poussé quelqu'un à commettre un crime. Emily était persuadée d'en apprendre infiniment plus à l'intérieur.

Elle frissonna en pensant au danger qu'elle courait. Être renvoyée parce qu'elle était une femme déchue serait un embarras de courte durée. Si par malheur ils reconnaissaient Lady Ashworth, les York se diraient que la mort de son mari lui avait fait perdre la tête. Quel scandale ! Mais cela ne risquait guère de se produire. Non, le vrai danger venait de l'assassin de Robert York. Il s'était peut-être débarrassé de Dulcie, simplement parce qu'elle avait vu ou entendu quelque chose qui fût susceptible de le démasquer. Emily devrait donc se montrer très prudente. Le mieux était de faire semblant d'être un peu simplette et surtout, de tenir sa langue.

Si elle renonçait à ce projet, il ne lui resterait plus qu'à attendre d'improbables visites, assise dans son salon, tandis que sa mère s'activerait à lui trouver quelques bonnes œuvres. Elle ne saurait de l'affaire que ce que lui rapporterait Charlotte, et ne lui serait d'aucune utilité. Dans ces conditions, Jack ne tarderait pas à se lasser d'elle.

Quand celui-ci arriva, au milieu de la matinée, la décision d'Emily était prise. Comme elle avait bien fait de ne pas envoyer sa lettre larmoyante à Vespasia ! Car à présent, elle avait besoin de son aide. Elle irait la voir dans l'après-midi.

— Je vais chez les York, annonça-t-elle à Jack, sitôt qu'il eut franchi la porte du salon.

Il fronça légèrement les sourcils.

— Je crains que le moment soit mal choisi. Il est encore trop tôt, Emily.

— Oh, je n'y vais pas en visite, fit-elle avec un geste désinvolte. La camériste de Veronica York a vu la femme en rouge — celle-là même qu'a aperçue Adeline Danver. Elle l'a dit à Thomas, et elle est morte !

— Qui, la camériste ?

— Oui, évidemment ! Et la femme en rouge a disparu. Elle devait travailler pour une puissance étrangère. En tout cas, elle n'est pas sans lien avec la mort de Robert York. Et nous ne découvrirons pas la vérité en allant prendre le thé tous les quinze jours à Hanover Close.

— Oui, mais que faire ? Nous ne pouvons tout de même pas les interroger directement !

— En effet ! Et cela ne servirait à rien !

Emily était surexcitée. Rien de ce que lui dirait Jack ne la découragerait. Pour la première fois depuis la mort de George, elle allait enfin faire quelque chose d'extravagant ! Celui-ci lui aurait d'ailleurs interdit de mettre son projet à exécution. Elle ne put s'empêcher de se réjouir à l'idée qu'elle n'avait plus à souffrir d'ordres de personne.

— Nous devons agir avec doigté, poursuivit-elle, observer les York lorsqu'ils ne sont pas sur leurs gardes. Petit à petit, il se peut qu'ils finissent par se trahir.

Jack la dévisageait, d'un air perplexe.

— Vous avez devant vous la nouvelle ca9 camériste de Veronica York ! lança-t-elle, ravie de son petit effet. Je rédigerai moi-même une lettre de références et en demanderai une autre à tante Vespasia.

— Bonté divine ! Vous êtes folle ! Emily, vous n'allez pas faire ça !

— Pourquoi pas ?

Une étincelle d'amusement brilla dans les yeux de Jack.

— Premièrement, parce que vous ne saurez pas jouer les domestiques...

— C'est faux !

Elle releva vivement le menton, tout en sachant qu'elle devait avoir l'air ridicule.

— J'ai une femme de chambre très compétente et je crois être en mesure de l'imiter.

Il éclata d'un rire moqueur. A tout autre moment, elle aurait trouvé ce rire très agréable, mais là, elle fut affreusement vexée.

— Je n'ai jamais dit que ce serait facile, riposta-t-elle. Je n'ai pas l'habitude de recevoir d'ordres et je n'aimerai certainement pas être à la constante disposition de quelqu'un, mais s'il le faut, je le ferai. De toute façon, ce sera mieux que de rester ici toute la journée à mourir d'ennui.

Le rire de Jack s'évanouit lorsqu'il comprit qu'elle ne plaisantait pas.

— Emily, ils devineront tout de suite la supercherie !

— Oh, mais pas du tout. Je serai une femme de chambre modèle.

Lisant l'incrédulité sur son visage, elle poursuivit d'un ton déterminé :

— Si Charlotte a réussi à se faire passer pour Elisabeth Barnaby, je ne vois pas pourquoi je ne pourrais pas, de mon côté, me créer une fausse identité. D'ailleurs, je mens bien mieux qu'elle. C'est décidé, j'irai chez les York cet après-midi, sinon il sera trop tard. Auparavant je rendrai visite à tante Vespasia. Je viens de lui téléphoner. Vous ai-je dit que j'ai maintenant un appareil téléphonique ? Quelle merveilleuse invention ! Je regrette de ne pas l'avoir fait installer plus tôt. Vespasia me fournira une lettre d'introduction, si je la lui demande.

Elle ignorait si Lady Cumming-Gould accéderait à sa requête, mais elle ferait tout pour l'en persuader.

Jack avait l'air soucieux.

— Emily, pensez au danger ! Si cette jeune fille a été assassinée, comme vous le supposez, vous risquez votre vie ! Imaginez qu'on découvre le subterfuge... Laissez donc Thomas mener l'enquête.

Elle se tourna vivement vers lui.

— Thomas ? Lui conseilleriez-vous de s'engager comme valet de pied ? Il ne saurait comment s'y prendre ! De plus, les York le connaissent déjà. Ses supérieurs, d'après Charlotte, ne s'intéressent pas à la mort de Robert York. Ils veulent seulement s'assurer que sa veuve sera une épouse convenable pour Julian Danver.

— Voyons, c'est ce qu'ils disent, mais c'est seulement une façade. Ils se moquent bien des agissements de Veronica, tant qu'elle se montre discrète. Dans le cas contraire, tout le monde le saura, sans qu'il soit besoin d'envoyer un enquêteur sur place. Ils ont des doutes sur la mort de Robert York et se demandent si Veronica avait un amant, ou même si ce n'est pas elle l'assassin. Mais ils sont trop retors pour le dire franchement.

— Vous croyez ? Et cette affaire de documents volés ? Et la femme en rouge ?

Jack réfléchit.

— Ç'aurait pu être Veronica, si l'on admet que Danver était son amant à l'époque, et qu'ils se rencontraient la nuit.

— Alors vous pensez que Julian a pu tuer Robert York ?

— C'est possible. Que ce soit un garçon sympathique n'entre pas en ligne de compte. Certains des pires mufles que j'ai connus étaient des gens charmants, aussi longtemps que vous ne vous mettiez pas en travers de leur chemin. La femme en rouge pouvait aussi être Harriet, si celle-ci donnait des rendez-vous galants à Felix Asherson. Elle est visiblement amoureuse de lui.

— Comment le savez-vous ? Charlotte ne vous l'a pas dit !

— Ma chère, cela se voit comme le nez au milieu de la figure. Je ne suis pas tout à fait stupide. Je sais reconnaître une femme amoureuse. A table, Harriet se montrait polie, faisait mine de considérer Felix comme un simple ami ; mais elle le dévorait des yeux dès qu'il tournait la tête. A la façon dont elle prenait soin d'éviter son regard, j'en ai conclu qu'elle devait beaucoup tenir à lui.

Emily ne le savait pas si intuitif. La surprise la laissa un instant sans voix et la rendit brusquement moins sûre d'elle.

— Vraiment ? releva-t-elle avec une certaine froideur. Et vous ne vous trompez jamais — vous lisez dans toutes les femmes à livre ouvert, comme ça ?

Elle voulut claquer des doigts, mais ne réussit pas à produire le petit bruit souhaité et jura à mi-voix.

— De toute façon, je vais chez les York. Il se passe des choses anormales dans cette maison. Je veux savoir de quoi il retourne.

— Emily, je vous en prie...

Toute légèreté avait disparu de la voix de Jack.

— S'ils vous prennent en défaut, ils pourraient deviner la raison de votre présence. Si l'un d'entre eux a été capable de défenestrer une domestique, il n'hésitera pas à se débarrasser de vous.

— Ils ne vont tout de même pas jeter *deux* femmes

de chambre par la fenêtre, le raisonna-t-elle. On ne manquerait pas de se poser des questions dans la bonne société. Même l'honorable Piers York serait considéré d'un mauvais œil.

Jack perdit patience.

— On ne tombe pas nécessairement d'une fenêtre, mais on peut faire une chute dans un escalier, ou du haut d'une échelle ! On peut passer sous les roues d'une voiture ou manger un plat empoisonné. On peut également disparaître, pfft ! tout comme l'argenterie familiale. Emily, pour l'amour du ciel, soyez raisonnable !

— J'en ai plus qu'assez d'être raisonnable ! dit-elle en tournant vers lui un regard étincelant. Depuis six mois, je m'habille en noir et je ne sors pas. J'ai l'impression que c'est moi que l'on a enterrée ! Je vais de ce pas me faire embaucher chez les York pour découvrir l'assassin de Robert York, et son mobile. Voilà. Si vous voulez m'accompagner chez tante Vespasia, vous êtes le bienvenu. Sinon, vous voudrez bien m'excuser, j'ai beaucoup à faire : tout d'abord, prévenir mes domestiques que je vais passer quelques jours chez ma sœur. Bien sûr, je dirai la vérité à Charlotte. Si vous voulez nous aider, ce serait très gentil de votre part ; mais je comprendrais fort bien que vous préfériez abandonner l'enquête. Tout le monde n'est pas fait pour jouer les détectives, conclut-elle avec condescendance.

— Si je ne vous aide pas, Charlotte sera obligée de se débrouiller toute seule, remarqua-t-il avec un léger sourire.

Elle avait oublié ce détail. Elle fut donc obligée de descendre de son piédestal, de mauvaise grâce.

— Dans ce cas, j'espère que vous vous sentirez capable de continuer, dit-elle sans le regarder. Nous devons aussi rester en relation avec les Danver ; ils ont certainement un lien avec l'affaire.

— Charlotte est-elle au courant de vos projets ?

— Pas encore.

Il faillit faire un commentaire, puis se ravisa et

poussa un profond soupir. Voir des hommes prendre des risques stupides était somme toute assez banal, mais il n'était pas habitué à ce genre de comportement chez une femme. Il devait donc réajuster son jugement; mais Jack avait de grandes facultés d'adaptation et extraordinairement peu de préjugés.

— J'essaierai de trouver une solution pour rester en contact avec vous, dit-il après réflexion. N'oubliez pas que la plupart des bonnes maisons n'acceptent pas que leurs employées aient des admirateurs. Si l'on vous soupçonne d'avoir un soupirant, on ouvrira votre courrier.

Emily n'avait pas pensé à cela!

— Je vous promets de faire attention. Je dirai qu'il s'agit de lettres de ma mère, ou de ma sœur.

— Et comment expliquerez-vous le fait que votre mère vit à Bloomsbury[1]?

Elle leva les yeux vers lui.

— Je... je ne sais pas.

— Avouez que vous n'y aviez pas pensé!

Elle lui sut gré de son attitude; s'il s'était montré condescendant, c'eût été le comble. Elle se souvint de l'époque où, jeune fille, elle aspirait à s'élever dans l'échelle sociale. Elle avait dû se battre pour rester à la hauteur de la situation et toujours dire les choses qui convenaient au bon moment aux gens qu'il fallait! Un tempérament docile ne peut comprendre ce sentiment de contrainte permanente. Elle partageait donc avec Jack cette impression d'être un peu à part, acceptés en société tant qu'ils se montraient charmants ou amusants, tout en n'y étant pas complètement à leur place. Jack avait trop souffert du mépris inconscient des autres pour en faire preuve à son tour.

Il devait s'attendre à une vive réaction de sa part, elle n'en fit rien, songeant soudain à quel point il lui était cher. Il n'avait rien dit du risque qu'elle prenait de perdre sa position sociale.

1. Quartier chic de Londres. (*N.d.T.*)

— Non, en effet, acquiesça-t-elle, le sourire aux lèvres. Jack, je vous serais reconnaissante de m'aider à penser à tous ces petits détails. Je dirai aux York que ma sœur est employée de maison à Bloomsbury. Beaucoup de domestiques y sont logés.

— Dans ce cas, vous devez avoir le même nom de famille. Comment comptez-vous vous appeler ?

— Voyons, euh... Amelia.

— Amelia comment ?

— Je ne sais pas, moi... Pitt ? Non, ils pourraient se souvenir du nom de Thomas. Ah, j'avais autrefois une camériste qui s'appelait Gibson. Voilà : Amelia Gibson.

— Va pour Amelia Gibson. Mais n'oubliez pas d'écrire à Charlotte sous votre nom d'emprunt.

— Merci, Jack ; je vous sais gré de votre aide.

— Vous m'en voyez ravi ! fit-il avec un large sourire.

— Pardon... Vous avez l'intention de faire... quoi ? s'enquit Lady Cumming-Gould en levant très haut ses sourcils argentés.

Elle était assise dans son élégant boudoir, vêtue d'une robe violine et d'un fichu rose parme attaché par une broche de perles minuscules, en forme d'étoile. Elle paraissait plus maigre et fragile que jamais, depuis la mort de George ; mais elle se tenait toujours droite et son regard avait retrouvé un peu de son ancienne flamme.

— Je vais travailler chez les York en tant que camériste, répéta Emily.

Elle leva les yeux vers la vieille dame, qui soutint son regard sans ciller.

— Tiens donc... Je vous préviens, cela ne vous plaira pas du tout. Le travail proprement dit sera la partie la moins ingrate de votre fardeau. Obéir est au fond moins difficile que de conserver en permanence une expression humble et respectueuse envers des gens qu'à l'ordinaire vous traitez d'égal à égal, et ce, quelle que soit l'opinion que vous avez d'eux. N'oubliez pas de vous montrer tout aussi déférente envers le majordome et la gouvernante.

Emily préférait ne pas y penser, de crainte de perdre courage. Une petite voix intérieure lui disait que Vespasia trouverait peut-être une raison imparable pour l'empêcher de mener à bien son projet. Elle regrettait de s'être montrée injuste envers Jack, qui se faisait du souci pour elle. Elle aurait paradoxalement été blessée de ne pas l'entendre élever d'objections à son plan.

— Je le sais, admit-elle. Je ne m'attends pas à ce que ce soit facile ; il est possible que je ne reste pas long-temps chez les York, mais j'apprendrai davantage sur eux en quelques jours qu'en plusieurs mois de visites mondaines. Les gens ne prêtent pas attention aux domestiques ; pour eux, ils font partie des meubles. Je le sais d'expérience...

— C'est vrai, acquiesça Vespasia. Il est utile de savoir ce qu'une femme de chambre pense de vous... s'il vous prend un jour des rêves de grandeur. Qui mieux qu'elle connaît vos défauts et vos faiblesses ? Mais souvenez-vous, ma chère, que c'est précisément pour cette raison que l'on accorde sa confiance à une femme de chambre. Si vous brisez cette confiance, n'espérez pas être pardonnée. J'imagine que Loretta York n'est pas une femme indulgente.

— La connaissez-vous ?

— Vaguement. Tout le monde se connaît plus ou moins dans notre monde. Mais je suis beaucoup plus âgée qu'elle. Bien. Vous aurez besoin de robes unies, de bonnets, de tabliers, de jupons — sans dentelles, cela va de soi —, de chemises de nuit et de bottines noires ordinaires. Cela devrait se trouver ; une de mes domes-tiques mesure à peu près la même taille que vous. Ah, n'oubliez pas la valise. Tant qu'à vous lancer dans cette curieuse expérience, autant le faire correctement.

— Bien, tante Vespasia, murmura Emily d'une voix blanche. Merci.

140

En fin d'après-midi, coiffée d'un petit chapeau assorti à une robe marron, sans parfum, ni le moindre fard pour rehausser son teint pâle, Emily descendit de l'omnibus, une vieille valise à la main. Elle marcha jusqu'à Hanover Close et se présenta à la porte de service du numéro deux. Dans le réticule qu'elle avait emprunté, tout comme la valise, elle avait deux lettres de recommandation, l'une rédigée par ses soins et l'autre de la main de Lady Cumming-Gould. Cette dernière s'était fait une joie de téléphoner chez les York, pour annoncer sa venue. Il ne servait à rien, en effet, de se présenter si le poste était déjà pourvu. On lui avait répondu que la place était encore libre, bien qu'il y eût de nombreuses postulantes. Mrs. Loretta York était très exigeante, même s'agissant de la camériste de sa belle-fille. En tant que maîtresse de maison, c'était elle qui décidait de l'embauche du personnel.

Vespasia s'était enquise de la santé de Mrs. York, puis avait compati aux soucis et aux désagréments causés par la disparition d'une femme de chambre dans de telles circonstances. Elle lui avait expliqué qu'étant donné son grand âge, elle sortait de moins en moins dans le monde et qu'elle n'avait donc plus besoin des services de sa camériste, Amelia Gibson, une jeune femme issue d'une famille honnête, qui lui avait toujours donné entière satisfaction. Cette dernière était donc à la recherche d'un nouvel emploi. Elle avait également été au service de sa nièce, Lady Ashworth, dont la lettre de recommandation jointe à la sienne servait également de référence. Lady Cumming-Gould se portait garante de sa moralité et espérait qu'elle conviendrait en tout point à Mrs. York.

Cette dernière la remercia de son obligeance et accepta de recevoir Amelia Gibson si celle-ci se présentait sur-le-champ.

Emily serra contre elle son réticule contenant les deux lettres, trois livres sterling et quinze shillings — il était impensable qu'une domestique puisse avoir des souverains et des guinées en or. Peu habituée à porter des charges, elle traînait sa valise contenant deux ou trois robes, des tabliers, des bonnets et des sous-vêtements, une Bible, du papier à lettres, un porte-plume et de l'encre. Elle descendit les marches qui menaient à l'entrée de service, le cœur battant, la bouche sèche, répétant mentalement ce qu'elle allait dire. Il était encore temps de changer d'avis. Elle pouvait faire demi-tour et envoyer une lettre d'excuse, expliquant qu'elle avait été dans l'impossibilité de se présenter, en prétextant une maladie ou un décès dans sa famille...

Mais ses jambes continuaient à la porter. Au moment où elle se demandait pour la énième fois si elle devait se lancer ou non dans cette folle aventure, la porte s'ouvrit sur une petite bonne d'une quinzaine d'années qui portait un seau d'épluchures. Elle les jeta dans la poubelle, puis, considérant le manteau élimé et la vieille valise d'Emily, lui dit gentiment :

— Vous venez pour la place de cette pauvre Dulcie ? Entrez, on gèle dans cette courette. Vous prendrez bien une tasse de thé avant d'aller voir Madame. Ça vous fera du bien. Restez pas là à grelotter. Vous inquiétez pas pour la valise, Albert la portera, si vous restez.

Emily lui fut reconnaissante de son accueil. En même temps, elle était terrifiée : les dés étaient jetés. Elle voulut la remercier, mais aucun son ne sortit de sa bouche. En silence, elle la suivit dans l'escalier qui menait à l'arrière-cuisine. Elles passèrent devant des monceaux de légumes, des poulets plumés et des perdreaux entiers suspendus à des crochets, puis entrèrent dans la cuisine où régnait une chaleur étouffante. Emily, qui avait marché depuis l'arrêt de l'omnibus, avait les doigts gourds ; ses gants en coton ne la protégeaient pas de la morsure du froid. L'atmosphère confinée de la cuisine lui piqua les yeux et la fit renifler.

— Mrs. Melrose, y a quelqu'un qui vient se présenter pour la place de Dulcie. Elle a l'air gelée, la pauvre.

La cuisinière, une femme étroite d'épaules et large de

hanches, avec une figure ronde comme une miche de pain, posa son rouleau à pâtisserie et regarda Emily avec une certaine commisération.

— Voyons, entrez, ma fille, et posez votre valise dans un coin. Hors du passage, surtout. Faut pas que tout le monde bute dessus. Si vous restez, quelqu'un la montera dans votre chambre. Comment vous vous appelez ? Eh ben, restez pas plantée là ! Vous avez perdu votre langue ?

Elle épousseta la farine de son avant-bras nu, retourna la pâte d'une chiquenaude et recommença à la rouler, sans cesser d'observer la nouvelle venue.

— A... Amelia Gibson, madame, balbutia Emily, réalisant qu'elle ignorait en quels termes une caple ériste devait s'adresser à une cuisinière. Elle avait oublié de se renseigner.

— Dans certaines maisons, on appelle les femmes de chambre par leur nom de famille, remarqua la cuisinière, mais pas ici. De toute façon, vous êtes trop jeune. Je suis Mrs. Melrose. Celle qui vous a fait entrer s'appelle Prim et ça c'est Mary...

Elle tendit un doigt enfariné en direction d'une jeune fille vêtue d'une robe de droguet et coiffée d'une charlotte, qui battait des œufs dans un saladier.

— Vous rencontrerez par vous-même le reste du personnel. Asseyez-vous. Mary va vous servir une tasse de thé pendant que nous allons prévenir la maîtresse de votre arrivée. Allons, Prim, au travail, sans traîner ! Albert ! cria-t-elle d'une voix perçante. Mais où est-il passé ? Albert !

Apparut un garçon d'une quinzaine d'années, au yeux ronds comme des billes, les cheveux rejetés en arrière, avec des épis qui partaient en tous sens, donnant l'impression qu'il portait une crête de perroquet.

— Oui, Mrs. Melrose ? s'enquit-il en déglutissant.

Il venait visiblement de grignoter quelque chose en cachette.

— Monte dire à Mr. Redditch que la nouvelle est là.

Allez, ouste ! Et si je te reprends à manger mes gâteaux, tu goûteras de mon balai !

— Bien, Mrs. Melrose, dit-il en s'éclipsant prestement.

Emily but son thé à petites gorgées. Elle fut prise de hoquet et se sentit ridicule. Mary, qui se mit à rire en l'entendant, se fit rabrouer par Mrs. Melrose. Emily retint sa respiration en priant pour que le hoquet passe. A ce moment, une jolie soubrette vint lui dire que Mrs. York l'attendait dans le boudoir. Emily se leva et la suivit. Elles longèrent l'office, passèrent la grande porte matelassée qui donnait dans la maison des maîtres. Emily se répétait mentalement tout ce qu'une femme de chambre devait dire et faire : avoir un regard franc, mais modeste, ne parler que lorsque l'on vous adresse la parole, ne jamais interrompre ni contredire, et surtout ne jamais exprimer une opinion personnelle, attitude jugée impertinente. L'opinion d'un domestique n'intéressait personne. Ne jamais demander à quelqu'un de faire quelque chose à votre place. Appeler le major-dome « monsieur » et la cuisinière et la gouvernante par leur nom de famille. Ne pas oublier de changer d'intonation. Être disponible jour et nuit. Ne pas se plaindre de maux de tête ou d'estomac ; sauf l'excuse d'une maladie grave, vous étiez là pour travailler. Seules les dames avaient le droit d'avoir des vapeurs.

Nora, la soubrette, frappa à la porte du boudoir et annonça :

— La personne qui vient pour la place de camériste est là, madame.

Le boudoir était joliment décoré dans des tons ivoire et différentes nuances de rose. Mais Emily n'avait pas le temps de s'attarder à regarder le style du mobilier.

Loretta York était assise dans un fauteuil. Une femme petite, aux épaules rondes, à la taille un peu épaisse, mais encore d'une grande beauté. Sous la douceur de la peau blanche, les dentelles, le parfum fleuri, les cheveux soyeux et bouclés, Emily devina tout de suite un être au tempérament de fer, dont le regard reflétait la détermination.

Elle esquissa une toute petite révérence.

— Madame...

— D'où venez-vous, Amelia ?

Emily avait décidé que le plus simple était de donner les origines de sa propre camériste. Ainsi, ne risquait-elle pas de se contredire.

— De King's Langley, madame, dans le Hertfordshire.

— Je vois. Et que fait votre père ?

— Il est tonnelier, madame. Il fabrique et répare des tonneaux. Ma mère était fille de laiterie chez Lord Ashworth, avant qu'il ne s'éteigne.

Elle savait qu'une domestique ne devait pas utiliser le mot décès. La mort est une chose que l'on ne nomme pas.

— Vous avez donc travaillé pour Lady Ashworth et Lady Cumming-Gould. Avez-vous des références ?

— Oui, madame.

D'une main tremblante, Emily sortit de son réticule les deux lettres rédigées sur papier armorié et les lui tendit. Elle garda les yeux baissés pendant que Loretta York les parcourait. Lorsque celle-ci les eut examinées, elle les replia et les lui rendit.

— Eh bien, vous semblez leur avoir donné satisfaction. Pourquoi avoir quitté le service de Lady Ashworth ?

Emily avait prévu la question.

— Lorsque j'ai perdu ma mère... dit-elle en retenant sa respiration de crainte que son hoquet ne la reprenne — Loretta York s'imaginerait qu'elle avait goûté au sherry de la cuisinière —, j'ai dû retourner chez moi m'occuper de mes jeunes sœurs, jusqu'à ce que nous trouvions à les placer. Entre-temps, Lady Ashworth m'a remplacée ; elle ne pouvait pas rester sans femme de chambre. Mais elle m'a recommandé à Lady Cumming-Gould. C'est comme ça que je suis entrée à son service.

— Je vois.

Le regard froid de Loretta se posa sur elle. Comme il était étrange d'être considérée avec indifférence, tel un vulgaire objet d'échange ! Ce n'était pas un trait particulier à Loretta York ; n'importe quelle femme de la haute société aurait fait de même. Pourtant une camériste partage les moments les plus intimes de sa maîtresse : elle la coiffe, lave, repasse et reprise ses toilettes, y compris sa lingerie. Elle la réveille le matin, l'habille pour les dîners et les bals et veille sur elle quand elle est souffrante. Personne ne connaît mieux une femme que sa camériste. Surtout pas son mari.

— Eh bien, Amelia, si Lady Ashworth vous a recommandée, j'imagine que vous savez coudre, repasser et tenir une garde-robe. Je n'ai pas eu l'occasion de la rencontrer, mais j'ai entendu dire qu'elle était toujours habillée à la dernière mode, avec élégance et discrétion.

Emily sentit un frisson la parcourir et le rouge lui monter aux joues. Le danger d'être reconnue était arrivé plus vite qu'elle ne l'avait prévu. Elle avait failli ouvrir la bouche pour remercier Loretta du compliment. Une réponse de sa part l'aurait aussitôt trahie : une domestique ne fait jamais de commentaires.

— Vous pouvez prendre votre service tout de suite, poursuivit Loretta. Vous serez à l'essai pendant un mois. Si vous nous donnez satisfaction, vous serez définitivement embauchée. Vous vous occuperez de ma belle-fille. Vos gages s'élèvent à dix-neuf livres par an et vous avez un après-midi de libre tous les quinze jours, si rien ne s'y oppose, mais il vous faudra être revenue avant neuf heures du soir. Nous n'autorisons pas les domestiques à sortir le soir. Et tous les trois mois, vous aurez une journée pour aller rendre visite à votre famille.

Emily la regarda.

— Merci, madame, dit-elle précipitamment.

Elle avait gagné ! Elle se sentait à la fois terrifiée et victorieuse.

La voix de Loretta la ramena à la réalité.

— Ce sera tout, Amelia. Vous pouvez disposer.

— Merci, madame, dit-elle, soulagée.

Après tout, elle voulait vraiment la place. Elle fit une brève révérence et quitta la pièce, délivrée d'un grand poids. Elle venait de franchir le premier obstacle !

— Alors ? s'enquit Mrs. Melrose en levant le nez de la tarte aux pommes qu'elle finissait de décorer de fines lanières de pâte.

Emily lui adressa un grand sourire.

— Je suis prise !

— Eh bien, ne restez pas là, ma fille ! Vous ne m'êtes d'aucune utilité. Il faut penser à déballer vos affaires. Allez voir la gouvernante, deuxième porte à gauche. A cette heure-ci, elle doit être là. Elle vous expliquera où se trouve votre chambre — celle de Dulcie, j'imagine. Joan, la lingère, vous dira où sont votre fer à repasser et votre boîte à couture. Quelqu'un finira bien par trouver Edith, la cafériste de Mrs. Piers York, pour vous la présenter. Vous, vous êtes au service de Miss Veronica.

— Bien, Mrs. Melrose, dit Emily en se dirigeant vers le coin de la cuisine pour aller récupérer sa valise.

— Ne vous occupez pas de ça ! Albert la montera. Porter des bagages ne fait pas partie de vos attributions, sauf si on vous le demande. Allez, disparaissez !

— Bien, Mrs. Melrose.

Emily alla frapper à la porte du salon de la gouvernante. Une voix sèche lui dit d'entrer.

La pièce était encombrée de meubles de bois sombre ; il y flottait une odeur de cire mêlée au parfum lourd d'un lis en pot, placé dans une jardinière d'angle. Des tissus de coton brodés recouvraient les dossiers des chaises, ainsi qu'une console envahie de photographies. Deux tapisseries au point de croix, encadrées, étaient accrochées au mur. Emily eut l'impression d'étouffer avant même d'entrer.

La gouvernante, Mrs. Crawford, était une femme petite et maigrichonne, qui ressemblait à un moineau en colère. Des mèches de cheveux gris s'échappaient de sa coiffe de dentelle bouillonnée, épinglée sur un chignon serré, complètement démodé.

— Oui ? dit-elle d'un ton acide. Qui êtes-vous ?

Emily se redressa.

— La nouvelle camériste, Mrs. Crawford. Mrs. Melrose m'a dit que vous me montreriez où je dois dormir.

— Dormir ? A quatre heures de l'après-midi ? Je vais vous dire où mettre votre valise et je vous amènerai à la lingerie. Joan vous donnera une table et un fer à repasser. Telle que je connais Edith, elle doit rester les bras croisés devant son ouvrage ; elle n'est pas bien ces jours-ci. Vous avez dû rencontrer Nora, la soubrette. Libby est chargée du service de l'étage et Bertha, de celui du rez-de-chaussée. Il y a aussi Fanny, la bonne à tout faire ; celle-là, elle sert pas à grand-chose. Et puis vous rencontrerez Mr. Redditch, le majordome, mais vous n'êtes pas directement sous ses ordres. Vous n'avez rien à faire avec John, le valet de Mr. York, ni avec le jeune Albert, qui cire les chaussures.

— Bien, Mrs. Crawford.

— Vous avez déjà vu Mary et Prim, qui travaillent en cuisine. Voilà, je vous ai présenté tout le monde. Vous n'aurez aucun rapport avec les valets de pied, les garçons d'écurie et le cocher. Vous n'adressez la parole à personne en dehors de la maison, sauf si Mrs. York vous envoie faire une course. Le dimanche matin, vous allez à la messe. Vous mangerez à l'office avec tout le personnel.

Elle regarda la robe d'Emily d'un air désapprobateur.

— J'espère que cette tenue conviendra. J'imagine que vous avez apporté vos bonnets et vos tabliers ? Si Miss Veronica veut que vous en changiez, elle vous le dira. Je n'ai pas besoin de vous rappeler que vous n'êtes pas autorisée à recevoir de visites masculines, sauf celle de votre père ou d'un frère ; dans ce cas, si vous demandez la permission, on vous autorisera à les voir, à des heures décentes.

— Merci, madame.

Emily avait l'impression de sentir les murs de la pièce se resserrer sur elle. Pas de visites, pas de soupirants, et seulement une demi-journée de repos tous les quinze jours. Comment allait-elle pouvoir garder le contact avec Charlotte et Jack ?

— Eh bien, ne restez pas là, ma fille ! fit Mrs. Crawford en se levant.

Elle lissa les plis de son tablier, faisant cliqueter le trousseau de clés accroché à sa taille, et ouvrit le chemin en trottinant d'un air affairé, comme une souris. Dans la lingerie, elle tapota tout, montrant à Emily les lessiveuses, les boîtes de savon et d'amidon, les tables et les fers à repasser, le séchoir à linge, sans cesser de marmonner contre Joan, la lingère, qui n'était pas dans la pièce.

Elles montèrent ensuite à l'étage dans la chambre de Veronica York, une pièce tapissée de vert jade et de blanc, avec quelques touches de jaune tendre. Le dressing était occupé par des armoires emplies de vêtements à la dernière mode, mais Emily n'y vit aucune robe rouge cerise.

Elles gagnèrent enfin les combles, réservés aux domestiques. La chambre qu'on lui attribua était au moins cinq fois plus petite que la sienne ; les murs étaient complètement nus ; le mobilier se limitait à un petit placard, une table de toilette et une cuvette, un lit aux montants en fer, avec un matelas de coutil sur lequel étaient posés des couvertures grises et un oreiller. Il n'y avait même pas de broc d'eau. Sous le lit, un pot de chambre en porcelaine blanche. Le plafond était mansardé, ce qui l'empêchait de se tenir debout dans la moitié de la pièce ; en guise de fenêtre, une lucarne sur laquelle était tendu un rideau marron non doublé. Le linoléum qui recouvrait le parquet était glacé ; il n'y avait qu'une petite descente de lit. Son cœur se serra.

La pièce était propre, mais sinistre. Combien de jeunes bonnes avaient dû se tenir comme elle sur le seuil d'une mansarde, sentant les larmes leur monter aux yeux, se sachant condamnées à y vivre. Mais que pouvaient-elles espérer de mieux ? C'était cela ou se retrouver dans la rue...

— Merci, Mrs. Crawford, dit-elle d'une voix rauque.

— Albert a posé votre valise là. Déballez vos affaires et, quand Miss Veronica sonnera....

Elle désigna une cloche qu'Emily n'avait pas remarquée.

— ... vous descendrez l'habiller pour le dîner. Elle est sortie, pour le moment, sinon je vous l'aurais présentée.

— Oui, Mrs. Crawford.

Elle se retrouva seule dans la mansarde sordide avec, en tout et pour tout, une valise de vêtements, un lit étroit, dur comme du bois, et trois couvertures ; il n'y avait ni chauffage, ni eau, sauf celle qu'elle irait chercher pour la verser dans la cuvette, et pas d'autre éclairage qu'une chandelle dressée dans un bougeoir en émail ébréché. Et elle était à la merci d'une femme qu'elle n'avait jamais rencontrée. Jack avait raison : elle avait perdu l'esprit. Ah, si seulement il lui avait interdit de faire une telle bêtise, si Vespasia l'avait suppliée de renoncer à son projet !

Mais Jack n'avait pas pensé à la solitude qui l'attendait, au sol nu, au lit froid, au pot de chambre ; il ne lui avait pas dit qu'il lui faudrait se déshabiller et faire sa toilette devant une cuvette d'eau glacée et être prête à obéir à une sonnette. Jack se faisait du souci parce qu'elle s'introduisait dans une maison où un meurtre, voire deux, avait été commis.

Les jambes flageolantes, elle se laissa tomber sur le lit. Les ressorts craquèrent. A force de retenir ses larmes, elle avait mal à la gorge.

« Je suis ici pour démasquer un meurtrier, se répétat-elle. Robert York a été assassiné, Dulcie a été défenestrée parce qu'elle a dit à Thomas avoir vu la femme en rouge. Il se passe des choses terribles dans cette maison et je vais découvrir de quoi il s'agit. Des milliers, des dizaines de milliers de filles dans ce pays vivent de cette façon. Si elles le supportent, je peux le supporter aussi. Je suis courageuse. Je n'ai pas peur du danger, ni du travail qui m'attend. Et je ne vais pas m'avouer vaincue avant d'avoir commencé ! »

A cinq heures et demie, la sonnette retentit. Emily arrangea son bonnet, s'examina dans une glace, lissa son tablier et descendit au premier étage, le bougeoir à la main.

Elle frappa à la porte de la chambre. On lui dit d'entrer. La curiosité n'étant pas de mise, elle ne regarda pas la pièce, qu'elle avait par ailleurs déjà vue. Et puis, elle avait envie de voir à quoi ressemblait Veronica York.

— Oui, madame ?

Veronica était assise à sa coiffeuse, vêtue d'une robe blanche serrée à la ceinture ; sa longue chevelure sombre retombait en cascade soyeuse dans son dos. Elle avait un visage merveilleusement modelé, de grands yeux gris foncé, une peau claire et fine, presque translucide sur l'arête du nez et les pommettes. Elle était d'une extrême minceur, alors que la mode était plutôt aux rondeurs. Emily songea qu'elle aurait besoin d'une tournure et de rembourrage pour arrondir ses hanches et sa poitrine, tout en convenant qu'il s'agissait là d'une créature inoubliable, aux traits intelligents et expressifs, reflétant une sensibilité à fleur de peau.

— Je m'appelle Amelia, madame. Mrs. York m'a embauchée cet après-midi.

Un sourire soudain illumina le visage de Veronica. Ses pommettes retrouvèrent un peu de leur couleur.

— Oui, je suis au courant. J'espère que vous vous plairez ici, Amelia. Êtes-vous bien installée ?

Emily mentit crânement. Une servante ne pouvait attendre plus que ce qu'on lui avait donné ici.

— Oui, merci, madame. Désirez-vous vous habiller pour le dîner ?

— Oui, s'il vous plaît. La robe bleue. Je crois qu'Edith l'a rangée dans la première armoire en entrant dans le dressing.

— Bien, madame.

Emily se rendit dans le dressing attenant et ramena une robe de taffetas bleu roi, échancrée, avec des manches ballons. Il lui fallut un moment pour trouver les bons jupons et les étaler sur le lit.

— Voulez-vous être coiffée avant de passer votre robe, madame ?

C'était ainsi qu'Emily procédait pour elle-même. Cela évitait de tacher la robe avec de la poudre ou du parfum, ou d'y laisser des cheveux.

— Oui, s'il vous plaît.

Veronica demeura assise, immobile pendant qu'Emily lui brossait les cheveux. Elle les lissa ensuite avec un foulard en soie, jusqu'à les rendre luisants comme l'ébène. Jack avait-il lui aussi admiré cette chevelure ? Elle chassa cette idée de son esprit. L'heure n'était pas à la jalousie.

La voix de Veronica interrompit ses pensées.

— Vous vous rendrez compte qu'il y a du travail en retard, Amelia. Je n'ai plus de femme de chambre depuis quelques jours. Ma camériste a été victime d'un terrible accident.

Sentant les épaules et le cou de la jeune femme se raidir, Emily interrompit son travail. Elle avait décidé de feindre l'ignorance. Depuis son arrivée, personne ne lui avait parlé de la mort de Dulcie et la domestique qu'elle prétendait être n'aurait jamais pu lire le fait divers dans un journal.

— Je suis navrée, madame. Cela a dû être un terrible choc. Est-elle grièvement blessée ?

— Dulcie est décédée, murmura Veronica. Elle est tombée par la fenêtre. Rassurez-vous, il ne s'agit pas de celle de votre chambre.

Leurs regards se croisèrent dans le miroir de la psyché. Emily se composa une expression surprise et émue, tout en prenant garde à ne pas forcer la note.

— Oh, c'est terrible, madame. La pauvre. Je veillerai à ne pas me pencher aux fenêtres. De toute façon, j'ai le vertige.

Elle enroula les cheveux de Veronica en chignon, en dégageant les tempes. A un autre moment, elle aurait aimé la coiffer, mais elle se sentait nerveuse. Elle devait donner l'impression de connaître son métier.

— Comment est-ce arrivé, madame ?

Il était normal qu'elle posât la question.

Veronica frissonna.

— Je l'ignore. Personne ne le sait. Personne n'a rien vu.

— C'est arrivé la nuit ?

— Le soir, pendant que nous étions à table.

— C'est vraiment affreux, dit Emily, espérant paraître plus compatissante que curieuse. J'espère que vous n'aviez pas d'invités ?

— Si, justement, mais ils sont partis avant que nous n'apprenions le drame.

Emily n'osa pas insister. Elle se débrouillerait pour apprendre de la bouche des autres domestiques quels étaient les invités ce soir-là, bien qu'elle fût prête à parier que l'un d'entre eux était Julian Danver.

— Ça a dû être terrible pour vous, répéta-t-elle, en épinglant la dernière mèche de cheveux. Voilà ! Comment vous trouvez-vous, madame ?

Veronica s'examina dans le miroir de la coiffeuse, de face, puis de profil.

— Je ne suis pas habituée à ce genre de chignon, mais je dois avouer que le résultat est très réussi, Amelia.

— Merci, madame, fit Emily, grandement soulagée.

Elle l'aida ensuite à passer les jupons puis la robe, qu'elle ajusta avec soin. Veronica était superbe. Devait-elle la complimenter ? Ce serait peut-être montrer trop de familiarité. Elle préféra ne rien dire. Après tout, l'opinion d'une femme de chambre importait peu.

Soudain, elles entendirent toquer sèchement à la porte. Avant même que Veronica ait répondu, la porte s'ouvrit et Loretta York, très élégante dans une robe lavande rehaussée de broderies noires et argentées, entra dans un grand bruissement de satin. Elle détailla sa belle-fille des pieds à la tête d'un œil critique, sans paraître s'apercevoir de la présence de la femme de chambre.

— Vous êtes pâle, Veronica. Pour l'amour du ciel, reprenez-vous, ma chère. Nous avons un rôle à tenir. La famille mérite notre courtoisie, autant que nos invités. Votre beau-père doit attendre. Ne lui laissons pas croire qu'un drame domestique nous met dans tous nos états. Il a déjà assez de soucis. Nous devons le tenir à l'écart de tous les problèmes domestiques. Un homme a droit de rentrer le soir dans une maison paisible et bien ordonnée.

Elle regarda attentivement la coiffure de Veronica, avant d'ajouter :

— Il faut bien mourir un jour. La mort est la conclusion inévitable de la vie ; vous n'êtes pas une petite-bourgeoise qui a ses vapeurs à la première contrariété. Allons, pincez-vous les joues pour leur redonner un peu de couleur et descendez au salon.

Veronica se raidit et serra les mâchoires.

— Je ne suis pas plus pâle que d'habitude, belle-maman. Je ne tiens pas à ce que l'on me croie fiévreuse.

Les traits de Loretta se durcirent.

— Je disais cela pour vous, ma chère, dit-elle d'un ton cinglant. Faites un effort de mémoire et vous verrez que j'ai toujours pensé à votre bien-être.

Sous la politesse des mots, la voix était coupante comme du verre.

Veronica pâlit.

— J'en suis bien consciente, belle-maman, articula-t-elle avec difficulté.

Figée sur place, Emily osait à peine respirer. La tension entre les deux femmes était telle qu'elle sentait des picotements d'angoisse la parcourir. Et pourtant la conversation semblait si anodine.

— J'ai parfois l'impression que vous l'oubliez, reprit Loretta sans quitter Veronica des yeux. Je ne pense qu'à votre bonheur futur et à votre sécurité, ma chère. Ayez-en bien conscience.

Veronica se retourna brusquement, haletante.

— Je n'oublierai jamais ce que vous faites pour moi, murmura-t-elle.

— Je serai toujours à vos côtés, ma chère... Toujours.

Était-ce une promesse ou une menace voilée ? Un silence tomba, oppressant. Soudain, Loretta parut s'apercevoir de la présence de la femme de chambre.

— Eh bien, ma fille, ne restez pas là à bayer aux corneilles, dit-elle d'un ton cassant. Retournez à votre travail !

Emily sursauta. Le déshabillé de Veronica lui échappa des mains. Elle se pencha gauchement pour le ramasser.

— Bien, madame.

Elle quitta la pièce, frustrée, les joues en feu, embarrassée d'avoir été surprise en train d'écouter cet échange de propos apparemment banals, mais chargé de tension et lourd de sous-entendus qui, Emily le sentait, trahissaient une haine profonde.

Elle prit son premier souper à Hanover Close, dans le quartier des domestiques, à une grande table présidée par Redditch, le majordome, un homme d'une quarantaine d'années, un peu imbu de lui-même mais dont le visage reflétait en permanence une naïveté étonnée qui le rendait sympathique.

Auparavant, il avait fallu servir et desservir le dîner des maîtres, dans la grande salle à manger. Il était tard et l'arrière-cuisine était encombrée de vaisselle sale.

Mrs. Melrose trônait en bout de table, face au major-dome. Elle se montrait bienveillante avec la nouvelle venue, mais Emily se doutait que cette sollicitude ne durerait pas et qu'elle serait vite remplacée par un rappel à l'ordre, au cas où elle dirait tout haut ce qu'elle pensait ou bien si son travail ne s'avérait pas satisfaisant. Mrs. Crawford, la gouvernante, habillée de laine noire, portait une coiffe agrémentée de dentelle encore plus recherchée que la précédente. Elle prenait de grands airs, considérant sans doute qu'elle dirigeait toute la domesticité, excepté ici, à la cuisine, où Mrs. Melrose régnait en maîtresse incontestée. Tout au long du repas, elle fit des remarques concernant la place dévolue à chacun.

Edith, la camériste de Loretta York, apparemment remise de son indisposition, était descendue pour dîner. Âgée d'une trentaine d'années, c'était une grosse femme aux traits maussades. Elle avait des cheveux noirs, mais son teint coloré de campagnarde s'était fané, après vingt ans de brouillard londonien et de quasi-enfermement. Quelle qu'eût été son indisposition et bien qu'elle parût ne pas apprécier le contenu de son assiette, elle le mangea goulûment et reprit du pain, du fromage et des pickles, qui constituaient l'essentiel du dîner, le déjeuner étant ici le repas le plus conséquent de la journée. Emily songea qu'Edith devait être plus fainéante que malade et se promit de découvrir pourquoi Loretta York, tellement à cheval sur la discipline, tolérait une femme de chambre aussi paresseuse.

Elle passa la fin de la soirée à l'office, prêtant l'oreille aux conversations pour essayer de glaner quelques renseignements, mais apprit en fin de compte fort peu de chose. Les domestiques parlaient de leurs propres soucis, des défauts des commerçants et des livreurs, du déclin général de la qualité du service dans les autres maisons.

Edith, assise à côté du poêle, brodait une chemise de femme. En la regardant faire, Emily comprit pourquoi

Loretta York la gardait à son service : c'était une brodeuse hors pair. Même si elle était indolente et disgracieuse, elle avait de l'or dans les doigts. Elle maniait l'aiguille avec une extrême dextérité et l'on voyait naître sous ses doigts des fleurs délicates au dessin parfait, malgré la délicatesse des fils de soie. On pouvait à peine distinguer l'envers de l'endroit. Emily se dit que l'on s'attendrait à ce qu'elle décharge Edith d'une partie de son travail ; elle devrait s'y astreindre sans se plaindre, sous peine d'être remplacée. Les filles capables de faire du ménage et des courses étaient légion, depuis l'apparition des filatures et la disparition consécutive de dizaines de petits métiers féminins traditionnels. Chaque année, des milliers d'entre elles quittaient la campagne pour se faire embaucher comme domestiques dans la capitale ; pour survivre, la plupart n'avaient rien d'autre à offrir que leur bonne volonté. En revanche une couturière exceptionnelle comme Edith valait son pesant d'or. Il lui faudrait s'en souvenir.

A neuf heures et demie, on envoya Fanny se coucher. Elle n'avait que douze ans et se levait la première, à cinq heures du matin, pour nettoyer les cheminées et astiquer les cuivres. Elle partit en rechignant un peu, plutôt par habitude que par espoir d'obtenir un sursis de quelques minutes ; Prim, la fille de cuisine, la suivit un quart d'heure plus tard, pour les mêmes raisons, et en renâclant tout autant.

— Allez, ouste ! File au lit, sinon, demain matin, tu ne pourras pas te réveiller, la tança la gouvernante.

— Bien, Mrs. Crawford. Bonne nuit, Mr. Redditch.

— Bonne nuit, Prim.

— Je sais qu'il y aura un grand dîner, demain, dit alors Emily d'un ton dégagé. Attend-on beaucoup d'invités ?

— Une vingtaine, répondit Nora. Nous ne recevons pas beaucoup de monde, mais ce sont toujours des gens importants.

Elle semblait sur la défensive et dévisagea Emily avec froideur, prête à la riposte, si celle-ci venait à faire une remarque.

— Avant la mort de Mr. York, on recevait plus de monde, dit Mary, en levant les yeux de son ouvrage.

— Tais-toi, Mary, intervint la cuisinière. On ne parle pas de ça. Les filles vont encore faire des rêves....

— J'adore les grandes soirées ! s'exclama Emily, feignant d'avoir mal compris. J'aime les belles robes, les...

— Je ne parlais pas de soirées, Amelia, mais de la mort de Mr. York, la coupa sèchement la gouvernante. Mr. Robert est mort dans des circonstances tragiques. Vous n'êtes pas au courant, évidemment. En attendant, je vous conseille de ne pas en parler. Si vous commencez à bavarder et à déranger les gens avec vos questions, vous serez mise à la porte, et sans références ! A présent, montez préparer le coucher de Miss Veronica et assurez-vous que son plateau soit prêt pour demain matin. Ensuite, vous pourrez redescendre prendre un chocolat chaud.

Emily sentit la moutarde lui monter au nez et ne bougea pas. Son regard croisa celui de Mrs. Crawford et elle y lut une vive surprise. Une servante n'était pas censée remettre ses ordres en question, encore moins une nouvelle ! Elle venait de commettre sa première erreur.

— Bien, Mrs. Crawford, répondit-elle en baissant les yeux, mais sa voix était lourde de colère, contre elle-même et le fait d'avoir à obéir.

— Voyez-vous ça ! Pour qui elle se prend, celle-là ? remarqua la gouvernante, dès qu'Emily eut franchi la porte. Madame se donne des airs ! Ça se voit dans ses yeux, et dans sa façon de marcher. Elle arrivera à rien de bon, celle-là, à se prendre pour une duchesse, c'est moi qui vous le dis. Et je me trompe jamais

Emily passa une nuit épouvantable. Elle était habituée à une chambre chauffée, à un édredon moelleux, à des tentures épaisses aux fenêtres. Ici, le lit était dur, les couvertures trop minces et la lucarne simplement masquée par un morceau de tissu ordinaire. La neige fondue fouettait violemment le carreau, puis, au milieu de la nuit, le gel la transforma en neige. Alors un étrange silence s'installa dans la mansarde. Emily se coucha en chien de fusil, mais, trop transie pour trouver le sommeil, elle finit par se lever. L'air était si âpre que le contact de sa chemise de nuit contre sa peau la fit frissonner. Elle battit des bras et se donna des claques dans le dos, sans parvenir à se réchauffer. Elle prit alors la serviette de toilette et la descente de lit, les étala sur les couvertures et se recoucha.

Elle sombra alors dans le sommeil, mais en entendant soudain gratter à la porte, elle eut l'impression de n'avoir dormi que quelques minutes. Le petit visage de Fanny apparut dans l'entrebâillement.

— C'est l'heure de vous lever, Miss Amelia.

Emily se demandait où elle était. Il faisait froid, l'endroit était sinistre. Puis en voyant les montants en fer du lit, la descente de lit sur les couvertures grises, le rideau marron, la mémoire lui revint. Elle réalisa dans quelle situation absurde elle s'était mise.

Fanny la dévisageait.

— Vous avez froid, miss ?

— Je suis gelée, avoua Emily.

— Je dirai à Joan de vous donner une couverture de plus. Il est presque sept heures. Il faut vous lever, vous habiller, préparer le thé de Miss Veronica, le lui monter et faire couler son bain. En général, elle aime se lever à huit heures. On vous l'a peut-être pas dit, mais comme Edith ne se réveille pas toujours à temps, il faudra que vous prépariez aussi le thé et le bain de Mrs. York.

Emily rejeta ses couvertures, sortit du lit en frissonnant et alla tirer le rideau. Sous ses pieds nus, le linoléum était glacé.

— Cela lui arrive souvent, à Edith, de ne pas se lever ? demanda-t-elle en claquant des dents.

159

— Oh, oui, très souvent. En fait, Dulcie faisait la moitié de son travail, alors j'imagine que ce sera la même chose pour vous, si vous restez. Ça vaut la peine, parce que si Miss Veronica vous aime bien, elle vous emmènera avec elle quand elle épousera Mr. Danver. Chez eux, vous serez bien.

Elle sourit et regarda le ciel gris à travers la lucarne.

— Et puis vous tomberez peut-être amoureuse d'un gentil garçon, bien comme il faut, qui aurait une boutique, par exemple...

Elle ne termina pas sa phrase, laissant dériver son imagination, comme une bulle brillante et légère.

Sentant des larmes lui monter aux yeux, Emily se détourna. Il lui fallait vite s'habiller.

— Miss Veronica va se marier ? Oh, c'est merveilleux ! A quoi ressemble Mr. Danver ? J'imagine qu'il doit être très riche.

La petite Fanny oublia son rêve et revint à la réalité.

— Ça, je sais pas. Nora prétend qu'il l'est, mais ça m'étonne pas d'elle... Elle a l'œil pour repérer les gentlemen. Maman me disait que toutes les soubrettes sont comme ça. Elles se prennent pas pour rien.

Emily noua son tablier, brossa ses cheveux et les épingla en chignon.

— A quoi ressemblait Mr. Robert ?

— Je sais pas, miss. J'étais pas là, à l'époque.

Évidemment, songea Emily, elle n'a que douze ans. Sa question était stupide.

Mais Fanny poursuivit sur sa lancée :

— Mary dit qu'il était très séduisant. Il essayait pas de tripoter les domestiques, comme font la plupart ; il parlait bien et s'habillait toujours avec des costumes élégants, mais pas trop voyants. D'après Mary, c'était vraiment un gentleman. Elle l'adorait. Évidemment, elle a dû entendre dire ça par les soubrettes, puisque à l'époque elle travaillait en cuisine. Il était tout à la dévotion de Miss Veronica et elle le lui rendait bien.

Elle soupira et regarda sa méchante robe de drap gris.

— C'est triste qu'il ait été tué comme ça. Elle a eu le cœur brisé, la pauvre. Elle a pleuré toutes les larmes de son corps. Celui qui a fait ça devrait être pendu, mais on l'a jamais retrouvé.

Elle renifla avec vigueur.

— J'aimerais bien rencontrer quelqu'un qui m'aime comme ça.

La petite Fanny était réaliste : elle se doutait bien qu'elle se berçait d'illusions, mais le rêve lui était précieux. Elle avait besoin, pour égayer ses journées de dur labeur, de laisser son esprit divaguer et de songer au prince charmant.

Emily pensa à George avec plus d'intensité qu'elle ne l'avait fait depuis des mois. Un an plus tôt, elle menait une existence choyée. Et voilà qu'elle était là, grelottant dans une mansarde à sept heures du matin, vêtue d'une robe de drap bleu à écouter une petite bonne épancher son cœur.

— Oui, dit-elle, c'est ce qui pourrait s'offrir de mieux pour toi. Mais ne crois pas que ces choses-là n'arrivent qu'aux dames. Elles aussi s'endorment parfois en pleurant. Tu ne sais pas tout ce qui se passe dans la tête des gens ; même les plus pauvres peuvent trouver le bonheur. Ne cesse pas d'espérer, Fanny.

La gamine sortit un chiffon de la poche de son tablier et se moucha.

— Faites attention à vous, miss. Il ne faut pas que Mrs. Crawford vous entende dire des choses pareilles. Elle aime pas les filles qui ont des idées. Elle dit que c'est mauvais pour elles. Elle répète toujours que le bonheur, c'est quand on sait où est sa place et qu'on s'y tient.

— Je m'en doute, répondit Emily.

Elle prit de l'eau dans la bassine, mouilla sa figure, attrapa la serviette sur le lit et s'essuya. La rugosité du tissu la revigora.

— Bon, c'est pas tout ça, mais faut que je descende, dit Fanny en se dirigeant vers la porte. J'ai nettoyé que la moitié des cheminées. Bertha va me demander de l'aider à étaler les feuilles de thé.

— Les feuilles de thé ?

— Oui, pour nettoyer les tapis, on les frotte avec des feuilles de thé. Mrs. Crawford va me disputer si elle me voit pas en bas, ajouta-t-elle d'un ton inquiet.

Emily l'entendit s'éloigner en trottinant dans le couloir et descendre l'escalier.

La journée fut un enchaînement de tâches successives. Elle commença par couper et beurrer des tartines de pain blanc puis monta un plateau à Veronica. Elle tira les rideaux, lui demanda si elle voulait prendre un bain et quelle toilette elle désirait porter. Ensuite elle en fit autant pour Loretta. Face à celle-ci elle se sentait beaucoup moins sûre d'elle. Ses doigts tremblaient en servant le thé ; elle faillit en verser à côté de la tasse. Les rideaux refusant de s'ouvrir, elle dut tirer dessus d'un coup sec et crut que les tringles allaient lui tomber sur la tête. Elle pensait sentir dans son dos le regard pénétrant de Loretta, mais lorsqu'elle se retourna, elle s'aperçut que celle-ci, occupée à manger ses tartines, ne lui prêtait aucune attention.

— Voulez-vous que je prépare votre bain, madame ?

— Oui, fit Loretta sans lever les yeux. Edith a déjà sorti mon saut-de-lit. Revenez dans vingt minutes.

— Bien, madame.

Emily ne se fit pas prier et quitta la chambre en toute hâte.

Quand ces dames furent baignées et toilettées, Edith daigna paraître. Emily put donc s'occuper de coiffer Veronica ; après quoi on l'autorisa à descendre en cuisine prendre son petit déjeuner. On lui ordonna ensuite de monter à l'étage aider Libby à nettoyer les chambres de fond en comble. Chaque pièce devait être aérée, mais auparavant, il fallait coucher les psychés, pour éviter que les miroirs ne se brisent à cause des courants d'air. Dans un froid glacial, elles retournèrent les matelas, secouèrent énergiquement édredons, courtepointes et oreillers pour leur redonner leur gonflant, puis refirent les lits. Tous les quinze jours, les tapis étaient roulés et descendus au rez-de-chaussée pour être battus. Heureusement, ce n'était pas ce jour-là. Elles se contentèrent de les brosser, époussetèrent les meubles, vidèrent cuvettes et pots de chambre, nettoyèrent les baignoires et mirent des serviettes propres.

Lorsqu'elle eut terminé, Emily se sentait sale et épuisée. Son chignon s'était défait. Dans l'escalier, elle croisa Mrs. Crawford, qui lui dit qu'elle avait l'air d'un épouvantail et qu'elle avait intérêt à se recoiffer si elle tenait à garder sa place. Emily s'apprêtait à lui répondre que si elle avait fait le même travail, elle serait tout aussi échevelée, mais elle aperçut Veronica, pâle, les traits tirés, qui quittait la chambre de Loretta, et aussi le majordome qui se dirigeait vers la salle à manger, portant les journaux du matin, tout juste repassés.

— Bien, Mrs. Crawford, fit-elle, obéissante.

Elle avait la bouche sèche et le dos rompu à force de se pencher et de se relever. Mais elle ne laisserait pas une gouvernante lui gâcher ses chances de démasquer la personne qui avait tué Robert York et défenestré Dulcie.

Elle en savait déjà davantage sur la personnalité des deux femmes qu'en un mois de visites mondaines. C'était Loretta, et non Veronica, qui dormait dans des draps de satin rose écaille et sur des taies d'oreiller assorties, brodées de soie. Veronica préférait-elle les draps de lin, ou n'avait-elle droit qu'à ceux-ci ? Sur la coiffeuse de Loretta trônaient des flacons de cristal aux bouchons habillés d'argent ciselé, contenant huiles et parfums musqués. Veronica, avec ses magnifiques yeux sombres, son corps svelte et gracieux, était sans conteste la plus belle, mais Loretta était plus élégante, plus féminine, jusque dans les moindres détails de sa toilette : mouchoirs et jupons exhalant son parfum sur son passage, robes de taffetas au bruissement soyeux. La couleur de ses bottines s'harmonisait à chacune de ses robes ; on en apercevait furtivement le bout lors des amples mouvements de ses jupes. Veronica ne pensait-elle donc jamais à ces détails, ou bien y avait-il de sa part une volonté délibérée de se démarquer de sa belle-mère ?

De toute évidence un lien émotionnel très puissant unissait les deux femmes, lien dont la nature exacte échappait à Emily. Loretta semblait à la fois surveiller et protéger sa bru, fragilisée par son veuvage ; par ailleurs, elle se montrait sans cesse agacée et des plus critiques à son égard. Veronica, de son côté, paraissait nourrir un vif ressentiment contre sa belle-mère, tout en étant très dépendante d'elle.

Au retour de leur sortie matinale, elles montèrent se changer pour le repas de midi. Edith demeurant invisible, Emily dut secouer, brosser, éponger, et repasser leurs manteaux humides et maculés de boue. Elle surprit une altercation entre les deux femmes, dans le salon ; Veronica élevait le ton tandis que celui de Loretta demeurait calme et froid, lourd de menace. Emily tendit l'oreille, essayant d'écouter à la porte, mais juste au moment où elle se penchait vers le trou de la serrure, Libby, chargée du service de l'étage, traversa le vestibule ; elle dut retourner à ses occupations.

A l'heure de passer à table, Emily utilisa par inadvertance le mot « déjeuner », ignorant que dans le jargon des domestiques le repas de midi s'appelait le « dîner ». La gouvernante lui lança un regard noir.

— On veut jouer les dames ? On est pas à l'étage, ici ! Un conseil, ma petite : avec nous, pas la peine de prendre de grands airs. On vaut pas mieux que les autres, et même encore moins, tant qu'on a pas fait ses preuves.

— Oh, peut-être qu'un gentleman en visite va la remarquer, fit Nora avec une grimace, et elle deviendra duchesse ! Mais une soubrette est mieux placée pour rencontrer un duc. De toute façon, qui la remarquerait ? Elle est bien trop pâlotte et maigrichonne !

164

— Il faudrait d'abord qu'il y ait assez de ducs, rétorqua Emily. Ils ne sont pas si nombreux. Et les soubrettes doivent attendre que les dames soient pourvues.

— En tout cas, j'ai plus de chances que toi d'en dénicher un ! répliqua Nora. Au moins, je connais mon travail. Je suis pas obligée de demander à la bonniche de me montrer ce qu'il faut faire !

— Duchesse ! gloussa Edith. Tiens, ça lui va bien. Elle marche la tête haute, comme si elle avait une couronne sur la tête et qu'elle avait peur de la voir tomber sur son nez !

Elle fit mine de s'incliner devant Emily.

— Restez bien droite surtout, Votre Grâce !

— Suffit, Edith ! intervint le majordome, en fronçant les sourcils. Amelia a fait presque tout ton travail ce matin. Tu devrais l'en remercier. C'est peut-être ça qui t'ennuie justement.

La gouvernante le foudroya du regard.

— Edith était occupée à repriser du linge et elle a une petite santé. Vous n'avez pas à vous en prendre à elle.

— Edith est feignante comme une couleuvre et ne garderait pas sa place ici si elle n'était pas la meilleure couturière de Londres, rétorqua Redditch, dont le ton mordant contrastait avec l'expression prudente qui l'accompagnait.

— A chacun son métier, Mr. Redditch. Les valets sont sous vos ordres ; laissez-moi m'occuper des femmes de chambre comme je l'entends. Ma façon de faire convient parfaitement à Mrs. York.

— Mrs. Crawford, il me déplaît de voir vos filles s'abaisser à se moquer les unes des autres. Que je ne les y reprenne plus, ou l'une prendra la porte.

— Nous verrons bien, Mr. Redditch. Celle qui prendra la porte sera celle qui est le plus facile à remplacer...

La discussion s'arrêta là, mais Emily, en les observant, comprit que chacun avait choisi son camp et que cet échange de piques n'était pas près d'être oublié. Elle avait désormais deux ennemies, Edith et Nora; et la gouvernante serait trop heureuse de la prendre en défaut. Si elle voulait garder son emploi, il lui faudrait entretenir des relations amicales avec le majordome, jusqu'à ce que sa place devienne elle aussi pour lui une question d'amour-propre.

L'après-midi fut un calvaire. Emily avait si souvent observé sa femme de chambre qu'elle s'imaginait connaître son travail sur le bout des doigts, mais une chose est de regarder quelqu'un qui repasse un jabot et des manches bouillonnées; aute chose est de le faire soi-même! C'était bien plus difficile qu'elle ne l'aurait cru. Heureusement, elle parvint à ne rien brûler! Joan, la lingère, vint gentiment à son secours. Emily en fut quitte pour une dette envers elle.

Elle n'eut même pas le temps de s'arrêter pour boire une tasse de thé; à cinq heures et demie, elle se précipita à l'étage, éreintée, la tête prête à éclater, les pieds douloureux à force d'être comprimés dans des bottines qui n'étaient pas les siennes. Elle arriva juste à temps pour aider Veronica à se changer pour le dîner.

La jeune femme, qui avait reçu plusieurs visites dans l'après-midi, paraissait fatiguée et plutôt nerveuse. Pourtant, n'étant pas la maîtresse de maison, la réussite du dîner ne lui incombait pas; elle reposait uniquement sur les épaules de sa belle-mère. On lui demandait seulement de sourire et d'être aimable. Néanmoins elle changea trois fois d'avis avant de choisir la robe qu'elle allait porter. Son chignon ne lui plaisait pas non plus. Emily eut beau le défaire et le recommencer, Veronica examinait son reflet dans la psyché d'un air maussade.

Emily, fourbue, se dit que Veronica était une belle égoïste! Elle n'avait rien fait d'autre de sa journée que papoter en mangeant des gâteaux, alors qu'elle-même s'était démenée comme une damnée, harcelée par la gouvernante, raillée par Edith et Nora, sans seulement avoir le temps de boire une tasse de thé ! Et tout ce que Madame trouvait à lui dire, c'était de recommencer sa coiffure pour la troisième fois !

— Le premier chignon vous allait très bien, madame, remarqua-t-elle, essayant de contrôler son agacement.

A ce moment, Veronica prit son flacon de parfum, qui lui échappa des mains, éclaboussant tout le devant de sa robe.

Emily en aurait pleuré. Tout était à recommencer ! De plus, ne sachant comment nettoyer la tache, elle serait obligée de demander conseil à Edith, qui s'empresserait d'aller le répéter à tout le monde. Cependant elle n'osa rien dire. Une fois seule dans le dressing, à la recherche d'une quatrième robe, elle réalisa, honteuse, qu'elle ne prêtait pas plus attention à sa camériste que ne venait de le faire Veronica.

De retour dans la chambre, elle vit la jeune femme assise sur son lit, en jupons et en corset, la tête baissée, les cheveux défaits. Comme une enfant fragile et vulnérable. Qui d'autre qu'une femme de chambre pouvait partager une telle intimité ? Emily aurait voulu la prendre dans ses bras, la consoler, lui dire qu'elle avait vécu la même expérience, que son mari lui aussi avait été assassiné. Mais c'était impossible. Un gouffre les séparait, au moins du point de vue de Veronica.

— Vous ne vous sentez pas bien, madame ? dit-elle avec douceur. Je peux vous monter une tisane. Jolie comme vous êtes, personne ne vous en voudra d'avoir une minute ou deux de retard. Si vous arrivez la dernière de ces dames, vous créerez votre petit effet.

Veronica releva la tête et Emily fut surprise de voir de la gratitude dans ses yeux.

— Merci, Amelia, fit-elle avec un pâle sourire. Je veux bien une tisane. Je la boirai pendant que vous me coiffez.

Emily mit dix minutes pour trouver la camomille et faire bouillir de l'eau. Elle remontait à l'étage, un plateau à la main, quand elle croisa Mrs. Crawford.

— Eh bien, Amelia, que faites-vous ici ?

— Miss Veronica m'a demandé une tisane, répliqua-t-elle sèchement et, faisant virevolter ses jupes, elle gravit les marches sans se retourner.

Elle entendit Mrs. Crawford marmonner entre ses dents : « On va s'occuper de vous, ma petite... », mais n'y prêta pas attention.

Veronica la remercia avec chaleur et but sa tisane comme s'il s'agissait d'une potion cordiale. Cette fois elle n'émit aucune objection quand Emily refit un chignon semblable au premier et l'aida à passer une superbe robe de taffetas noir rehaussée de perles. Ainsi vêtue, elle allait faire sensation ; sur une femme moins belle, l'effet eût été catastrophique.

— Vous êtes merveilleuse, madame, dit Emily, sincère. Ces messieurs ne vont pas vous quitter des yeux.

Veronica rougit ; c'était la première fois de la journée qu'Emily voyait un peu de couleur à ses joues.

— Merci, Amelia. Ne me flattez pas trop, vous allez me rendre orgueilleuse.

— Un peu de confiance en soi n'a jamais fait de mal à personne, madame, dit Emily en emportant la robe tachée.

Il fallait qu'elle la nettoie tout de suite. Joan l'y aiderait peut-être.

Elle venait de passer la porte du dressing et s'apprêtait à la refermer quand elle vit Loretta entrer dans la chambre, vêtue d'une robe gris tourterelle, très féminine. Elle haussa un sourcil horrifié en voyant la toilette de sa belle-fille.

— Bonté divine ! Vous pensez vraiment que cette... tenue convient pour le dîner ? Il est très important que vous fassiez bonne impression sur l'ambassadeur de France, ma chère, surtout devant les Danver.

Emily vit Veronica serrer les poings dans les plis de sa robe, prendre une profonde inspiration, puis l'entendit dire dans un souffle :

— Oui, je pense qu'elle convient parfaitement.

Mr. Garrard Danver aime les toilettes élégantes, qui sortent de l'ordinaire.

Les pommettes de Loretta s'empourprèrent, puis le sang reflua de son visage.

— Comme vous voudrez, ma chère, fit-elle d'un ton crispé. Mais je constate que vous êtes en retard... Pourtant vous aviez tout le loisir de vous préparer. Est-ce la faute de la nouvelle femme de chambre ?

— Pas du tout. Elle est parfaite. C'est moi qui n'arrivais pas à me décider. Amelia n'y est pour rien.

— Dommage. Vous auriez dû vous en tenir à votre premier choix. Enfin, il est trop tard pour vous changer. Je vois que vous vous êtes fait monter une tisane.

— En effet.

Il y eut un silence. Puis Loretta reprit d'une voix très douce, mais qui cachait un profond agacement, tout en restant parfaitement contrôlée :

— Veronica, vous ne pouvez vous permettre de laisser vos nerfs prendre le dessus. Si vous ne vous sentez pas bien, nous appellerons un médecin ; sinon, il faudra apprendre à vous contrôler. Souriez et descendez au salon. Vous êtes presque en retard. Cela ne se fait pas.

Il y eut un nouveau silence. Loretta s'étant déplacée, elle n'entrait plus dans le champ de vision d'Emily. Celle-ci entrebâilla la porte du dressing de quelques centimètres, mais n'osa aller plus loin, de peur que Loretta ne devinât sa présence.

— Je suis prête, dit enfin Veronica.

— Non, vous ne l'êtes pas ! Être habillée et coiffée ne signifie pas être prête !

La voix de Loretta se fit dangereusement suave.

— Votre esprit doit être prêt, lui aussi. Vous allez bientôt vous remarier ; ne laissez personne douter de votre joie, Julian encore moins que les autres. Souriez. Personne n'aime les femmes boudeuses ou crispées ; une épouse est censée ajouter au bien-être de son mari, non lui empoisonner l'existence ! Et un homme préfère épouser une femme en bonne santé. Nous devons cacher nos petites misères. On attend de nous, ou plutôt, on exige de nous courage et dignité.

— Parfois, je vous hais, dit Veronica dans un murmure dont l'intensité donna la chair de poule à Emily.

— C'est un luxe que vous ne pouvez vous autoriser, riposta Loretta d'une voix minérale, et moi non plus d'ailleurs.

— Peut-être cela en vaudrait-il la peine, remarqua Veronica entre ses dents.

— Réfléchissez, ma chère, réfléchissez bien, répondit Loretta, qui, changeant soudain de ton, lança d'une voix étranglée de colère : Reprenez-vous une bonne fois pour toutes, et cessez vos stupides lamentations ! Je vous ai soutenue jusqu'à présent, mais désormais, c'est à vous de vous prendre en charge. J'ai fait tout ce qui était en mon pouvoir pour vous aider, et cela n'a pas été aussi facile que vous semblez le croire !

Il y eut un bruissement de robes, puis Emily entendit une porte s'ouvrir. Une voix masculine, inconnue, s'éleva dans la pièce.

— Êtes-vous prête, ma chère ? Il est temps d'aller saluer nos invités.

Ce devait être Piers York, la seule personne de la maison qu'Emily n'avait encore jamais rencontrée.

— Veronica, vous êtes absolument ravissante.

— Merci, beau-papa, fit celle-ci d'une voix encore frémissante.

— J'ai tout à fait conscience qu'il est tard, Piers, s'excusa vivement Loretta.

Il ne restait aucune trace de violence dans sa voix ; elle l'avait habilement transformée en une espèce d'agacement dû au rappel à l'ordre de son mari.

— J'étais venue chercher Veronica. Sa nouvelle camériste a mis plus longtemps que prévu à la préparer.

— Une nouvelle camériste ? Je ne l'ai pas encore rencontrée.

— Vous avez assez à faire sans devoir vous occuper des domestiques, mon ami.

— Ce n'est pas de la faute d'Amelia, riposta Veronica. C'est moi qui ai changé plusieurs fois d'avis.

— Une sottise qui peut coûter très cher...

Il y avait là une menace larvée et Veronica devait l'avoir saisie, aussi bien qu'Emily. Seul Piers York parut ne rien avoir remarqué.

— Ne dites pas d'absurdités, ma chère. C'est le privilège des dames d'être versatiles.

Cette fois, Loretta ne chercha pas à argumenter; sa voix se fit courtoise et chaleureuse.

— Oh, Veronica et moi nous connaissons très bien. Nous avons partagé le même chagrin et je vous assure, mon cher, qu'il n'y a aucun malentendu entre nous. Elle sait pertinemment ce que je veux dire. Allons, venez, il est grand temps de descendre. Les invités doivent arriver d'une minute à l'autre. Les Hollingsworth sont toujours à l'heure, hélas. C'est assommant.

— Le mot est juste, ils sont assommants, remarqua Piers York. Je ne comprends pas pourquoi vous continuez à les inviter, ma chère.

Emily passa une soirée épouvantable. Il régnait dans la cuisine un chaos indescriptible. Mrs. Melrose supervisait le service d'une douzaine de plats différents. Mary s'agitait autour de ses fourneaux, aux prises avec les pâtes feuilletées, les sauces et les puddings. Redditch faisait le va-et-vient entre le cellier et la salle à manger, où John servait le vin, Albert courait en tous sens. Nora, plus élégante que jamais dans son tablier immaculé, se déplaçait dans un grand bruissement de dentelles en donnant des ordres aux filles de cuisine. Prim, les mains dans l'évier débordant de vaisselle sale, semblait dépassée par l'ampleur de sa tâche. A peine avait-elle commencé à laver les casseroles qu'une pile d'assiettes arrivait sur la paillasse. Tout le monde était à cran, grappillant à droite et à gauche dans les plats qui revenaient de la salle à manger; il ne restait que de la tourte au faisan et c'était bien la dernière chose dont Emily avait envie.

La vaisselle n'entrait pas dans ses attributions, mais elle aida les autres à débarrasser les couverts, laver et essuyer les verres et ranger l'argenterie. Elle n'osait pas aller se coucher en laissant Mary, Prim et Albert devant cette monumentale pile de vaisselle ; en outre, elle avait besoin d'alliés, Mrs. Crawford étant devenue sa pire ennemie depuis que le majordome lui avait fait sentir qu'il prenait la nouvelle femme de chambre sous son aile. Nora la jalousait et ne cessait de la surnommer « la Duchesse ». Quant à Edith, elle ne lui cachait pas son mépris.

Le vent soufflait et s'infiltrait par toutes les fissures des lucarnes et des portes. La neige fondue s'abattait contre les carreaux quand Emily, vers une heure du matin, gravit la dernière marche de l'escalier qui menait aux combles et entra dans sa minuscule mansarde, éclairée par la maigre lueur de la chandelle. Les draps étaient si froids qu'ils donnaient l'impression d'être humides.

Elle n'eut pas le courage de se déshabiller complètement et enfila sa chemise de nuit par-dessus ses sous-vêtements, avant de se glisser dans le lit en grelottant. Elle eut beau essayer de ravaler ses larmes, celles-ci se mirent à couler sur ses joues. Elle roula sur elle-même, enfouit son visage dans l'oreiller glacé et finit par s'endormir à force de pleurer.

6

Charlotte parvint à contenir sa stupéfaction et son inquiétude lorsque Jack Radley lui apprit la décision d'Emily d'aller travailler chez les York. Jack ayant eu la bonne idée de lui rendre visite en tout début d'après-midi, elle eut le temps de recouvrer ses esprits et lorsque Pitt rentra, vers six heures, elle se garda bien d'évoquer le sujet.

De son côté, Pitt était encore sous le choc de la mort de Dulcie ; il aimait bien cette jeune fille et se sentait en partie responsable de ce qui lui était arrivé. Il avait beau se répéter qu'elle avait pu tomber accidentellement de cette fenêtre et que son décès n'était qu'une tragédie domestique comme il s'en produisait hélas chaque année, il ne pouvait s'empêcher de penser que si elle ne lui avait pas parlé de la femme en rouge et du collier volé, et s'il n'avait pas laissé par mégarde la porte de la bibliothèque ouverte, Dulcie serait encore en vie.

Il n'avait pas tout de suite parlé de l'accident à Ballarat, certain que celui-ci l'attribuerait à un malencontreux hasard qui n'engageait pas la responsabilité de son subordonné. Et il ne voulait pas courir le risque de se voir interdire l'ouverture d'une enquête à ce sujet.

Plus il pensait à la femme en rouge, plus il était convaincu qu'il devait découvrir son identité avant de pouvoir affirmer au Foreign Office que Veronica York possédait l'honorabilité requise pour devenir l'épouse d'un ambassadeur, et plus il sentait faiblir sa détermination à ne rien dire ; si bien que lorsque le commissaire le fit appeler dans son bureau, deux jours plus tard, il fut un peu pris au dépourvu.

— Eh bien, Pitt, vous ne paraissez guère avancer dans l'affaire York.

Ballarat se chauffait les mollets devant le feu. Sur son bureau, un bronze représentant un lion rampant, une patte en l'air, voisinait avec un cendrier dans lequel se consumait un cigare malodorant.

« Quel imbécile prétentieux ! » songea Pitt, furieux.

— L'enquête avançait très bien jusqu'à ce que mon principal témoin ait été assassiné, laissa-t-il échapper.

Il comprit aussitôt qu'il en avait trop dit. Ballarat devint cramoisi. Les mains dans le dos, il se balançait d'avant en arrière, empêchant la chaleur du feu de se répandre dans la pièce. Pitt, dont les bottes et les bas de pantalon étaient mouillés, aurait bien aimé se réchauffer.

— Témoin de quoi, bon sang de bon sang ? Êtesvous en train de me dire que vous avez fini par déterrer un scandale chez les York et que la personne qui aurait pu le rendre public est morte ?

— Pas du tout ! Je parle de meurtre. Si tous ces gens ont des amants et des maîtresses, cela ne regarde pas la police. Mais Robert York a été assassiné et il est de notre responsabilité de démasquer le criminel. Or il court encore...

— Allons, mon vieux ! l'interrompit Ballarat, l'affaire remonte à trois ans, et nous avons fait de notre mieux ! York a surpris un cambrioleur en pleine action, voilà tout. Cette crapule sera retournée dans les coupegorge dont il est issu. Il est peut-être même mort, à l'heure qu'il est. Le problème avec vous, c'est que vous n'admettez pas l'échec d'une enquête, alors qu'il saute aux yeux.

Il foudroya Pitt du regard, le mettant au défi de le contredire. Celui-ci ne put cependant s'en empêcher.

— Et s'il s'agissait de l'œuvre d'un cambrioleur amateur ? Par exemple une relation des York ? Ou un membre de la famille contraint à voler pour rembourser une dette ? Ce ne serait pas le premier cas que nous rencontrerions. Seconde hypothèse : Veronica York avait un amant et celui-ci aurait assassiné le mari. Oui ou non, voulez-vous que nous éclaircissions l'affaire ? Ou le Foreign Office préfère-t-il l'étouffer, parce qu'il sait déjà que le meurtrier n'est autre que Julian Danver ?

Tout d'abord le commissaire parut horrifié, puis la colère, la confusion et la crainte se succédèrent sur son visage, lorsqu'il comprit ce qu'impliquait cette dernière hypothèse. Il allait être pris entre deux feux : d'un côté le Foreign Office, ordonnateur de l'enquête, et de l'autre, le ministère de l'Intérieur, en charge de la police et de la justice. L'un ou l'autre pouvait ruiner sa carrière. Ballarat était furieux contre Pitt qu'il fût l'instigateur d'un tel dilemme. Celui-ci s'en rendit compte et en retira une certaine satisfaction, bien qu'il fût conscient d'être désormais la cible de la colère impuissante de son supérieur.

— Allez au diable ! Non seulement vous êtes incompétent, explosa celui-ci, mais vous allez fourrer votre nez partout, espèce de...

Ne trouvant pas l'expression adéquate, il poursuivit sur le même ton :

— Vos suppositions sont celles d'un irresponsable ! Les York, et les Danver par-dessus le marché, vous poursuivront pour diffamation, si vous dites un seul mot de tout cela !

— Devons-nous clore l'enquête ? ironisa Pitt.

— Pas d'insolence, aboya Ballarat.

Soudain, se souvenant de ses obligations envers le ministère de l'Intérieur, qui était après tout son employeur, il s'efforça de contrôler sa mauvaise humeur.

— Sur quoi vous basez-vous pour vous permettre de suggérer pareille énormité ?

Cette question prit davantage Pitt de court. Ballarat devina sa brève hésitation. Une étincelle victorieuse s'alluma dans ses yeux; il se détendit imperceptiblement, se fit plus guilleret et recommença à se balancer d'avant en arrière, sans pour autant s'écarter du feu. Il regarda même le pantalon et les bottes humides de Pitt avec un certain contentement.

Celui-ci tenta de trouver une réponse imparable.

— Aucun receleur, dans toute la capitale, n'a vu passer par son échoppe les objets volés chez les York, avança-t-il, prudent. Parmi la pègre du quartier, personne n'a entendu parler de malfaiteurs venus d'autres districts, ni vu d'individu se cachant pour échapper à la police...

Visiblement, le commissaire se demandait s'il devait le croire. Ballarat était un arriviste qui cherchait à gagner les faveurs des plus influents. Il n'avait pas mené une enquête de police depuis fort longtemps, mais il connaissait son métier et n'était pas stupide; bien qu'il n'aimât pas Pitt et qu'il déplorât ses manières et ses opinions, il respectait son professionnalisme.

— Le voleur savait exactement où trouver l'édition originale de Swift parmi tous les volumes de la bibliothèque, poursuivit Pitt. Or, il n'a apparemment pas cherché à la revendre; par ailleurs, il n'a pas touché à l'argenterie de la salle à manger. J'ai donc commencé à m'informer si, dans l'entourage des York, quelqu'un avait des dettes...

Il nota avec satisfaction l'inquiétude de Ballarat.

— Discrètement, s'entend. Et j'ai chargé un homme de vérifier l'état de leurs finances. Mais l'élément nouveau de l'enquête, c'est l'apparition furtive d'une femme superbe vêtue de rouge cerise, qui, selon témoins, a été vue par deux fois à Hanover Close avant le décès de Robert York, et deux fois également chez les Danver, aux mêmes heures de la nuit, toujours vêtue de rouge et paraissant très désireuse de passer inaperçue. La femme de chambre qui l'a vue chez les York est tombée d'une fenêtre le lendemain du jour où elle m'en a parlé.

Ballarat cessa de se balancer et demeura immobile, fixant Pitt de ses petits yeux ronds.

— Veronica York, dit-il lentement. La femme de chambre ne l'aurait donc pas reconnue ?

— Cela a été ma première réaction, puisque la jeune fille était la camériste de Mrs. York. Mais selon elle, la femme qu'elle a brièvement entraperçue à la lueur d'une veilleuse ne pouvait être sa maîtresse. Veronica York ne portait jamais de robe rouge. Cependant, d'après sa description, ç'aurait pu être Veronica : grande, mince, cheveux noirs, teint pâle...

— Bon Dieu ! jura Ballarat. Robert York aurait-il eu une liaison, sans que sa femme le sût ?

— C'est possible. Mais dans ce cas, que faisait la même femme en rouge, la nuit, chez les Danver ?

— Réfléchissez, voyons. La sœur de Danver !

Pitt haussa les sourcils.

— Une femme de mœurs légères ayant un penchant particulier pour les diplomates mariés ? D'abord Robert York, puis Felix Asherson ?

Ballarat se renfrogna.

— Asherson ? Qu'a-t-il à voir dans tout ça ?

Pitt soupira.

— Harriet Danver est amoureuse de lui. Ne me demandez pas comment je le sais. Je le sais. A mon avis, il est très peu probable qu'elle soit la femme en rouge, mais si c'était elle, le Foreign Office devrait le savoir.

— Bon sang, Pitt, il s'agit peut-être d'une cousine un peu dérangée qui aime se déguiser et se déplacer incognito. Dans toute famille, on trouve des gens bizarres, qui empoisonnent l'existence de leurs proches, sans être dangereux pour autant.

— En effet, pourquoi pas ? Et s'il s'agissait d'une demi-mondaine entretenue par Robert York, ou son père...

Il vit le teint de Ballarat virer à l'écarlate, mais n'en continua pas moins :

— ... ou Julian et Garrard Danver. Et Dulcie Mabbutt a fait une chute accidentelle, à point nommé. Le hasard fait parfois curieusement les choses.

Il soutint le regard de son supérieur sans ciller.

— La femme en rouge était peut-être un agent secret payé pour soutirer ou acheter des informations ; devenue la maîtresse de Robert York, elle a pu le faire chanter, avant de l'assassiner ou de le faire assassiner par ses collègues...

— Tonnerre ! Vous êtes en train de dire que le jeune Danver lui donnait des ordres ! explosa Ballarat.

— Non.

Pour une fois, Pitt put nier avec sincérité.

— Je ne vois pas pourquoi il aurait eu besoin de le faire. Ne travaille-t-il pas au Foreign Office, lui aussi ?

— Encore un espion ? Vous en voyez partout !

La mâchoire du commissaire se durcit. Dans le cendrier, son cigare achevait de se consumer, sans qu'il y prêtât attention.

— Pourquoi pas ?

Ballarat éleva le ton.

— D'accord, d'accord ! Trouvez-moi ce fantôme. La sécurité de l'Empire peut être en jeu. Mais si vous tenez à votre place, Pitt, opérez avec discrétion. La moindre maladresse, et je ne pourrai ni ne voudrai vous couvrir. Est-ce clair ?

— Oui, monsieur, merci, fit Pitt d'un ton ouvertement sarcastique.

C'était la première fois depuis des années qu'il appelait son supérieur « monsieur ». Il s'était toujours arrangé pour l'éviter, sans paraître grossier.

— Je vous en prie, Pitt, tout le plaisir était pour moi, fit Ballarat avec un sourire carnassier.

Pitt quitta le commissariat, à la fois furieux contre Ballarat et plus que jamais déterminé à poursuivre l'enquête. Il comptait sur Charlotte pour l'aider à y voir plus clair, plutôt content, réflexion faite, qu'elle ait pu se faire inviter chez les York et les Danver. Au moins pourrait-elle lui livrer ses impressions personnelles ; la mort de Robert York avait-elle anéanti Veronica ou au contraire se sentait-elle désormais libre d'épouser Julian Danver ? Si tel était le cas, cette femme devait posséder une remarquable maîtrise d'elle-même pour avoir, pendant trois ans, su se comporter en société sans aucun manquement à l'étiquette. Julian avait-il insisté sur ce point, afin de préserver sa carrière ? Il était cependant incroyable que jusque-là aucune indiscrétion n'ait filtré, surtout si Veronica et Cerise étaient une seule et même personne. Continuait-elle à donner des rendez-vous nocturnes à son amant, afin de rendre l'attente de leur mariage plus supportable ?

Sur le Strand, le brouillard était si épais que Pitt ne voyait même pas le trottoir d'en face, une purée de pois grisâtre, pleine des fumées s'échappant des cheminées. Une humidité sale montait des méandres de la Tamise, qui serpentait à travers les banlieues, traversait Chelsea, passait devant le Parlement, longeait l'Embankment, traversait Wapping, Limehouse, descendait vers le Pool de Londres, Greenwich, l'Arsenal pour se terminer en estuaire.

Pitt attendit sur le bord du trottoir, tandis que cabs, fiacres et voitures à bras émergeaient devant lui pour disparaître aussitôt, absorbés par la brume ; il entendait le pas lent et assourdi des chevaux dont il n'entrevoyait que les sombres silhouettes. La chaussée était glissante et couverte de crottin. C'était par des temps comme celui-là que les balayeurs se faisaient renverser par les attelages et parfois trouvaient la mort. Pitt se souvenait d'un balayeur de Piccadilly qui avait perdu une jambe de cette façon.

Si Cerise s'habillait de façon aussi voyante que l'avait décrit Dulcie, ce n'était pas seulement pour papillonner sur les paliers au beau milieu de la nuit.

Elle devait bien se montrer quelque part en public. S'agissait-il d'une femme connue dans la bonne société, qui se déguisait à dessein, ou d'une demi-mondaine que l'entourage des York et des Danver devait surtout ignorer ?

Où rencontrait-elle ses amants ? Dans des hôtels, des restaurants, des théâtres, autant d'endroits pouvant servir de lieux de rendez-vous clandestins, où deux gentlemen qui se croisent ont le tact de s'ignorer, sans jamais faire à nouveau allusion à cette rencontre. Ces lieux étaient disséminés autour des quartiers chics, Haymarket, Leicester Square ou Piccadilly. Pitt les connaissait bien, comme il connaissait les portiers et les rabatteurs qui se tenaient devant leurs entrées.

L'épais brouillard l'étouffait et le faisait tousser.

— Cocher ! cria-t-il, en retenant sa respiration.

Un cab ralentit et s'arrêta ; le cheval attendit, l'encolure basse, son harnais dégouttant d'humidité. La voix du cocher semblait désincarnée dans l'obscurité.

— Haymarket, annonça Pitt avant de monter

Le lendemain, alors que le même brouillard stagnait sur la ville, râpant la gorge, piquant le nez, Pitt obtint son premier succès. Il se trouvait dans le hall d'un petit hôtel discret, un peu à l'écart de Jermyn Street, non loin de Piccadilly. Le portier, un ancien soldat aux épaisses moustaches, était peu regardant sur la moralité ; revenu de la deuxième guerre contre les Ashanti avec une blessure qui lui interdisait tout travail physiquement éprouvant, et ne sachant ni lire ni écrire, il ne pouvait prétendre à un travail de bureau. Il n'hésita pas à répondre aux questions de Pitt, moyennant rétribution. Ballarat s'était bien gardé de soutenir Pitt, mais il lui avait accordé une totale liberté financière.

— Oh, ça remonte à loin, chef, fit joyeusement le portier, mais je me souviens bien d'elle. Superbe. Elle portait toujours des couleurs très voyantes. Sur quelqu'un d'autre, l'effet aurait été désastreux, mais sur elle, c'était merveilleux. Gracieuse comme un cygne, avec des cheveux et des yeux noirs. Une grande femme, plutôt maigre, mais elle avait quelque chose de particulier...

— Quoi donc? s'enquit Pitt, curieux d'entendre son avis, bien que l'homme fût totalement inculte.

Son opinion lui importait, car il connaissait toutes les prostituées de la rue; il les voyait passer chaque soir, ainsi que leurs clients, et les voyait travailler, sans avoir de rapport direct avec elles. Peu d'entre elles pouvaient le duper.

L'homme réfléchit, puis fit la grimace.

— De la classe, conclut-il enfin. Oui, c'est ça, beaucoup de classe. Elle avait jamais l'air de harceler les michetons, c'était toujours eux qui l'abordaient; on aurait dit qu'elle s'en fichait.

Il secoua la tête.

— Même plus que ça, au fond, comme si elle faisait ça... pour le plaisir. Oui, c'est ça, elle s'amusait. Oh, elle riait jamais fort, non elle avait trop de classe. Mais on sentait qu'elle s'amusait.

— Lui avez-vous parlé?

L'homme parut surpris.

— Moi? Jamais. Elle parlait pas beaucoup, du genre discret. Je l'ai pas vue très souvent, peut-être une dizaine de fois.

— Vous souvenez-vous de ses clients?

— Des types différents, mais tous élégants. Ouais, très élégants. Pas des minables. Très riches. Mais tous ceux qui viennent ici sont riches, conclut-il avec un petit rire.

— Pourriez-vous m'en décrire un?

— Vous pourriez pas le reconnaître, chef.

— Essayez toujours, le pressa Pitt.

— Vous pourriez jamais me payer assez... C'est pas vous qui me trouverez du boulot, quand ils me jetteront dehors et mettront mon nom sur leur liste noire.

Pitt soupira. Décrire une prostituée était une chose,

mais donner des renseignements sur ses clients en était une autre. L'argent et le statut social donnaient le droit à l'anonymat ; ils payaient sans doute très cher pour le garder. Vendre le secret de l'un d'entre eux revenait à perdre toute la clientèle de l'hôtel.

— Bon, concéda-t-il. Restez vague. Vieux, jeune, cheveux bruns, blonds ou gris, quelle taille, quelle stature ?

— Vous avez l'intention de ratisser toute la ville, chef ?

— Je peux au moins procéder par élimination.

Le portier haussa les épaules.

— Comme vous voudrez. Ceux dont je me souviens avaient passé la quarantaine. Je crois pas qu'elle en avait après leur argent. D'après moi, elle pouvait se permettre de choisir ceux qui lui plaisaient.

— Des cheveux gris ?

— Non. Et jamais des gros. Ils étaient toujours minces.

Il se rapprocha de Pitt.

— Écoutez, chef, pour moi, ces types-là, ils sont tous pareils. Ça me rapporte rien d'aller les regarder sous le nez. Ils payent justement pour être tranquilles. Comme je vous l'ai dit, elle choisissait. Je suis sûr qu'elle faisait ça pour le plaisir.

— Portait-elle toujours du rouge ?

— Oui. Toujours du rouge, comme une marque de reconnaissance. Mais pourquoi vous me posez toutes ces questions ? Ça fait deux, trois ans que je l'ai pas vue.

Pitt tressaillit.

— Deux ans, ou trois ans ? Réfléchissez.

— Ben, trois, si je me souviens bien.

— Et vous ne l'avez pas revue depuis ?

— Non, jamais. Elle est peut-être mariée et duchesse, à l'heure qu'il est ! Pourquoi pas. Avec une grande maison et plein de gens comme vous et moi sous ses ordres.

Pitt esquissa un grimace. Il y avait bien peu de chances que cela fût vrai, ils le savaient tous deux. Plus probablement, la maladie avait gâché sa beauté. Ou bien, elle avait été défigurée en se battant avec une autre prostituée, un proxénète qui s'était senti floué, un amant trop possessif ou trop pervers ; à moins qu'elle ne soit passée de la clientèle huppée de cet hôtel à une maison de passe de bas étage. Il ne parla pas d'espionnage ou de meurtre ; inutile de compliquer le problème.

Le portier le dévisagea avec attention.

— Pourquoi vous la cherchez, chef ? Elle fait chanter quelqu'un ?

— C'est possible, répondit Pitt. Tout à fait possible, même. Tenez, prenez ça, ajouta-t-il en lui tendant une carte de visite. S'il vous arrivait de la revoir, prévenez-moi au commissariat de Bow Street. Dites seulement que vous avez vu Cerise.

— C'est son nom ? Et qu'est-ce que ça me rapportera ?

— Cela vous vaudra ma bienveillance, qui vaut beaucoup mieux que ma rancune, croyez-moi.

— Chef, vous allez pas vous en prendre à moi, sous prétexte que je l'ai pas vue ! Si elle est pas là, je peux pas la voir ! Vous voulez pas que je vous mente, tout de même ?

Pitt ne prit pas la peine de répondre.

— Dites-moi plutôt quels théâtres et quels music-halls fréquentent vos clients.

L'homme se mordilla la lèvre.

— Bon... J'ai entendu dire que votre Cerise allait au Lyceum[1] ; par contre, les music-halls qu'elle fréquentait, c'est trop me demander. J'en sais rien. Elle a dû tous les essayer.

— Le Lyceum ? La dame ne manquait pas de panache, pour vendre ses charmes là-bas.

— Je vous l'ai dit, qu'elle avait de la classe.

1. Célèbre théâtre londonien. (N.d.T.)

— En effet. Merci.

L'homme souleva son chapeau, d'un geste ironique.

— Au plaisir, chef !

Pitt ressortit dans la rue. Le brouillard l'enveloppait comme une mousseline humide qui lui collait à la peau.

Ainsi, Cerise alliait beauté, élégance et intrépidité. Il n'imaginait pas Veronica York entretenant ce genre de liaison clandestine et dangereuse avec Julian Danver ! Sauf à mener une double vie, ce qui n'aurait pas manqué d'ébranler les fondements mêmes du Foreign Office. Que l'épouse d'un consul ou d'un ambassadeur se prostitue, à quelque degré que ce soit, était impensable. Son mari aurait été sur-le-champ exclu du corps diplomatique.

Alors qui ? Harriet Danver ? Impossible. D'après Charlotte, la jeune femme était amoureuse de Felix Asherson, mais on ignorait si ce sentiment était payé en retour. Et cette hypothèse n'expliquait pas la présence de Cerise chez les York.

Il en revenait à sa première supposition : une aventurière, usant de ses charmes pour attirer dans ses filets des membres du Foreign Office et les faire chanter pour leur extorquer des secrets d'État. Robert York ayant refusé de céder à ce chantage, Cerise, ou l'un de ses complices, avait dû le supprimer pour éviter d'être dénoncée.

La nuit tombait et le brouillard commençait à geler ; l'air se remplissait de minuscules paillettes de glace qui glissaient dans les replis de son cache-col. En frissonnant, Pitt reprit son chemin vers le nord, emprunta Regent Street, puis obliqua à gauche vers Oxford Circus. Là, il trouverait des prostituées de haut vol qui pourraient lui en dire plus sur Cerise : les endroits où elle exerçait son métier, son type de clientèle, des habitués ou des clients triés sur le volet ? Il saurait si elle représentait une menace pour leur commerce.

Une heure plus tard, après avoir beaucoup insisté et distribué bon nombre de billets de banque, il se retrouva non loin de New Bond Street, dans un petit salon surchauffé et encombré de meubles. En face de lui, assise dans un fauteuil rose bonbon, trônait la tenancière de la maison, une femme dont la poitrine généreuse débordait de son corset. La chair de sa gorge avait perdu son élasticité et plissait sous son menton, mais elle était encore très attirante. Il émanait d'elle une sérénité et une assurance certainement dues au fait qu'elle avait toujours été désirée, mais l'étincelle amère qui brillait dans ses yeux disait qu'elle savait ne jamais avoir été aimée.

Elle prit un fruit confit dans une boîte décorée d'un papier de soie rose.

— Qu'est-ce que vous voulez savoir, mon chou ? demanda-t-elle, un peu sur ses gardes. J'ai pas l'habitude de raconter des histoires.

— Je n'ai pas besoin d'histoires, dit Pitt, peu désireux de perdre son temps en flatteries. Je suis à la recherche d'une fille qui faisait certainement chanter ses clients. Ce n'est pas bon pour votre commerce, vous savez.

Elle fit la grimace et prit un autre fruit confit, dont elle grignota le tour avant de l'avaler. En la regardant, Pitt songea que si elle avait eu un style de vie différent, des vêtements plus discrets, moins de fard sur les joues, et si la dureté de l'existence n'avait pas marqué son regard et sa bouche, elle aurait vraiment été très belle.

— Continuez, dit-elle. J'aime pas qu'on me dise ce que j'ai à faire. Si j'étais pas la meilleure gagneuse du quartier, vous ne seriez pas là à me poser des questions. Non, je veux pas de votre argent. Je ramasse plus de billets en une journée que vous en un mois.

Pitt ne prit pas la peine de lui faire remarquer qu'en revanche elle prenait plus de risques et qu'elle mourrait plus jeune. Elle le savait.

— Elle était toujours habillée de couleurs violentes, rouge amarante ou fuchsia. Grande, mince, pas très en chair, mais beaucoup de classe, des yeux sombres, des cheveux noirs. L'avez-vous déjà vue ? Vos filles vous ont-elles parlé d'elle ?

— A vous entendre, elle avait pas l'air d'avoir grand-chose à offrir. Maigre, des cheveux noirs, vous dites ?

— Oh, elle avait beaucoup de charme, reprit Pitt qui ne put s'empêcher de penser à la pureté du visage et au regard inoubliable de Veronica York.

Se pouvait-il qu'elle soit Cerise et qu'elle ait assassiné son mari lorsqu'il s'en était aperçu ? Il regarda la femme lascive assise en face de lui, avec sa lourde chevelure blond vénitien et son teint de pêche.

— Elle avait du tempérament et une élégance innée, conclut-il.

La femme ouvrit de grands yeux.

— On dirait que vous la connaissez bien, dites donc !

Pitt sourit.

— Je ne l'ai jamais rencontrée. Je vous livre seulement l'impression qu'elle a faite sur d'autres.

Elle partit d'un rire bref.

— Eh bien, si elle faisait chanter les gens, c'est que c'était une imbécile ! Le chantage est le meilleur moyen de tuer la poule aux œufs d'or. A long terme, c'est du suicide pur et simple. Désolée, mon chou, je vois pas de qui vous parlez.

Pitt ne savait pas s'il devait être content ou déçu. Il devait absolument retrouver Cerise, et il ne tenait pas du tout à apprendre que c'était Veronica.

— En êtes-vous vraiment sûre ? Les faits remontent peut-être à trois ans.

— Trois ans ! Pourquoi l'avoir pas dit plus tôt ?

Elle prit un autre fruit confit et le mordit avec gourmandise. Elle avait de très belles dents, blanches et régulières.

— Ça y est, j'y suis ! Il y a trois ou quatre ans, une fille comme ça traînait dans les parages. Y avait qu'elle pour porter des couleurs pareilles. Des yeux noirs, des cheveux noirs, maigre comme une planche à clous ; elle avait besoin de tonnes de rembourrage pour avoir l'air un peu plus remplumée. Mais c'est vrai, elle avait du chien, même sans artifices. Tout le champagne qui coule à Londres ne pétillait pas autant qu'elle. On aurait dit qu'elle s'amusait tout le temps, comme si elle profitait de chaque minute de son existence et qu'elle adorait vivre dangereusement. Remarquez, c'était une vraie beauté, à faire craquer tous les cœurs, pas comme ces filles maquillées et poudrées.

Pitt eut soudain l'impression d'étouffer dans cette pièce surchargée et en même temps, il sentit un certain froid l'envahir.

— Parlez-moi encore d'elle, dit-il doucement. Combien de fois l'avez-vous vue ? Savez-vous ce qu'elle est devenue ?

La femme hésita, soudain méfiante.

— Attention, il s'agit d'une affaire criminelle, la prévint-il. Ne m'obligez pas à être méchant. Je suis capable de faire fouiller cette maison de fond en comble. Aucun de vos clients n'osera revenir.

— Très bien, vous fâchez pas, lâcha-t-elle d'une voix coléreuse, sans paraître autrement outragée.

Pour qu'elle le fût, il aurait fallu qu'elle soit surprise ; or, depuis toujours, elle savait les risques qu'elle encourait.

— J'ai pas entendu parler d'elle depuis trois ans ; et avant, je la voyais pas souvent. A mon avis, c'était pas une régulière, même pas une professionnelle ; c'est pour ça que j'ai jamais pris la peine de me renseigner sur elle. Elle ne nous faisait pas concurrence. Elle s'occupait pas de la clientèle courante, elle se contentait de parader dans le coin, de se montrer et de lever un ou deux clients. Tout compte fait, elle nous rendait plutôt service, elle attirait du beau monde par ici ; elle excitait les hommes, avant de s'en aller.

— Vous souvenez-vous de l'un de ses clients ? C'est important.

Il lui laissa le temps de réfléchir.

— Je l'ai vue une fois avec un gentleman vraiment élégant, plutôt beau gosse. Une des filles m'a dit qu'elle l'avait déjà vue avec ce type-là, parce qu'elle avait essayé de le lever pour son compte, mais il n'avait d'yeux que pour celle en rouge.

— Savez-vous son nom ?

— Non.

— D'autres détails à me donner ?

— Rien de plus que ce que je vous ai déjà dit.

— Bon, vous qui connaissez bien ce milieu, qu'en pensez-vous ? Quel genre de femme était-ce ? Qu'est-elle devenue ?

La tenancière partit d'un rire amer, qui s'adoucit pour se muer en pitié, pour elle-même et toutes celles qui partageaient son sort, même de loin.

— J'en sais rien. Elle est peut-être morte, ou alors elle a fini dans un boxon. Et y en a qui meurent jeunes dans ce métier. Comment voulez-vous que je sache ce qu'elle est devenue ?

— Vous disiez qu'elle était différente. Tous ceux que j'ai interrogés sont du même avis. D'après vous, d'où venait-elle ? Allons, j'ai besoin de savoir, et vous êtes l'une des rares personnes à pouvoir me donner la réponse que j'attends.

Elle soupira.

— Pour moi, c'était une fille de la haute qui aimait s'encanailler. Allez savoir pourquoi. Elle avait peut-être des côtés pervers. Certaines sont comme ça. Moi, ça me dépasse, qu'on fasse une chose pareille en sachant qu'on a un toit sur la tête et de quoi manger jusqu'à la fin de ses jours... Enfin, tout le monde peut avoir un grain, même dans la haute. Bon, maintenant, ça suffit, j'ai plus rien à vous dire, et puis j'ai du travail. J'ai été très gentille avec vous, j'espère que vous vous en souviendrez...

Pitt se leva.

— En ce qui me concerne, vous louez des chambres meublées. Au revoir, madame.

Il passa encore deux jours à hanter les lieux fréquentés par les demi-mondaines, les théâtres, les restaurants où elles exerçaient leurs talents ; à l'occasion, il entendit parler de Cerise ou d'une femme qui lui aurait ressemblé, mais n'apprit rien de plus que ce qu'il savait déjà. Personne ne se souvenait des hommes qui l'accompagnaient, personne ne savait son nom ni son origine. Elle était tolérée par les autres filles, parce qu'elle venait rarement et qu'elle ne leur volait pas beaucoup de clients. C'était un monde dur où toutes étaient en compétition. Si un homme préférait une fille à une autre, on laissait faire ; en général, celle qui était négligée acceptait sa défaite sans protester. Les scènes embarrassaient la clientèle.

Impossible de déterminer si l'un de ces hommes était Robert York. Cerise paradait dans des lieux qu'il était supposé fréquenter, mais la moitié des hommes de la bonne société y passaient leurs soirées. Le portrait sommaire qu'avaient dressé des clients de Cerise les filles et les portiers aurait pu être celui de Robert York, de Julian et Garrard Danver ou même de Felix Asherson : des gentlemen grands, minces, riches et élégants.

Tôt dans la soirée du deuxième jour, peu après six heures, alors que le ciel commençait enfin à s'éclaircir, ne laissant subsister que quelques poches de brouillard tenace, Pitt prit un cab pour Hanover Close, non pour se rendre chez les York, mais un peu plus loin, chez Felix Asherson. Il avait décidé de le rencontrer chez lui pour se faire une idée plus nette du personnage. Loin de l'atmosphère compassée et intimidante du Foreign Office, il serait peut-être davantage enclin à baisser sa garde. A son domicile, il se sentirait moins sur la défensive, sachant qu'aucun collègue ne viendrait le déranger, ni le suspecter d'indiscrétion devant la police. Pitt pourrait aussi se forger une image plus précise de sa situation financière, car il gardait toujours en tête l'hypothèse selon laquelle Robert York avait été assassiné par quelqu'un de son entourage, qu'il aurait surpris en flagrant délit de cambriolage.

Il frappa à la porte principale et attendit l'arrivée du valet.

— Monsieur? fit ce dernier d'un ton neutre.

Pitt lui tendit une carte de visite.

— Thomas Pitt. Je dois parler d'un sujet important avec Mr. Asherson, si je ne le dérange pas. L'affaire concerne l'un de ses collègues.

En disant cela, il ne mentait pas complètement.

— Bien, monsieur. Si vous voulez vous donner la peine d'entrer, je vais informer Mr. Asherson de votre présence.

Cette fois, le valet jeta sur le visiteur un regard perplexe. Pitt n'avait pas jugé bon de mettre les bottes neuves d'Emily; les longues marches dans la capitale les auraient usées prématurément. Sa redingote était en bon état, mais sans plus; seul, son chapeau était de bonne qualité.

— Si vous voulez bien me suivre au salon, monsieur, dit le valet, sous-entendant que la bibliothèque était réservée aux gentlemen.

Quelques braises rougeoyaient dans l'âtre, mais la pièce était tiède, par rapport au froid extérieur. Le salon était plaisant, de dimension modeste, comparé à celui des York, et meublé avec goût. Sur un mur, Pitt remarqua un tableau de maître. Si Asherson manquait d'argent, il aurait tiré de sa vente de quoi payer les gages d'une femme de chambre pendant des années, ou bien ses propres dettes, s'il en avait eu.

Ce dernier entra sur ces entrefaites, sourcils froncés. Il avait des traits réguliers, un peu veules. Un homme sur lequel on ne pouvait sûrement pas compter en cas d'ennuis, songea Pitt.

— Bonsoir, Mr. Asherson, dit-il aimablement. Je suis désolé de vous déranger, mais, le sujet étant délicat, j'ai pensé qu'il valait mieux m'entretenir avec vous en privé, plutôt qu'à votre bureau.

Asherson referma la porte derrière lui.

— Bon sang! Ne me dites pas que vous êtes encore

en train de fureter partout pour retrouver l'assassin de ce pauvre York! Je vous ai déjà dit que je n'ai rien d'intéressant à vous apprendre. Et je vous le répète.

— Je suis sûr que vous n'avez pas conscience de savoir quelque chose, acquiesça Pitt.

— Que voulez-vous dire? releva Asherson, visiblement agacé. Je n'étais pas à Hanover Close le soir du crime et personne ne m'en a rien dit.

— J'ai appris un certain nombre de choses depuis notre première rencontre, expliqua Pitt en l'observant attentivement.

La lumière jaune des lampes à gaz accentuait l'expression renfrognée d'Asherson, soulignant d'ombres les méplats de son visage.

— Une femme inconnue semble jouer un rôle capital dans l'affaire.

Asherson écarquilla les yeux, stupéfait.

— Dans la mort de York? Ne me dites pas qu'il existe des cambrioleurs en jupons!

— Le cambriolage n'est peut-être que secondaire, Mr. Asherson, ainsi que le meurtre. Il est possible qu'ils aient été commis pour masquer le vol de documents confidentiels.

Asherson demeura impassible; pas un muscle de son visage ou de son corps ne frémit. Mais cette immobilité avait quelque chose d'artificiel. Le silence s'éternisait. Pitt entendait le chuintement du gaz dans les appliques murales et le crépitement du charbon dans la cheminée.

— Vol de documents? répéta enfin Asherson.

Pitt ignorait s'il devait trop en dire. Il décida d'éluder la réponse.

— Sur quel dossier Robert York travaillait-il, avant son décès?

Asherson hésita. S'il répondait qu'il n'en savait rien, Pitt serait bien obligé de le croire.

— L'Afrique... dit-il en se mordillant la lèvre. Le partage des territoires africains entre l'Allemagne et la Grande-Bretagne. Ou plutôt la répartition des sphères d'influence...

Pitt sourit.

— Je vois. Le dossier était-il confidentiel? Secret d'État?

Asherson parut inquiet, mais la naïveté de la question le fit sourire. Il répondit avec une pointe d'ironie :

— Cela va de soi! Grands Dieux, si les termes du traité que nous avons élaboré étaient connus des Allemands, nous perdrions notre position de force dans les négociations à venir! Et cela aurait de déplorables répercussions sur nos relations avec d'autres puissances étrangères, en particulier la France. Si les Français rendaient publics nos pourparlers, le reste de l'Europe nous empêcherait de conclure le traité.

— C'était il y a trois ans, remarqua Pitt, attentif.

— Une négociation n'aboutit pas en quelques mois, vous savez.

Pitt avait cru le voir hésiter; était-ce le signe d'un doute réel, ou bien de la ruse? Il lui semblait qu'Asherson lui mentait, du moins par omission. Pitt avait sa petite idée sur la question, mais il ne l'interrogea pas directement. Il fit comme s'il était au courant de la situation.

— Et justement des renseignements ont filtré... ce qui a compliqué les négociations.

— Oui, répondit Asherson avec lenteur. Mais seulement des bribes d'informations que l'ennemi aurait même pu deviner. Disons, des suppositions éclairées. Ils ne sont pas idiots.

Pitt voyait bien que son interlocuteur cherchait une échappatoire, mais qui voulait-il protéger? Robert York était mort. Se servait-il de lui comme d'un paravent pour protéger quelqu'un? Lui-même? Cerise? Veronica? L'un des membres de la famille Danver?

— En quelle occasion ces documents ont-ils pu être dérobés et transmis aux services secrets allemands? demanda Pitt. Car j'imagine que nous pouvons être certains qu'ils n'ont pas été donnés aux Français?

— Oh...

Asherson parut troublé.

— Aux Français, certainement pas. Quant aux Allemands, je l'ignore. Impossible de l'affirmer. Ce genre de renseignement n'est pas nécessairement utilisé tout de suite après avoir été reçu.

C'était vrai, mais Pitt était persuadé qu'une fois encore le diplomate cherchait à éluder la question. Asherson n'avait-il confiance en personne en dehors de son service ou protégeait-il quelqu'un ? Pitt tenta d'approcher le sujet par un autre biais.

— Cette disparition de documents a-t-elle sérieusement entravé les négociations ?

— Non, absolument pas. Comme je vous l'ai dit, les Allemands ont peut-être eu du flair. Ce ne sont pas les Français, c'est certain.

— Donc cela ne valait pas la peine d'assassiner quelqu'un...

— Pardon ? Je ne vous suis pas.

— Il n'était pas utile de commettre un meurtre pour dissimuler le vol des documents, répéta Pitt.

Asherson demeura silencieux, les lèvres pincées, puis reporta enfin son regard sur le policier.

— Vous devez vous tromper. Il s'agit d'un cambriolage qui a mal tourné.

Pitt secoua la tête.

— Non, Mr. Asherson. Certainement pas. S'il ne s'agit pas d'une affaire d'espionnage, alors nous sommes face à un homicide volontaire commis par quelqu'un de l'entourage de Robert York.

Asherson réfléchit. Son visage se détendit brusquement, comme s'il venait enfin de comprendre.

— Vous voulez dire que York connaissait le cambrioleur ? Celui-ci savait donc où trouver des pièces de valeur ?

— Non. Le prix des objets volés ne se monte qu'à une centaine de livres sterling, pas plus. Une fois au moulin, ils auraient encore perdu de leur valeur.

— Au moulin ?

— Une boutique de recel. Mais les pièces n'ont pas été revendues.

— Ah ? Pouvez-vous en être certain ?

— Oui, Mr. Asherson.

Le diplomate posa sur Pitt son étrange regard gris, puis baissa les yeux et parut se perdre dans ses réflexions. Encore une fois, Pitt attendit. Le silence s'installa. On entendit le bruit des pas d'un domestique qui traversait le vestibule et s'éloignait dans le couloir. La porte matelassée claqua lourdement.

Asherson prit enfin une décision. Il regarda Pitt.

— D'autres papiers ont disparu, dit-il à mi-voix. Des documents de la plus haute importance. Mais à ma connaissance, aucun n'a été utilisé par l'ennemi, jusqu'à présent. Dieu seul sait pourquoi.

Pitt ne fut pas autrement surpris par cette nouvelle information, qui ne lui apporta pourtant aucune satisfaction. Il avait espéré se tromper, et trouver une autre explication. Avait-il devant lui toute la vérité, ou une partie seulement ? En regardant la mine sombre d'Asherson, il se dit qu'au moins celui-ci ne lui mentait pas.

— Vous le sauriez d'une façon certaine ? demanda-t-il.

Cette fois, Asherson n'hésita pas.

— Oui. Des documents ont disparu pendant quelque temps ; puis les originaux ont été remplacés par des copies ; ne m'en demandez pas plus. Je ne peux vous en dire davantage.

— Les services secrets ennemis les utiliseront au moment propice, remarqua Pitt. Ils se disent peut-être que s'ils s'en servaient maintenant, vous connaîtriez leur source. Ils la protègent tant qu'elle leur est utile.

Asherson se laissa choir sur le bras d'un fauteuil.

— C'est absolument épouvantable ! J'espérais qu'il puisse s'agir d'une simple négligence de la part de Robert, mais s'il a vraiment été assassiné à cause de cela, je me trompais. Dieu, quelle tragédie !

— D'autres documents ont-ils disparu depuis son décès ?

Asherson secoua la tête.

— Non.

— Auriez-vous par hasard rencontré une très belle femme, grande, mince, brune, toujours vêtue de rouge cerise ?

Asherson le dévisagea avec incrédulité.

— Pardon ?

— Un rouge violacé, très criard.

— J'avais compris, merci !

Il ferma brusquement les yeux.

— Désolé. Non, je ne l'ai jamais vue. Que diable vient-elle faire dans cette histoire ?

— Selon toute probabilité, cette femme aurait usé de ses charmes pour persuader York de trahir son pays, répondit Pitt. Il avait peut-être une liaison avec elle.

Asherson parut très surpris.

— Robert ? Je ne lui ai jamais vu porter d'intérêt à une autre femme que la sienne. C'était un homme paisible, plein de discernement, aux goûts exquis. Pas un coureur de jupons. Et Veronica l'adorait.

— Tout porte à croire qu'il avait une personnalité à double facette, observa Pitt.

Il ne lui dirait pas que Veronica et Cerise étaient peut-être une seule et même personne. Si Asherson n'y avait pas pensé, cela ne l'aiderait en rien. Et au cas où Asherson serait un agent à la solde de l'ennemi, il n'était pas besoin de l'avertir qu'il le talonnait de près.

— Robert est mort, de toute façon, dit celui-ci en se levant. Qu'il repose en paix. Vous ne trouverez pas votre mystérieuse inconnue à Hanover Close. Navré de ne pouvoir vous aider.

— Vous m'avez beaucoup aidé, fit Pitt avec un sourire las. Merci de votre franchise, monsieur. Bonsoir.

Sans répondre, Asherson s'écarta pour le laisser passer. Un valet, sorti de l'ombre du vestibule, le raccompagna à la porte.

Dehors, le vent du nord avait chassé le brouillard. Il faisait nuit noire et les étoiles brillaient dans le ciel où s'effilochaient des traînées de fumée. L'eau avait gelé dans les flaques d'eau et les caniveaux. Pitt avançait à grands pas, d'une démarche presque militaire, faisant craquer la glace sous ses bottes.

Il gravit le perron du numéro deux, Hanover Close et actionna la cloche en cuivre. Lorsque le valet apparut, Pitt savait exactement ce qu'il avait à dire.

— Bonsoir. Pourrais-je parler à Mr. Piers York, s'il vous plaît ? J'aimerais lui demander la permission d'interroger le personnel. Il s'agit d'une affaire criminelle. C'est très urgent.

— Euh... Oui, monsieur, fit le garçon, pris au dépourvu. Entrez. Si vous voulez bien patienter dans la bibliothèque, elle est chauffée.

Quelques minutes plus tard, Piers York fit son apparition ; son visage d'ordinaire avenant arborait une expression inquiète.

— Eh bien, Pitt, fit-il en fronçant les sourcils, vous n'êtes pas revenu pour me parler de l'argenterie volée ?

— Non, monsieur, dit Pitt, espérant que York n'insisterait pas trop.

Celui-ci le dévisageait de ses petits yeux gris, vifs et intelligents. Pitt ne pouvait éluder sa réponse.

— Je viens vous parler de meurtre et de prévarication, monsieur.

— Balivernes ! s'exclama vivement York. Les domestiques ne connaissent même pas la signification de ce mot ! De plus ils ne quittent jamais cette maison, sauf deux demi-journées par mois.

Il haussa les sourcils.

— Suggérez-vous que des tractations ont eu lieu sous mon toit ?

Pitt savait qu'il s'aventurait sur un terrain dangereux. Les avertissements de Ballarat résonnaient encore à ses oreilles.

— Non, monsieur, mais je crois qu'un agent à la

solde de l'étranger s'est introduit ici à votre insu. L'une de vos femmes de chambre, Dulcie Mabbutt, a vu cette femme ; d'autres pourraient donc l'avoir vue aussi.

— *Cette femme ?* Grand Dieu ! Une femme ? Hélas, Dulcie ne pourra vous être d'un grand secours, la pauvre enfant. Elle est tombée d'une des fenêtres de l'étage ; elle est morte sur le coup. Je suis désolé, ajouta York avec tristesse.

Pitt croyait à sa sincérité. York n'était probablement au courant de rien. Il était banquier, et le seul, parmi toutes les personnes mêlées de près ou de loin à cette affaire, à ne pas travailler pour le Foreign Office. En outre, Pitt n'imaginait pas une espionne dépensant son énergie à séduire ce charmant sexagénaire. Seul un fat se serait mis dans une situation aussi ridicule.

— Je sais que Dulcie est morte, dit Pitt. Mais elle s'est peut-être ouverte à d'autres domestiques. Les femmes aiment se confier des secrets.

— Quand et où Dulcie a-t-elle vu votre inconnue ?

— Au milieu de la nuit, sur le palier du premier étage.

— Que diable faisait Dulcie en dehors de sa chambre à pareille heure ? Êtes-vous sûr qu'elle n'a pas rêvé ?

— Cette femme a été aperçue ailleurs, monsieur, et la description de Dulcie était suffisamment précise...

— Eh bien, allez-y, mon vieux, je vous écoute !

— Grande, mince, brune, très belle. Elle portait toujours des couleurs surprenantes, rouge cerise ou fuchsia.

— Vraiment ? Je ne connais personne correspondant à cette description.

— Puis-je interroger vos domestiques ? L'une d'elles était peut-être amie avec Dulcie. Ensuite, si vous me le permettez, j'irai m'entretenir avec votre belle-fille. Je crois que Dulcie était affectée à son service.

— S'il le faut... Allez-y.

— Merci, monsieur.

Pitt parla aux femmes de chambre chargées du service du rez-de-chaussée et de l'étage, à la camériste de Loretta York, aux filles de cuisine et enfin à la petite bonne à tout faire, mais il apparut que Dulcie, très discrète, n'avait rien dit de ce qu'elle avait vu. Pitt regretta la loyauté de la jeune fille, avec toutefois une pointe de satisfaction amère. Une personne vertueuse le demeure en toutes circonstances. Pitt réserva les questions concernant le décès de Dulcie pour Veronica. Si cette dernière était innocente, il serait cruel de l'interroger, mais l'heure n'était pas à la sensiblerie.

Pour une fois, Pitt eut de la chance : Loretta York était sortie. Veronica le reçut dans le boudoir.

— Je ne pense pas être en mesure de vous aider, Mr. Pitt, dit-elle gravement.

Elle était vêtue d'une robe vert sapin, qui soulignait sa minceur éthérée. Pâle, les traits tirés, elle resta à une certaine distance du policier, sans le regarder, les yeux fixés sur une marine entourée d'un cadre doré, accrochée au mur, en face d'elle.

— Je ne vois pas l'utilité de reparler de la tragédie qui nous a frappés il y a trois ans. Rien ne fera revenir mon mari à la vie ; nous nous moquons bien de l'argenterie et du livre volés. Nous préférerions que l'on ne nous rappelle pas constamment ce drame.

Pitt détestait ce qu'il était en train de faire, mais comment agir autrement ? Si, lors de sa première visite, il avait insisté davantage et s'était montré plus astucieux, il aurait peut-être obtenu des explications ; et, à l'heure qu'il était, Dulcie serait encore en vie.

— Je suis venu vous parler du décès de Dulcie Mabbutt, Mrs. York.

Elle se tourna vivement vers lui.

— Dulcie ?

— Oui. Cette jeune fille avait vu quelque chose de la plus haute importance. Comment est-elle morte, Mrs. York ?

Veronica ne cilla pas. Elle était déjà si pâle qu'il ne

put détecter aucune réaction chez elle autre que sa peine.

— Elle s'est penchée à une fenêtre et a perdu l'équilibre, expliqua-t-elle.

— Avez-vous été témoin du drame ?

— Non. C'était le soir, après la tombée de la nuit. Dans la journée, elle se serait rendu compte de ce qu'elle faisait et l'accident ne se serait pas produit.

— Pourquoi s'être penchée en avant ?

— Je l'ignore. Elle avait peut-être vu quelqu'un...

— Dans le noir ?

Veronica se mordit la lèvre.

— ... ou laissé tomber quelque chose.

Pitt n'insista pas. L'invraisemblance était déjà par trop criante.

— Qui se trouvait dans la maison ce soir-là, Mrs. York ?

— L'ensemble du personnel, mes beaux-parents, et quelques convives. Dulcie parlait peut-être par la fenêtre avec l'un des valets ou des cochers des invités.

— Dans ce cas, ils auraient aussitôt donné l'alarme.

Elle se détourna, rougissante.

— Oui, bien entendu.

— Qui étaient vos invités ? demanda-t-il par acquit de conscience, bien qu'il connût déjà la réponse.

— Mr. et Mrs. Asherson, Mr. Garrard Danver, Mr. Julian Danver, sa sœur et leur tante, Sir Reginald et Lady Arbuthnott, et Mr. et Mrs. Gerald Adair.

— L'une de ces dames, ou vous-même, portiez-vous une toilette couleur cerise ou fuchsia ?

— Pardon ? murmura-t-elle.

Son visage livide prit une teinte cireuse.

— Oui, un rouge très lumineux, répéta Pitt. Une sorte de rose foncé violacé, la couleur des cinéraires.

Elle déglutit ; ses lèvres formèrent le mot *non*, mais aucun son ne sortit de sa gorge.

— Dulcie avait aperçu, la nuit, sur le palier, une femme habillée de rouge..

Avant qu'il ait pu finir sa phrase, Veronica se mit à suffoquer et tomba en avant, les mains tendues pour se protéger, renversant une chaise au passage. Pitt vola à son secours, mais buta sur la chaise et manqua de tomber ; il ne put rattraper la jeune femme à temps. Il s'agenouilla à côté d'elle. Elle était inconsciente, recroquevillée sur le sol ; son teint avait la couleur de l'ivoire, à la lueur de la lampe à gaz. Il la souleva, non sans difficulté ; bien que légère comme une plume, c'était un poids mort. Il la coucha sur le canapé, arrangea ses jupes et agita violemment la sonnette.

Un valet apparut. Pitt lui ordonna d'aller chercher la femme de chambre en précisant que celle-ci n'oublie pas d'apporter des sels. Sa propre voix lui parut caverneuse et effrayée. Il devait endiguer l'émotion violente qui le submergeait ; il craignait d'avoir commis la bévue qui allait provoquer le scandale que Ballarat désirait à tout prix éviter. La mort de Dulcie l'avait bouleversé, et maintenant, il se sentait trahi, floué, parce qu'il ne souhaitait pas découvrir que Veronica était une criminelle. Toutefois, l'intrépide Cerise se serait-elle évanouie au premier soupçon porté sur elle ?

La porte s'ouvrit sur la camériste, une charmante jeune femme mince, blonde et...

Les murs de la pièce se mirent à tourner légèrement autour de lui.

— Dieu tout-puissant ! siffla-t-il entre ses dents. Emily !

Celle-ci porta sa main à sa bouche et laissa échapper la bouteille de sels.

— Thomas...

Une fois sa stupéfaction passée, Pitt laissa éclater sa colère.

— A présent, vous allez vous expliquer... grinça-t-il entre ses dents.

— Ne faites pas l'idiot, chuchota-t-elle. Baissez la voix, sinon vous allez ameuter tout le monde. Que lui est-il arrivé ?

Elle s'agenouilla près de Veronica, ouvrit le flacon de sels et l'agita doucement sous son nez.

— Elle s'est évanouie quand je lui ai parlé de Cerise, expliqua Pitt. Emily, partez d'ici immédiatement. Vous êtes folle ! Dulcie a été assassinée, vous pourriez être la prochaine victime !

— Je le sais, et je ne partirai pas, dit-elle en le fixant avec détermination.

Il la prit par le bras.

— Si, vous partirez.

Elle se dégagea de son étreinte.

— Non, Thomas ! Veronica n'est pas Cerise. Je la connais mieux que vous.

— Emily, je...

Trop tard. Veronica commençait à bouger. Elle ouvrit les yeux, assombris par l'horreur, puis la mémoire lui revint ; elle reconnut Pitt et Emily.

— Je vous demande pardon, Mr. Pitt, dit-elle lentement. Je ne me sens pas très bien. Je... je n'ai pas vu la personne dont vous parliez. Je ne peux vous aider.

— Je ne vous dérangerai pas plus longtemps, madame. Je vous laisse avec votre... femme de chambre. Je m'excuse de vous avoir dérangée, ajouta-t-il par courtoisie.

Emily sonna le valet. Quand celui-ci parut, elle lui demanda de raccompagner le policier à la porte et de dire à Mary d'apporter une tisane à Mrs. York.

Sentant Pitt darder sur elle un regard furibond, elle releva fièrement le menton.

— Merci, dit-il en suivant le valet.

Il prit un cab pour rentrer chez lui. A peine arrivé, il se précipita dans la cuisine.

— Charlotte ! Charlotte !

Elle se tourna vers lui, étonnée d'entendre une telle fureur dans sa voix, puis vit son visage décomposé par la rage.

— Vous étiez au courant ! tonna-t-il. Vous saviez qu'Emily travaillait chez les York ! N'avez-vous donc aucune cervelle !

Il savait qu'il avait tort de crier, mais il était trop hors de lui pour se contrôler. Charlotte soutint son regard sans ciller, puis baissa les yeux, un peu honteuse.

— Je suis désolée, Thomas. Quand je l'ai su, il était déjà trop tard, je le jure. Et je ne voyais pas l'utilité de vous en parler. Vous n'auriez rien pu faire.

Elle s'interrompit, puis ajouta avec un sourire timide :

— Là-bas, Emily apprendra certaines choses qui nous auraient échappé...

Renonçant à discuter, Pitt jura dans sa barbe, avant d'être à court de mots susceptibles d'être utilisés devant son épouse. Il accepta la tasse de thé qu'elle lui versait.

— Je me moque bien de ce qu'elle peut apprendre ! reprit-il avec force. Avez-vous songé un seul instant, en échafaudant vos plans stupides, au danger qu'elle courait ? Pour l'amour du ciel, Charlotte, réfléchissez ! Deux personnes ont déjà été assassinées dans cette maison ! Si Emily était démasquée, que pourriez-vous faire pour l'aider ? Rien ! Rien du tout !

Il tendit le bras vers elle.

— Elle est seule, là-bas, complètement isolée. La police ne peut intervenir. Bon sang, comment avez-vous pu être aussi stupide !

— Je ne suis pas stupide ! s'indigna-t-elle, les yeux brillants, les joues en feu. Je ne connaissais pas les projets d'Emily, je vous l'ai dit ! Je ne les ai appris qu'après !

— Ne me prenez pas pour un idiot ! C'est vous qui avez entraîné votre sœur dans cette aventure. Elle n'aurait jamais entendu parler de cette affaire si vous n'aviez pas commencé à y mettre le nez. A vous de la sortir de ce guêpier ! Écrivez-lui une lettre, exigeant qu'elle rentre chez elle !

— Cela ne servira à rien, expliqua Charlotte, déterminée. Elle refusera.

— Écrivez cette lettre, et tout de suite ! gronda-t-il. Ne discutez pas avec moi. Exécution !

Des larmes montèrent aux yeux de Charlotte, mais elle refusa de se soumettre.

— Elle ne m'écoutera pas ! répéta-t-elle, furieuse. Je connais le danger ! Ne croyez-vous pas que je le voie ! Et je sais que vous aussi, vous êtes en danger ! Et moi, je reste là, à la maison, à vous attendre. Chaque soir, je me demande où vous êtes, si vous êtes en sécurité — ou si vous n'êtes pas allongé, en sang, dans un caniveau.

— Cela n'a rien à voir avec Emily, répondit-il, légèrement radouci. Débrouillez-vous pour la sortir de là, Charlotte.

— Je ne peux rien faire. Elle refusera de m'écouter.

Trop emporté par la colère et trop inquiet, Pitt ne répondit pas.

7

Emily avait été prise de panique en apercevant Pitt dans le boudoir. Fort heureusement, les circonstances n'avaient pas permis à son beau-frère de laisser éclater sa colère, ni de la contraindre à quitter la maison. Sitôt Veronica revenue à elle, il avait dû garder le silence et prendre rapidement congé.

Après le départ du policier, Veronica était restée allongée sur le canapé, le dos appuyé sur des coussins, blanche comme une morte.

Emily la plaignait de tout son cœur, mais elle savait qu'elle tenait là l'occasion rêvée, pendant que Veronica était encore sous le choc, de lui faire avouer ce qui l'avait aussi profondément effrayée.

Elle se pencha vers elle et effleura sa main.

— Vous n'avez pas l'air bien, madame, fit-elle avec douceur. Que vous a-t-il dit ?

Elle fixait le visage livide de Veronica avec une telle intensité que celle-ci ne pouvait pas ne pas répondre.

— Je... je crois que je me suis évanouie, murmura-t-elle.

Emily s'excusa mentalement auprès de Pitt pour les mots injustes et malveillants qu'elle allait prononcer ; puis, avec toute l'habileté dont elle était capable, elle se composa une expression compatissante.

— Vous a-t-il menacée, madame ? Qu'a-t-il dit ? Il

n'a pas le droit ! Vous devriez signaler son attitude à ses supérieurs !

— Non, répondit vivement Veronica. Il s'est montré très poli. Je...

Elle se mordit la lèvre, hésitante. Son regard croisa celui d'Emily ; elle faillit parler. La tentation de se confier était si grande qu'Emily pouvait suivre dans ses yeux le fil de sa pensée, où le doute rivalisait avec l'angoisse.

Emily retint son souffle.

Mais l'instant tant espéré ne vint pas. Veronica détourna la tête. Les larmes jaillirent de ses yeux et coulèrent sur ses joues. Elle s'appuya sur les coussins et ferma les paupières.

Emily mourait d'envie de la prendre dans ses bras, de lui dire qu'elle comprenait sa douleur, qu'elle aussi avait perdu son mari dans des circonstances tragiques où une haine farouche n'avait eu d'autre exutoire que dans le meurtre. Elle avait connu l'appréhension grandissante, la frayeur devant un monde devenu soudain incompréhensible, plein de secrets parfois hideux, et la peur que la vérité soit telle que l'on ne puisse la supporter ; sans oublier la terreur de devenir la prochaine victime, l'angoisse d'avoir agi de façon irréfléchie ou commis une négligence ayant conduit au drame, et surtout, surtout, ce sourd sentiment de culpabilité qui s'accroît chaque jour davantage.

Emily avait également craint d'être soupçonnée par la police. Une femme jalouse n'est-elle pas un suspect idéal ?

Que redoutait donc Veronica ? Avait-elle deviné que Pitt s'approchait de la vérité ? S'était-elle évanouie, se croyant démasquée ? Ou s'inquiétait-elle pour quelqu'un qu'elle protégeait ? Julian Danver, par exemple. Pitt abordait en général les problèmes de biais, en s'attaquant au maillon le plus fragile de la chaîne : non pas directement le meurtrier supposé, mais la personne la plus susceptible de céder à la pression d'un interrogatoire.

Veronica craignait-elle que des membres de la famille de son mari la croient, ou pis encore, la souhaitent coupable du meurtre, comme cela avait été le cas pour Emily ? Était-ce là l'explication de la haine de Loretta pour sa belle-fille ? Pensait-elle vraiment qu'elle avait tué son fils ? Prenait-elle sa revanche à sa façon, lentement, jour après jour, tournant et retournant le fer dans la plaie, guettant patiemment la phrase révélatrice qui lui donnerait la preuve absolue de sa culpabilité ? Une torture bien plus raffinée que la corde du bourreau, un châtiment que Loretta pouvait administrer elle-même, en surveillant sa proie.

Veronica redoutait-elle Cerise ou, en dépit de sa peur, était-elle la femme en rouge ? Craignait-elle ses commanditaires, à présent que les mailles du filet se resserraient sur elle ?

De toute façon, il ne servait plus à rien de la presser de questions. Le moment de vérité était envolé ; Emily savait qu'il aurait été stupide de se montrer trop curieuse. La pensée que Veronica pût être l'assassin lui donna la nausée. Elle ne pouvait s'empêcher de l'apprécier, voire de s'identifier à elle, tout en rageant contre sa propre incapacité à comprendre la situation. Son tempérament passionné la poussait à vouloir protéger les victimes et punir les coupables, qu'ils soient meurtriers ou simplement méchants ; mais elle était incapable de discerner les seconds des premiers.

— Voulez-vous monter dans votre chambre, madame ? Avant que quelqu'un n'arrive et...

Elle s'interrompit, réalisant qu'elle allait trop loin.

Veronica la comprit fort bien. Elle se leva du canapé, encore vacillante.

— Oui, je préfère...

Le nom de Loretta ne fut pas mentionné ; il flottait dans l'air, entre elles deux ; chacune savait que Loretta ne devait pas trouver sa belle-fille allongée sur le canapé, mais il ne convenait pas de le dire à haute voix. Lentement, côte à côte, elles quittèrent le boudoir, traversèrent le vestibule et montèrent à l'étage.

Ce soir-là, Edith ayant encore eu un de ses mystérieux malaises dont elle était coutumière, la gouvernante chargea Emily de sortir les robes de Veronica et de Loretta pour le dîner.

— Pauvre Edith, elle devrait voir un médecin, remarqua Emily d'un ton mielleux. Dois-je demander à Mrs. York d'appeler le docteur ? Elle le ferait certainement ; elle pense tellement de bien d'Edith.

La petite Fanny se mit à glousser, mais s'arrêta net devant le regard furibond de Mrs. Crawford.

— Ce n'est pas à vous de nous dire ce que nous devons faire ou ne pas faire, miss ! remarqua sèchement la gouvernante. Nous appellerons un médecin si nécessaire ! Vous êtes bien trop prompte à donner des conseils !

Emily affecta un air d'innocence blessée.

— Je ne cherchais qu'à rendre service, Mrs. Crawford, puisque je dois aller m'occuper de Mrs. York. Cela vous aurait épargné de monter à l'étage.

— J'irai où il me plaira, miss, et cela ne vous regarde pas !

— Voyons, Amelia ne pensait pas à mal en disant cela, intervint le majordome, pour calmer les esprits. Et nous devrions peut-être appeler un docteur pour soigner les malaises d'Edith. Elle a plus de vapeurs qu'une locomotive !

Libby, prise de fou rire, glissa à moitié de son siège.

— Oh, vous avez beaucoup d'esprit, Mr. Redditch ! s'exclama Bertha d'un ton admiratif.

Nora émit un grognement. Elle avait remarqué que Bertha en pinçait pour Redditch ; ayant elle-même essayé de le séduire et ayant échoué, elle considérait les avances de Bertha avec mépris. Elle avait l'intention de faire mieux que d'épouser un majordome — Bertha pouvait l'avoir, grand bien lui fasse ! Elle ne passerait pas le reste de son existence à travailler chez les autres. Un jour, elle aurait sa propre maison, avec du beau linge, des couverts en argent, et une bonne sous ses ordres.

Redditch eut un petit sourire satisfait ; il était toujours agréable d'être admiré.

— Contrôlez-vous, Libby, dit-il d'un ton sentencieux. Il ne faut pas rire du malheur des autres. Je pense qu'Amelia a raison, Mrs. Crawford. Il faudrait en parler à Mrs. York.

— Oui, Amelia, acquiesça Nora avec un reniflement. Pourquoi ne le fais-tu pas toi-même ?

Joan ouvrit la bouche comme pour dire quelque chose, puis changea d'avis et regarda fixement Emily en secouant très légèrement la tête, pour la prévenir de n'en rien faire.

— Combien de combinaisons roussies aujourd'hui ? ironisa Nora à l'adresse d'Emily.

— Aucune, merci. Et toi, as-tu renversé la soupe ?

— Absolument pas ! Je connais mon travail, moi !

— Tu n'as pas toujours été aussi adroite, remarqua Albert avec une satisfaction vengeresse. Je me souviens du jour où tu avais laissé tomber une pomme de terre brûlante sur les genoux de l'ambassadeur de France.

A son avis, cette Nora avait besoin qu'on lui rabatte son caquet. Il avait essayé d'être en bons termes avec elle, mais madame se trouvait trop bien pour un jeune valet. Et elle l'avait rembarré ouvertement devant la petite bonne.

— Je me souviens aussi de toutes tes bêtises ! répliqua vertement Nora. Par laquelle veux-tu que je commence ?

— Par celle que tu voudras, répondit Albert d'un air désinvolte, mais il était devenu tout rouge.

— Alors allons-y ! Un jour, tu as marché sur la traîne de Lady Wortley. J'entends encore le bruit du taffetas qui se déchirait.

Redditch décida de reprendre la situation en main. Il se redressa sur sa chaise et leur lança un regard noir.

— Suffit, vous deux ! Je ne veux pas entendre d'injures ! Et on ne se mêle pas du travail des autres. Nora, ce que tu as dit ne doit pas se dire !

Celle-ci fit un pied de nez et une grimace derrière son dos.

Emily se leva.

— Attention, Nora, si tu continues, tu vas rester comme ça, dit-elle, trahissant le geste de la soubrette. Bon, il est temps que j'aille à l'étage.

— Avec deux personnes à habiller, vous êtes déjà en retard, remarqua la gouvernante. Vous auriez dû monter depuis un quart d'heure.

— J'ignorais qu'Edith serait encore prise de malaise, riposta Emily. Évidemment, j'aurais dû m'en douter, vu qu'elle en fait un tous les jours à cette heure-ci.

— Assez d'impertinences ! Tenez votre langue, miss, sinon vous vous retrouverez à la rue, et sans références !

— Dans ce cas-là, t'auras plus qu'une façon de gagner ta vie, renchérit Nora avec méchanceté. Y a qu'à voir ce qui est arrivé à Daisy. Et tu trouverais pas beaucoup d'amateurs, maigre et pâlichonne comme tu es...

— Toi, en revanche, tu ferais parfaitement l'affaire, rétorqua Emily du tac au tac. Tu as tout à fait la tête de l'emploi. Tu perds ton temps ici, à mon avis...

Nora devint cramoisie.

— Je... je n'ai jamais été autant insultée de ma vie !

Elle se leva d'un bond et sortit de la pièce en claquant la porte. Albert se mit à glousser et Libby cacha sa figure dans son tablier. Seule la petite Fanny ne rit pas ; elle savait d'instinct jusqu'où pouvait mener une jalousie féroce.

Emily quitta la pièce, triomphante, mais à peine franchi le seuil de la porte, elle entendit chuchoter derrière son dos.

— Elle vaut pas cher, celle-là, avec ses airs de duchesse, et sa voix pleine de chichis, disait la gouvernante. Il va falloir qu'elle s'en aille, vous m'entendez ?

— Cessez de dire des bêtises, intervint Redditch. Cette fille a de la repartie, c'est tout. Nora fait sa belle depuis trop longtemps ici ; il était temps qu'elle trouve quelqu'un à sa mesure. Elle jalouse Amelia parce qu'elle est jolie.

— Jolie ? Amelia ? ricana Mrs. Crawford. Des cheveux filasse, maigre comme un chat écorché, blanche comme un navet. Si vous voulez mon avis, elle est pas en bonne santé.

— En tout cas, elle se porte mieux qu'Edith ! souligna Redditch avec une évidente satisfaction.

Emily entendit Mrs. Crawford suffoquer d'indignation ; elle ferma doucement la porte, longea le couloir, poussa la porte matelassée et monta à l'étage pour sortir la robe de Veronica et l'étaler sur le lit, avant de se rendre dans la chambre de Loretta York. Celle-ci l'attendait. Elle lui donna quelques vagues instructions, d'un air absent, puis soudain, parut se décider à parler.

— Amelia ?

Le ton de sa voix avait changé. Était-il plus péremptoire ou plus inquiet ?

— Oui, madame ?

— Miss Veronica est-elle souffrante ce soir ?

Emily réfléchit avant de répondre. Elle regrettait de ne pas en savoir davantage sur les relations de Loretta avec son fils. Veronica avait-elle fait un mariage de convenance arrangé par sa future belle-mère ? Ou les deux jeunes gens étaient-ils tombés amoureux l'un de l'autre, contre sa volonté ? Elle était peut-être une de ces mères possessives pour lesquelles aucune femme ne mérite d'épouser leur fils.

— En effet, madame, je crois qu'elle se sent fatiguée, répondit-elle, prudente. Je ne me suis pas permis de lui poser la question, par discrétion.

Veronica prétendrait peut-être qu'elle se sentait très bien. Emily ne voulait pas lui causer d'ennuis, en trahissant ses états d'âme. Si elle voulait apprendre quelque chose, elle devait mériter sa confiance.

Loretta était assise devant sa coiffeuse ; ses grands yeux bleus avaient une expression soucieuse. Ses cheveux bouclés retombaient en cascade, encadrant l'ovale parfait de son visage au teint lumineux.

— Amelia, je dois vous avouer quelque chose, dit-elle en regardant Emily dans le miroir. Ma belle-fille n'est pas en très bonne santé. Elle a besoin de soins, peut-être davantage qu'elle ne le croit. J'espère que vous m'aiderez à la protéger. Je tiens beaucoup à son bonheur, vous comprenez. Elle était certes l'épouse de mon fils, mais depuis que nous vivons sous le même toit, nous sommes devenues très proches.

Emily tressaillit. Un instant, elle avait été comme hypnotisée par ce regard bleu qui la fixait sans ciller.

— Oui, madame, acquiesça-t-elle, hésitante.

Cette prétendue intimité n'était sans doute qu'une fable, à moins que le sentiment violent unissant les deux femmes fût un mélange d'amour, de dépendance et de ressentiment. Que répondre ? Elle devait se comporter en femme de chambre, sans toutefois perdre une occasion d'en apprendre davantage. Loretta était-elle au courant de la visite de Pitt ? Emily ne devait pas être prise en flagrant délit de mensonge, sous peine de se faire renvoyer. Tout son plan échouerait.

— Je ferai mon possible, madame, répondit-elle avec un sourire tendu. Pauvre Miss Veronica, elle semble...

Terrifiée était le juste adjectif. Mais terrifiée par quoi ?

— ... si fragile, conclut-elle, à court de mots.

— Ah ? Et qu'est-ce qui vous fait dire ça, Amelia ?

Emily se sentit ridicule ; ne pouvant dire la vérité, il ne lui restait que des réponses niaises. Loretta cherchait-elle à tester sa loyauté, pour voir si elle allait lui parler de l'évanouissement de Veronica, dont Albert avait été témoin et qu'il lui avait peut-être déjà rapporté ? N'ayant pas le temps de réfléchir, elle répondit d'instinct :

— Elle a eu un léger malaise cet après-midi, madame, mais elle s'est très vite sentie beaucoup mieux.

Un malaise n'avait rien d'exceptionnel : les dames

défaillaient souvent à cause de leurs corsets étouffants ou de robes trop serrées à la taille.

Loretta s'arrêta de jouer avec les épingles à cheveux disposées dans un petit plateau d'argent sur la coiffeuse.

— Ah? Je l'ignorais. Merci de m'avoir prévenue, Amelia; vous avez bien fait. A l'avenir, vous me tiendrez informée de la santé de Miss Veronica, afin que je puisse lui apporter mon aide. Elle vit une période importante de son existence. Elle va bientôt épouser un gentleman. Je dois veiller à ce que rien ne compromette son bonheur. Vous me comprenez, Amelia?

— Oui, madame, fit Emily avec un sourire hypocrite. Je ferai tout ce que je peux pour vous aider.

— Bien. A présent, occupez-vous de mon chignon, et dépêchez-vous, car ensuite il faudra aller coiffer Miss Veronica.

— Oui, madame. Edith a encore eu un malaise, je crois.

Elle croisa le regard de Loretta dans le miroir et, à son grand étonnement, y vit passer une lueur amusée. Cette femme possédait une perspicacité fort dérangeante...

— Edith sera tout à fait rétablie demain matin, répondit Loretta. Je vous le promets.

Edith se leva en effet dès potron-minet et de fort méchante humeur. Elle avait dû subir des remontrances et en tenait Emily pour responsable. Pour se venger, elle la suivit partout, surveillant son travail, en particulier le repassage qu'elle savait être son point faible, ne laissant rien passer, si bien qu'Emily, exaspérée, perdit patience et la traita de grosse fainéante faiseuse d'histoires, ajoutant que si elle mettait autant d'énergie à faire son travail qu'à critiquer celui des autres, personne n'aurait besoin de le faire à sa place.

Furieuse, Edith lui lança un seau d'eau froide à la figure. Le premier réflexe d'Emily fut de penser à lui rendre la monnaie de sa pièce en la giflant à toute volée. Mais ce geste lui vaudrait un renvoi immédiat, et son enquête en resterait là. Elle décida donc de ne pas réagir et s'immobilisa, trempée et grelottante au milieu de la lingerie. Joan, qui avait entendu crier, apparut sur le seuil et vit Edith, le seau à la main et Emily, figée dans une attitude quelque peu pathétique.

« Que penserait ma mère en me voyant dans un tel état ? » songea Emily. La situation était tellement absurde qu'elle faillit éclater de rire. Sentant qu'elle perdait son sang-froid, elle releva son tablier et s'en couvrit le visage, étouffant dans ses plis le fou rire qui la gagnait.

Joan disparut. Deux minutes plus tard, le majordome arriva, rouge de colère, les favoris hérissés.

— Edith ! Mais qu'est-ce qui te prend ? Tu vas terminer le repassage des draps et rester ici jusqu'à ce que Mrs. York ait besoin de toi.

— C'est pas mon travail ! répliqua Edith, offensée.

— Silence ! Fais ce que je te dis. Et pas d'impertinence, sinon pas de repas ce soir, et demain non plus !

Il se tourna vers Emily et passa un bras autour de son épaule d'une façon un peu trop appuyée.

— Allez ôter ces vêtements mouillés. Mary vous préparera une bonne tasse de thé. Vous n'êtes pas blessée. Tout ira bien. Allons, Amelia, ne pleurez pas, vous allez vous rendre malade.

Emily se demandait si elle pourrait suivre son conseil ; un fou rire hystérique, proche des sanglots, ne s'arrête pas aussi facilement. Après ces journées et ces nuits de solitude, de froid, de tension permanente, conjuguées à l'étrangeté de la situation, c'était un soulagement de pouvoir se laisser aller. Elle sentait le bras de Redditch autour de ses épaules, un bras masculin étonnamment puissant et chaleureux. Elle s'y appuya un instant, puis songea avec horreur qu'il pourrait mal interpréter ce geste. Elle avait déjà remarqué qu'elle lui plaisait beaucoup et qu'il l'avait plus d'une fois défendue. « Surtout, garde la tête froide, ma fille ! » se morigéna-t-elle.

Elle se ressaisit, renifla vigoureusement, laissa tomber son tablier et se redressa.

— Merci, Mr. Redditch. Vous avez raison : ce n'est rien, seulement le choc dû à l'eau froide.

Elle se souvint qu'une domestique n'était pas censée tenir ses distances, comme le ferait une dame.

— Encore merci. Vous êtes très gentil.

Le majordome la lâcha, à regret.

— Êtes-vous sûre que tout ira bien ?

— Oh oui, oui ! Merci !

Elle s'écarta lentement, les yeux baissés. C'était grotesque ! Voilà qu'elle le considérait comme un homme, et non comme le chef du personnel ! Mais après tout, n'était-il pas un homme, comme tous les autres ?

— Merci, Mr. Redditch, répéta-t-elle. Je vais monter me changer. Je suis gelée ! Un tasse de thé me fera du bien.

Elle se détourna et s'enfuit précipitamment dans le couloir.

Lorsqu'elle redescendit à la cuisine, tout le monde était au courant de l'incident. Elle fut accueillie par des regards étonnés, des chuchotements et quelques ricanements. Mary lui apporta une tasse de thé fumant et s'assit à ses côtés.

— Ne fais pas attention à eux, lui dit-elle à l'oreille. C'est vrai que tu as traité Edith de tous les noms ? ajouta-t-elle d'une voix presque inaudible. Qu'est-ce que tu lui as dit ?

Emily prit la tasse d'une main encore tremblante.

— « Grosse feignante », chuchota-t-elle. Mais ne le répète à personne. Mrs. Crawford me ferait renvoyer. J'imagine qu'Edith travaille ici depuis des années.

— Non, fit Mary en se rapprochant. Elle n'est là que depuis deux ans, et Mrs. Crawford depuis trois.

— C'est curieux, tout le personnel est nouveau, remarqua Emily ingénument. Comment ça se fait ?

— Non, j'ai rien vu, dit-elle avec une pointe de regret. On voit jamais les gens importants à l'office. A l'époque, j'étais fille de cuisine ; j'en sortais presque pas.

— Tu n'as pas quelquefois remarqué des gens bizarres, à l'étage ? Des étrangers à la maison ?

— Non, jamais.

— A quoi ressemblait Mr. Robert ? Les autres ont dû t'en parler.

Mary plissa le front.

— Dulcie disait qu'il était différent... très ordonné, toujours poli. Bon, polis, ils le sont tous, mais Mr. York, par exemple, il laisse traîner ses affaires partout et il oublie tout ! Je sais que Mr. Robert sortait beaucoup. James, qui était son valet à l'époque, n'arrêtait pas de dire : « Mr. York est encore sorti. » Mais c'était à cause de son travail. Je crois qu'il avait un poste important dans un ministère.

— Qu'est devenu James ?

— Mrs. York a décrété qu'on avait plus besoin de lui, puisque Mr. Robert était mort. Elle l'a renvoyé le lendemain avec une lettre de recommandation pour Lord je-sais-plus-qui...

— Mrs. York... Tu parles de Mrs. Loretta ?

— Évidemment. Miss Veronica était pas en état de faire quoi que ce soit, la pauvre. Elle pleurait tout le temps. Ça faisait peine à voir. Elle adorait Mr. Robert. Attention, j'ai pas dit que Mrs. Loretta était pas dans tous ses états. Elle était blanche comme un linge, on aurait dit un fantôme.

Mary se pencha si près qu'Emily sentit ses cheveux lui chatouiller l'oreille.

— Dulcie m'a dit qu'elle l'entendait pleurer la nuit, mais elle osait pas entrer dans sa chambre. De toute façon, elle aurait rien pu faire. Faut bien pleurer les morts, c'est normal.

— Bien sûr, renchérit Emily.

Soudain, elle se sentit intruse dans cette maison frappée par le deuil, à tromper son monde en jouant les fausses servantes. Pas étonnant que Pitt ait été aussi furieux ! Il devait mépriser cette mascarade.

— Allons, mesdemoiselles ! fit la voix de Mrs. Melrose. Finissez votre thé, Amelia. Mary a du travail, si vous n'en avez pas. Et à votre place, je tiendrais ma langue, ma fille. Ne faites pas votre maligne. Edith est paresseuse, tout le monde le sait. Vous vous en êtes bien sortie aujourd'hui, mais vous vous êtes fait des ennemies. Terminez votre tasse et sortez de ma cuisine.

C'était un excellent conseil. Emily remercia la cuisinière et obéit à son ordre avec une rapidité qui les surprit toutes deux.

Les deux journées suivantes furent très pénibles. Edith nourrissait à l'encontre d'Emily un ressentiment d'autant plus vif qu'elle n'osait le manifester ; Emily savait qu'elle attendait l'heure de sa vengeance. Mrs. Crawford avait l'impression d'avoir été déchue de son autorité et, de ce fait, ne cessait de trouver à redire au travail d'Emily, ce qui déclencha les remontrances du majordome... Bref, toute la domesticité était sur les nerfs. La lingerie devint son refuge, puisque, encore une fois, Edith s'était arrangée pour éviter la corvée de repassage. Elle s'était prétendument foulé le poignet et ne pouvait donc soulever le fer à repasser. Mrs. Crawford lui passa ce caprice, mais ne put empêcher Redditch d'appliquer les sanctions promises ; ils prirent deux repas sans qu'Edith apparût à table. Mrs. Melrose semblait avoir fait un effort particulier sur le plan culinaire. Comme de coutume, les domestiques finirent les bonnes bouteilles du cellier. Le soir, après dîner, ils burent du chocolat chaud et jouèrent aux cartes, toujours en l'absence d'Edith.

Le souci immédiat d'Emily était d'éviter les avances de Redditch sans heurter ses sentiments et, par là même, s'aliéner sa protection. Ce fut un exercice fort délicat, pour elle qui n'avait jamais eu à se montrer aussi diplomate! Elle trouva une échappatoire en s'occupant de Veronica avec un zèle accru.

Voilà pourquoi elle se trouvait dans le boudoir, au milieu de l'après-midi, quand Nora annonça à Mrs. York qu'un certain Mr. Radley attendait au salon et demandait si elle acceptait de le recevoir.

Emily se sentit rougir jusqu'aux oreilles; le livre qu'elle lisait à haute voix lui tomba des mains. Tout ceci avait commencé comme une aventure, mais elle n'avait pas vraiment envie que Jack la vît déguisée en femme de chambre. Sa coiffure, cheveux tirés en arrière en chignon strict, la flattait fort peu; le rouge à joues était interdit et, comme elle ne sortait pas, dormait mal, et se levait à l'aube, elle avait la mine blafarde et les yeux cernés. Mrs. Melrose n'avait peut-être pas tort de dire qu'elle ressemblait à un chat écorché! Veronica était maigre, mais ses superbes toilettes soulignaient sa fragile beauté et rehaussaient la pâleur de son teint.

— Très volontiers, répondit Veronica en souriant. C'est gentil à lui de me rendre visite. Miss Barnaby l'accompagne-t-elle?

— Non, madame. Dois-je le faire entrer?

Nora lança un rapide coup d'œil en direction d'Emily, lui signifiant de s'en aller.

— Oui, bien entendu. Et dites à Mrs. Melrose de préparer du thé, quelques sandwiches et des petits gâteaux.

— Bien, madame.

Nora tourna les talons et sortit de la pièce en faisant virevolter ses jupes avec humeur. Une femme de chambre n'avait pas sa place dans un boudoir, où l'on risquait de rencontrer des gentlemen. Ce privilège était réservé aux soubrettes.

Jack entra quelques minutes plus tard, le sourire aux lèvres, élégant et plein d'entrain. Il ne jeta pas un regard à Emily; en revanche, sa physionomie s'illumina à la vue de Veronica, qui lui tendit la main. Emily se sentit affreusement rejetée, comme s'il l'avait giflée.

Réaction stupide de sa part : s'il lui avait parlé, il aurait tout gâché et elle lui en aurait voulu. Il jouait son rôle à la perfection, l'ignorant, comme on ignore toujours un domestique. Elle en était mortifiée !

— C'est très aimable à vous de me recevoir, dit-il avec chaleur. J'aurais dû vous faire parvenir ma carte, mais je suis venu sur un coup de tête. Comment allez-vous, ma chère ? J'ai entendu parler du drame survenu il y a quelques jours. J'espère que vous êtes remise ?

Veronica serra très fort sa main.

— Oh, Jack, c'est terrible. Cette pauvre Dulcie est tombée par la fenêtre et s'est écrasée sur le trottoir. Je ne comprends pas comment cela a pu se produire. Personne n'a rien vu !

Jack ! Elle l'avait appelé par son prénom, si naturellement, après tout ce temps ! Pourquoi ne l'avait-il pas épousée ? A cause de sa pauvreté ? Les parents de Veronica avaient pu refuser une alliance avec un jeune homme sans avenir. Leur préférence était allée à Robert York, riche héritier à la carrière prometteuse. Veronica aurait-elle préféré Jack ? Et, question plus importante encore, l'aurait-il préférée, elle ?

Ils bavardaient comme si Emily n'existait pas ; elle aurait tout aussi bien pu faire partie des meubles. Veronica regardait Jack, les joues rosies ; Emily ne lui avait jamais vu un air aussi heureux. Sa chevelure noire et soyeuse brillait à la lumière. Elle était vraiment très belle, avec ses grands yeux noirs et son visage intelligent et passionné. Emily était prise dans un tourbillon d'émotions qui lui nouaient la gorge. En tant que femme de chambre, elle aimait bien Veronica et avait pitié d'elle car elle la devinait terriblement malheureuse. Il lui apparut soudain avec clarté, alors qu'elle était assise là, stupide, à regarder Jack, que Veronica était soumise à une lente torture intérieure, qui empirait chaque jour davantage. Pleurait-elle toujours la mort de son mari ? Avait-elle peur parce qu'elle connaissait — ou ignorait — quelque terrible secret, et que cette incertitude gâchait son existence ?

Emily était malade de jalousie. Cette même jalousie qui l'avait dévorée quand George était tombé amoureux de Sybilla March, en constatant que l'homme qu'elle aimait courtisait avec assiduité une autre femme. C'était une douleur qui ne ressemblait à aucune autre ; le fait que George ait rompu avec Sybilla la veille de sa mort n'avait pas balayé le souvenir cuisant du sentiment de rejet qu'elle avait éprouvé. La blessure n'avait pas eu le temps de se cicatriser.

Emily ne pouvait s'empêcher de voir en Veronica une rivale. Sa rencontre avec Jack, l'été précédent, avait été un divertissement ; au départ, il n'était qu'un jouet charmant avec lequel elle s'amusait ; puis, progressivement il était devenu un ami dont la compagnie lui était désormais plus précieuse que toute autre, excepté celle de Charlotte. A présent qu'il faisait partie de son existence, elle ne pouvait le perdre sans ressentir une profonde solitude.

Il parlait et riait avec Veronica ; Emily n'avait même pas le droit d'ouvrir la bouche et encore moins de chercher à attirer son attention. A tout autre moment, cela lui aurait permis de réfléchir à la tragique condition de domestique, condamnée à regarder les autres vivre ; mais à cette minute, elle était si furieuse et blessée qu'elle ne pensait qu'à elle. Il lui fallait s'éclipser. Une femme de chambre ne reste pas en présence des invités. Sans s'excuser — cela eût été déplacé — elle se leva et quitta la pièce.

Jack ne tourna même pas la tête dans sa direction. Arrivée à la porte, elle se retourna pour le regarder, mais il souriait à Veronica. « Comme si j'étais invisible », songea Emily.

Charlotte eut très peur quand Pitt lui expliqua avec précision le danger auquel s'exposait sa sœur. Cependant elle ne pouvait voler à son secours. Même si elle se rendait chez les York le plus souvent possible, elle ne pourrait aider Emily à servir le thé et à préparer les sandwichs au concombre ! Seul élément positif après la visite de Pitt : selon toute apparence, Veronica n'était pas Cerise ; elle ne possédait pas le sang-froid dont est supposée faire preuve une aventurière.

Charlotte revint sur le sujet le lendemain, espérant apaiser la tension qui régnait entre eux depuis que Pitt était revenu, furieux, d'Hanover Close.

— Si Cerise est une espionne, ne devons-nous pas la démasquer, dans l'intérêt du pays ?

— Non, *nous* ne devons pas la démasquer. *Je* dois la démasquer, souligna-t-il avec aigreur.

— Thomas, Emily et moi pouvons vous aider. Vous n'apprendrez rien de ces gens, précisément parce que vous êtes policier. Avec nous, au contraire, ils ne sont pas sur leurs gardes. Ils s'imaginent que nous sommes stupides et ne prennent pas la peine de nous mentir.

Pitt haussa les sourcils, poussa un grognement et lui lança un regard qui en disait long sur ses pensées. Mieux valait laisser momentanément le sujet de côté et changer de conversation, sinon il serait bien capable de lui interdire de retourner chez les York ! Charlotte ne souhaitait pas lui désobéir et tenait à éviter une nouvelle querelle. Il était impensable qu'elle abandonnât sa sœur face au danger, mais aucun argument ne pourrait convaincre Pitt ; et si elle se montrait trop docile, il aurait des soupçons !

Le lendemain matin, dès que Pitt eut quitté la maison, Charlotte écrivit à Jack Radley et demanda à Gracie de faire partir la lettre au courrier de dix heures. Puis elle se lança dans du repassage et mûrit un plan de campagne.

Il lui fallut deux jours pour le mettre au point. Entre-temps, Jack vint lui rendre compte de sa visite à Veronica York : à son arrivée, Emily se trouvait dans le boudoir, mais l'avait rapidement quitté. Il s'était juste permis de lui lancer un bref coup d'œil ; elle lui avait paru pâle et triste. Charlotte en fut désolée, mais le souci que

Jack se faisait pour sa sœur la rassura. Sous ses airs superficiels et mondains, elle devina l'être sensible qu'il était et cela lui fit grand plaisir. Le danger que courait Emily était l'occasion de révéler la profondeur de ses sentiments à son égard.

C'est pourquoi, ce samedi-là, en début d'après-midi, elle se rendit, pleine d'euphorie, au domicile d'Emily. Elle emprunta une de ses robes, qu'elle fit allonger et élargir par la camériste, car elle était plus grande, et plus forte de poitrine, que sa sœur. De couleur brun mordoré, elle soulignait sa carnation lumineuse et les reflets cuivrés de sa chevelure. Charlotte choisit un petit chapeau bordé de fourrure et un manchon assorti, puis s'examina dans une glace : elle s'était rarement trouvée aussi élégante dans une tenue d'hiver.

Elle avait écrit à Veronica, qui, par retour du courrier, lui répondit qu'elle se ferait un plaisir de la recevoir. Charlotte se rendit à Hanover Close dans l'attelage d'Emily, en priant pour que personne ne le remarque. Si on lui posait des questions, elle pourrait toujours expliquer que Lady Ashworth, étant partie quelque temps en province, lui avait prêté sa voiture.

Veronica l'attendait dans le petit salon. Son visage s'éclaira à sa vue.

— Quel plaisir de vous voir, Miss Barnaby ! dit-elle en se levant. Je suis si heureuse que vous soyez venue. Asseyez-vous, je vous prie. Quel froid terrible, n'est-ce pas ? Malgré tout, j'ai très envie de me promener en voiture, pour me changer un peu les idées. A moins que vous ne préfériez retourner à l'exposition d'hiver ?

Elle guetta la réponse de Charlotte, le regard suppliant.

— Une promenade ? Excellente idée, répondit celle-ci en souriant.

Ce n'était pas ce qu'elle avait prévu, mais cela pouvait servir l'enquête ; elle devait tout faire pour garder l'amitié de Veronica. Seule dans la voiture, sûre de ne pas être dérangée, la jeune femme pourrait se laisser aller à quelques confidences

— Cela m'amuserait beaucoup, ajouta-t-elle pour faire bonne mesure.

La silhouette gracile de Veronica se détendit. Elle sourit.

— Oh, je suis si contente! Puis-je me permettre de vous appeler par votre prénom, Elisabeth? Vous pouvez m'appeler Veronica.

Charlotte tressaillit. Elle avait failli oublier son nom d'emprunt!

— Bien sûr, répondit-elle après une brève hésitation, avant d'ajouter, de peur que Veronica ne se vexe : C'est très gentil à vous. Où aimeriez-vous aller?

Veronica rosit très légèrement; Charlotte comprit que la jeune femme ne lui faisait pas encore tout à fait confiance.

— Pourquoi ne pas laisser le hasard décider à notre place? suggéra-t-elle avec tact. Une fois que nous serons parties, il se présentera bien une occasion agréable.

Veronica fut visiblement soulagée. Elle était reconnaissante à Charlotte de ne pas avoir eu besoin de s'expliquer.

— Vous êtes très compréhensive, murmura-t-elle. Avez-vous passé d'agréables moments, depuis notre sortie à l'exposition d'hiver?

Charlotte dut inventer une réponse.

— A dire vrai, je n'ai rien fait qui vaille la peine d'en parler...

Veronica lui adressa un sourire qui signifiait qu'elle la comprenait parfaitement. Jeune fille timide à la recherche d'un beau parti, puis épouse convenable et enfin veuve modèle depuis trois ans, elle savait ce que signifiait s'ennuyer!

Charlotte se disposait à changer de sujet, quand Loretta York entra dans le salon. Son visage refléta une surprise polie.

— Bonjour, Miss Barnaby, comme c'est aimable à vous d'être venue! J'espère que vous allez bien et que vous appréciez votre séjour à Londres?

Avant qu'elle eût trouvé la réponse appropriée, Veronica vint à son secours.

— Nous avons prévu de sortir un peu, belle-maman.

Loretta écarquilla les yeux.

— Avec ce temps ? Il fait un froid de loup ! On dirait même qu'il va neiger.

— Le froid est très tonifiant, dit aussitôt Veronica. Je rêve de prendre un peu d'air !

Un petit sourire sceptique releva les coins de la bouche de Loretta.

— Avez-vous l'intention de faire une visite ?

Veronica ne répondit pas immédiatement.

— Je... je ne sais pas, murmura-t-elle en détournant les yeux.

— Nous n'avons encore rien arrêté, intervint Charlotte. Nous pensions improviser, selon notre inspiration.

— Je vous demande pardon ? fit Loretta, interloquée.

— Oui, nous n'avons encore rien décidé, répéta Veronica, sautant sur l'occasion. Je ne suis pas assez sortie ces derniers temps. J'ai besoin de prendre l'air.

— Qu'en pense Miss Barnaby ? Elle semble éclatante de santé, remarqua Loretta.

Charlotte savait que son teint vif et ses joues colorées ne correspondaient pas aux critères de beauté en vogue, mais elle s'en moquait.

— Je serais ravie de faire une promenade en fiacre, insista-t-elle. Un peu de tourisme, en quelque sorte...

— C'est très aimable à vous, fit Loretta froidement. Je pensais que vous aviez envisagé de rendre visite à Harriet Danver.

Elle voulait dire Julian Danver, bien entendu, mais Charlotte et Veronica se gardèrent bien de le lui faire remarquer. Encouragée par la présence de Charlotte, Veronica osa affronter le regard de sa belle-mère.

— Non, affirma-t-elle. Nous nous disions qu'une promenade en voiture serait agréable. Je pourrais montrer à Elisabeth des endroits à la mode qu'elle n'a encore pas visités.

C'est une bonne maison, les gages sont convenables, Miss Veronica est très gentille...

— Je sais pas pourquoi. Ça doit être à cause du crime. J'ai pas entendu dire que les anciens domestiques avaient préféré quitter la maison. Pourtant, ils sont tous partis.

— C'est bizarre.

Emily baissa le ton, pour cacher son excitation. Allait-elle enfin apprendre quelque chose d'intéressant !

— Ils ont peut-être eu peur que l'assassin revienne tuer quelqu'un, commença-t-elle, puis elle poussa un petit cri de surprise effarouchée.

— Tu crois pas que Dulcie a été assassinée, tout de même ?

Le regard bleu faïence de Mary se posa sur elle, incrédule. Puis, petit à petit, l'idée parut faire son chemin dans son esprit. Emily craignit d'être allée trop loin. Une seconde bonne au bord de la crise de nerfs dans la journée signifierait certainement son renvoi sans autre forme de procès. Même Redditch ne pourrait pas la sauver. Elle s'en voulut d'avoir parlé trop vite.

— Tu veux dire... qu'on l'aurait poussée par la fenêtre ?

La voix de Mary n'était qu'un murmure. Mais elle était d'une autre trempe qu'Edith ; elle n'aimait pas les crises de nerfs, qui mettaient tout le monde à cran, surtout les hommes. Et puis elle avait l'esprit vif ; elle savait lire et cachait sous son oreiller des piles de romans policiers à quatre sous. Le crime n'avait pas de secrets pour elle.

— La pauvre Dulcie travaillait ici quand Mr. Robert a été tué, dit-elle en hochant la tête. Elle a peut-être vu quelque chose.

Emily but une gorgée de thé.

— Tu étais là, toi aussi. Fais bien attention. Surtout ne raconte à personne ce qui a pu se passer à l'époque. A propos, tu avais vu quelque chose, à ce moment-là ?

Mary ne parut pas se rendre compte de la contradiction contenue dans les propos d'Emily.

— Par ce temps ? répéta Loretta. Il n'y a pas de soleil et il va faire nuit à quatre heures. Vraiment, ma chère, vous manquez d'esprit pratique.

— Dans ce cas, nous ferions bien de nous dépêcher, répondit Veronica, décidée à ne pas se laisser faire.

Elle tenait à imposer sa volonté ; Charlotte le voyait à sa façon de redresser le menton et à la rapidité de ses réponses.

Loretta eut alors un curieux sourire. Elle les surprit toutes deux en annonçant d'un ton suave :

— Alors, je vous accompagne ! Ainsi, si vous décidez de rendre visite aux Danver, vous ne resterez pas sans chaperon ; ce serait très inconvenant. Nous sommes samedi et il se peut que Mr. Danver soit chez lui. Il ne faut pas que l'on pense du mal de nous.

A ces mots, la panique gagna Veronica ; on aurait dit un animal pris dans un filet : plus il se débat, plus les mailles se resserrent sur lui. Sa poitrine montait et descendait au rythme de sa respiration saccadée. Elle serrait si fort les poings que Charlotte crut qu'elle allait déchirer sa robe.

— Mais Elisabeth sera avec moi ! dit-elle d'une voix suraiguë. Je connais les règles de bienséance ! Je...

Loretta l'examina, les yeux plissés, un sourire crispé aux lèvres.

— Ma chère petite...

— Comme c'est généreux de votre part, Mrs. York... commença Charlotte, qui regretta aussitôt d'être intervenue.

Son amitié pour Veronica lui avait fait oublier l'enquête. Si elle avait laissé la scène éclater, elle aurait peut-être appris quelque chose d'intéressant. Mais il était trop tard, maintenant.

— Nous serions ravies d'avoir votre compagnie pour une promenade au parc.

En disant cela, elle s'imaginait le vent âpre couchant les herbes folles et soufflant dans les branches des arbres dénudés.

Mais Loretta n'était pas femme à se laisser décourager.

— Je crois, Miss Barnaby, que dès que vous mettrez un pied dehors, vous changerez d'avis ; toutefois, si vous désirez vraiment marcher, je vous attendrai dans la voiture.

— Vous aurez froid ! s'exclama Veronica, à court d'arguments.

— Je suis plus robuste que vous ne l'imaginez, ma chère, répliqua Loretta.

Veronica détourna à nouveau la tête ; Charlotte vit des larmes briller dans ses yeux. Quelle était donc l'explication à la violente tension qui régnait entre les deux femmes ? Charlotte savait, pour l'avoir souvent lu dans le regard des autres, que Veronica avait peur. Pourtant elle n'était pas d'un naturel soumis ; rien ne l'obligeait à ménager la susceptibilité de sa belle-mère, comme du vivant de son mari. Elle était à l'abri du besoin et sur le point de se remarier. Alors pourquoi cette frayeur, puisque Loretta paraissait veiller à ses intérêts ?

Si seulement Charlotte pouvait apprendre à quoi ressemblait le jeune couple York et comment ils s'étaient rencontrés ! Loretta vouait-elle une adoration sans partage à son fils unique ? Exigeait-elle trop de sa belle-fille ? Intervenait-elle sans cesse dans leur vie quotidienne, critiquant tout, et montrant ouvertement sa déception de ne pas avoir vu naître de petits-enfants ? Il pouvait y avoir des dizaines d'explications à la tension démesurée que l'on sentait entre ces deux femmes.

Le silence fut brisé par le bruit de la porte qui s'ouvrait sur l'honorable Piers York. Charlotte ne l'avait encore jamais vu, mais il correspondait tout à fait à la description que lui en avait faite Pitt : élégant, légèrement voûté, un visage empreint de bonne humeur et de modestie. Il parut légèrement surpris en voyant Charlotte.

— Beau-papa, fit Veronica avec un sourire guindé,

je vous présente Miss Barnaby, une nouvelle amie, qui a eu la bonté de me rendre visite. Nous pensions aller nous promener.

— Excellente idée ! Il fait frisquet, mais c'est meilleur pour la santé que de rester enfermé toute la sainte journée. Je suis enchanté de faire votre connaissance, Miss Barnaby.

Piers York faisait partie de ces personnes qui vous sont d'emblée sympathiques, sans que l'on sache pourquoi.

— Je suis ravie de vous connaître, répondit Charlotte avec chaleur, et heureuse que vous approuviez notre choix. Mrs. York, ajouta-t-elle en jetant un coup d'œil en direction de Loretta, craignait qu'il ne fasse trop froid, mais je partage votre opinion : quel que soit le temps, il est bon d'aller faire un tour dehors, ne serait-ce que pour mieux apprécier la chaleur d'une bonne flambée au retour.

— Vous êtes une jeune personne pleine de bon sens, dit-il en souriant. Je ne comprends pas pourquoi la mode met en avant ces créatures languissantes qui passent leurs journées allongées sur leurs sofas, se plaignant de mourir d'ennui, sans se rendre compte que ce sont elles qui sont ennuyeuses ! Je plains ceux qui ont la naïveté de les épouser. Enfin, je suppose qu'ils n'y voient que du feu. Le mariage est une loterie, n'est-ce pas !

— Piers, le reprit sèchement Loretta, je vous prie de garder ce genre de formule pour les messieurs de votre club. Elles n'ont pas leur place ici. Vous allez offenser Miss Barnaby.

Il parut surpris.

— Vous ai-je offensée, Miss Barnaby ? Je disais seulement qu'il est très difficile de se faire une opinion sur la vraie nature de son futur conjoint, si l'on ne se base que sur les mondanités stupides échangées dans les salons avant de se marier.

Charlotte eut un large sourire.

— Je ne me sens nullement offensée, monsieur. Je comprends fort bien ce que vous voulez dire. Lorsque vous découvrez la vraie personnalité de votre conjoint, il est trop tard. A ce propos, Mrs. York parlait de la nécessité pour Veronica d'avoir un chaperon, si nous allions chez les Danver. Mais je ferai en sorte que rien ne soit fait qui puisse nous être reproché, je vous en donne ma parole.

— L'intention est louable, Miss Barnaby, mais cela ne suffit pas dans notre société, affirma Loretta.

— Sornettes! la contredit son mari. D'ailleurs, qui le saurait? Ce n'est certes pas Harriet qui vendrait la mèche.

— Il vaut mieux que je les accompagne, insista Loretta, en se dirigeant vers la porte. Il faut jouer sur du velours.

— Bonté divine, cessez de couper les cheveux en quatre, Loretta! s'exclama Piers d'un ton cassant. Vous vous faites beaucoup trop de souci pour Veronica. Danver est un gentleman large d'esprit. Miss Barnaby sera un excellent chaperon. C'est d'ailleurs très gentil à elle de le proposer.

— Mon ami, vous ne comprenez pas, fit Loretta d'une voix vibrante de colère. Si seulement vous vouliez tenir compte de mon avis! Vous ne vous imaginez pas où pourrait nous mener...

— Une promenade en voiture? la coupa York avec un mélange d'incrédulité et d'exaspération.

Loretta avait pâli.

— Il y a certaines subtilités qui vous échappent...

— Tiens donc? Lesquelles, par exemple?

Elle était en colère, mais aucune repartie appropriée ne sortit de sa bouche.

Charlotte commençait à se demander si cette petite escapade méritait tous les désagréments qui ne manqueraient de s'ensuivre.

— Venez, Elisabeth, fit Veronica sans daigner regarder sa belle-mère. Nous n'en aurons pas pour longtemps, mais cela nous fera du bien de sortir.

Charlotte prit congé de ses hôtes et suivit la jeune femme dans le vestibule. Celle-ci demanda au valet de lui faire apporter son manteau et son manchon, puis alla changer de bottines. Charlotte se trouva donc seule pendant quelques instants ; par la porte du petit salon restée entrouverte, elle entendit la voix de Loretta s'élever, furieuse.

— Vous ne savez rien de cette Elisabeth Barnaby ! C'est une effrontée, une impertinente ! Elle se tient très mal en société.

— Elle m'a paru charmante, au contraire, répondit York. Très plaisante, à tout point de vue.

— Pour l'amour du ciel, Piers ! Vous dites cela parce qu'elle est jolie. Vraiment, vous êtes parfois très naïf !

— Et vous, ma chère, vous compliquez tout.

— J'anticipe, ce qui n'est pas tout à fait la même chose.

— Cela revient souvent au même...

Le retour de Veronica empêcha Charlotte d'entendre la suite de la conversation. A cet instant, Emily apparut dans l'escalier, un manteau à la main. Charlotte faillit ne pas la reconnaître, avec ses cheveux tirés en arrière, sa coiffe, sa robe de drap bleu foncé et son tablier blanc. Elle paraissait pâle et amaigrie — peut-être à cause de la coupe stricte et de la couleur terne de sa tenue. Une fraction de seconde, leurs regards se croisèrent, puis Emily aida Veronica à endosser son manteau. Les deux jeunes femmes sortirent par la porte qu'Albert tenait grande ouverte et montèrent dans la voiture.

Les plaids qui couvraient leurs genoux ne les empêchaient pas de grelotter, mais il était grisant de filer à toute allure le long des grandes artères de la capitale. Veronica tourna vers Charlotte ses grands yeux enfiévrés ; celle-ci devina la question qui lui brûlait les lèvres avant qu'elle ne l'ait formulée.

— Bien entendu, dit-elle très vite. Allons-y.

Veronica glissa sa main à l'intérieur du manchon de Charlotte et la serra avec reconnaissance.

— Merci.

Chez les Danver, nul ne parut surpris de les voir Charlotte ayant écrit à Veronica deux jours plus tôt, il était possible que cette dernière ait annoncé leur visite, et qu'elles fussent attendues, car Julian les reçut en personne dans le salon. Il prit les mains de Veronica et les retint chaleureusement dans les siennes, avant de se tourner vers Charlotte.

— Quel plaisir de vous revoir, Miss Barnaby ! dit-il en plongeant son regard dans le sien. Vous vous souvenez, je pense, de ma tante Adeline et de ma sœur Harriet ?

— Bien entendu !

Charlotte se tourna vers Adeline, dont le regard intelligent l'observait avec intérêt, puis vers Harriet, qui paraissait plus pâle et malheureuse que lors de leur première rencontre.

— J'espère que vous allez bien, Miss Danver ?

— Très bien, et vous-même ?

L'échange rituel de congratulations se poursuivit ainsi durant plusieurs minutes. Charlotte y avait été habituée dès l'enfance, mais s'en était rapidement départie après son mariage. Depuis sa spectaculaire dégringolade dans l'échelle sociale, ce genre d'obligations se présentait rarement, mais c'était une perte qu'elle ne regrettait pas ! Peu versée dans les mondanités, elle disait trop vite ce qu'elle pensait, alors que son opinion n'intéressait personne. Une femme aux idées arrêtées était mal vue en société ; le prétendu « charme féminin » résidait en la capacité infinie d'écouter et d'admirer, en faisant, à l'occasion, une remarque optimiste et bon enfant. Elle pouvait rire, bien entendu, si le rire était cristallin ; les hennissements, et surtout l'hilarité déclenchée par une situation absurde ou burlesque, étaient bannis. Charlotte avait perdu le vernis des bonnes manières que sa mère lui avait inculquées dans l'espoir de lui trouver un mari.

Elle resta donc là, assise sur le bord de sa chaise, mains croisées sur les genoux, attentive et ne parlant que lorsque la politesse l'exigeait.

Veronica, en revanche, pratiquait depuis si long-temps l'art de cette féminité que c'était chez elle une seconde nature de trouver les mots polis qui ne veulent rien dire. Mais en observant son visage, qui paraissait si fragile tant que l'on ne remarquait pas son ossature solide et l'énergie passionnée de ses lèvres, Charlotte voyait bien qu'elle pensait à tout autre chose et que les pensées qui l'animaient n'avaient rien de gai. Elle affi-chait un sourire crispé et, bien qu'elle parût écouter ses interlocutrices, son regard se tournait souvent vers Julian. A plusieurs reprises, Charlotte eut l'impression que Veronica n'était pas sûre des sentiments de celui-ci à son égard. Comment une aussi jolie veuve, que tout le monde plaignait, mais qui n'était pas l'objet de cette pitié réservée aux « demoiselles » comme l'étaient Adeline et Harriet, pouvait-elle avoir aussi peu confiance en elle ? L'attitude de Julian Danver était pourtant claire : chacun de ses gestes, sa façon de se comporter avec elle devant les autres dénotaient son intention de l'épouser. Aucun homme ne se serait conduit ainsi devant une femme s'il ne lui avait pas demandé sa main. Revenir sur une promesse de mariage sans raison grave ruinerait son avenir. Jamais on ne lui pardonnerait de s'être ainsi parjuré.

Alors pourquoi Veronica ne cessait-elle de croiser et de décroiser ses doigts et de jeter des coups d'œil fur-tifs, d'abord en direction de Julian, puis de Charlotte ? Pourquoi parlait-elle un peu trop, d'une petite voix ten-due, coupant Charlotte au beau milieu d'une phrase et s'excusant ensuite avec un petit sourire contrit ?

Charlotte comprenait fort bien la tristesse d'Harriet : si celle-ci aimait vraiment Felix Asherson, que cet amour fût ou non payé de retour, que pouvait-elle y faire ? Rien, à moins que l'épouse de Felix ne disparaisse prématurément. Or Sonia Asherson était robuste et éclatante de santé. Elle vivrait peut-être centenaire ! Elle était bien trop versée dans l'art de la survie matrimoniale et bien trop contente de son sort pour perdre l'esprit et donner à Felix des raisons de divorcer ; en tant qu'épouse, il lui était impossible de demander le divorce même si elle s'apercevait qu'il aimait une autre femme. Point besoin d'avoir une imagination fertile pour deviner la raison de la pâleur d'Harriet. Charlotte avait de la peine pour elle, sans pouvoir y porter remède. La prendre en pitié ? Ce serait verser du vinaigre sur la plaie, en la privant de sa seule consolation : croire que sa douleur était connue d'elle seule.

La tension étant insupportable, Charlotte n'y tint plus. Elle se tourna vers Julian :

— Mr. Danver, en passant tout à l'heure par le vestibule j'ai cru voir un jardin d'hiver. J'adore ce genre d'endroit. Auriez-vous la gentillesse de m'y conduire ? J'aurais l'impression de quitter Londres pour une contrée tiède et fleurie.

Veronica retint sa respiration.

— Qui résisterait à une demande aussi joliment tournée ? dit aussitôt Julian. Je me ferai un plaisir de vous le faire visiter, Miss Barnaby. Nous avons de très beaux lis — du moins je crois que ce sont des lis. Je ne m'y connais guère en botanique mais je vous promets de vous montrer les plus beaux et de vous faire respirer les plus parfumés, ajouta-t-il en se levant.

Charlotte se leva à son tour et sourit à Veronica ; celle-ci lui rendit un regard noir, chargé de ressentiment et d'amertume, sans que Julian s'en rendît compte, car elle lui tournait le dos. Charlotte tendit la main vers elle, en guise d'invitation. Veronica comprit enfin la signification de ce geste ; elle bondit sur ses pieds en rougissant.

— Oui, oui, je viens, bredouilla-t-elle. Merci.

— Mesdames, aurez-vous la bonté de nous excuser

quelques instants ? s'enquit Charlotte à l'adresse d'Adeline et d'Harriet.

— Bien entendu, répondirent-elles en chœur.

La serre était immense, remplie d'élégantes fougères arborescentes, de volubilis et de cobées bordant les allées. Charlotte admira sans réserve la pièce d'eau vert émeraude où flottaient des lotus blancs. Julian lui montra avec fierté les lis odorants. Après s'être extasiée sur toutes les variétés de fleurs, Charlotte adressa à Veronica un petit sourire complice et rebroussa chemin en direction de la pièce d'eau, puis se retira dans le vestibule sur la pointe des pieds.

Si elle retournait seule au salon, Adeline et Harriet devineraient qu'elle avait imaginé cette ruse pour que les deux amoureux puissent se retrouver en tête à tête ; elles s'en doutaient, bien entendu, mais il était exclu de les associer à son stratagème.

Se sentant ridicule de rester plantée au milieu du vestibule, Charlotte s'approcha d'un grand tableau de l'école flamande et fit mine de l'examiner de près ; il représentait un paysage champêtre, avec des vaches paissant dans un pré ; de belles bêtes gracieuses, aux longues cornes recourbées. L'œuvre était peinte avec un tel réalisme qu'elle avait l'impression de les voir ruminer.

Elle se détourna brusquement. Elle n'était pas là pour s'abandonner à sa passion pour l'art ! Si Veronica était Cerise, elle aurait très bien pu, avec la complicité de Julian, assassiner son mari. Il lui fallait retourner discrètement dans la serre pour essayer de surprendre leur conversation, bien que l'idée lui répugnât. A l'entrée, elle s'arrêta pour examiner un canna rouge, puis se glissa à l'intérieur, s'attardant à admirer les lis ; son regard suivit les sinuosités des plantes volubiles qui grimpaient jusqu'au plafond, puis redescendit lentement vers le sol. A peine s'était-elle avancée de quelques mètres qu'elle aperçut Veronica et Julian figés dans une étreinte si passionnée qu'elle rougit à l'idée de les avoir vus. Cette intrusion dans l'intimité d'un couple aurait été impardonnable à tout autre moment Charlotte n'aurait pu s'expliquer sans trahir les raisons de sa présence dans cette maison.

Elle recula vivement et, ce faisant, se retrouva emmêlée dans les lianes noueuses d'une passiflore. Elle faillit s'évanouir à ce contact, qu'elle crut pendant une fraction de seconde celui d'un être humain. Elle étouffa un cri, puis, réalisant son erreur, se ressaisit avec effort et sortit de la serre... pour se trouver nez à nez avec Adeline Danver. Elle jura entre ses dents, honteuse d'être surprise ainsi, échevelée, les joues en feu.

— Tout va bien, Miss Barnaby ? fit Adeline en haussant les sourcils. Vous paraissez... désemparée.

Charlotte prit une profonde inspiration ; quel mensonge inventer ?

— Si vous saviez comme je suis bête, murmura-t-elle avec un sourire qu'elle espérait désarmant. J'essayais d'apercevoir une fleur, tout là-haut, et j'ai perdu l'équilibre. Je vous prie de m'excuser.

Elle tenta de lisser les mèches folles qui s'échappaient de sa coiffure.

— Je me suis empêtrée dans une liane et je n'arrivais pas à m'en détacher. Mais je ne l'ai pas abîmée.

— Bien sûr que non, ma chère...

Les petits yeux marron d'Adeline, brillants comme des boutons de bottines, l'observaient intensément. Avait-elle cru un seul mot de cette fable ?

— Il est l'heure de prendre le thé. Dois-je aller chercher Julian et Veronica ou voulez-vous vous en charger ?

Instinctivement, Charlotte lui barra le passage.

— Je... je suis sûre qu'ils vont revenir d'un moment à l'autre.

Adeline la considéra d'un air sceptique.

— Oh, regardez cette plante magnifique ! remarqua Charlotte précipitamment. Est-ce une bougainvillée ? Quelle merveilleuse couleur, ce rouge cerise ! N'est-ce pas la couleur de la robe que portait Veronica, un soir ?

Adeline parut étonnée.

— Il ne s'agissait pas de Veronica. J'en suis certaine.

Sa voix, d'ordinaire claire et mélodieuse, avait baissé d'un ton.

— J'ai dû mal comprendre, s'excusa Charlotte. J'avais cru vous entendre dire...

Elle laissa sa phrase en suspens ; d'ailleurs elle n'aurait su comment la terminer. Elle avait essayé de prendre Adeline à défaut, tout en l'empêchant d'entrer dans la serre, et voir le spectacle du couple enlacé. Pour protéger Veronica, mais aussi pour épargner la vieille demoiselle, que peut-être aucun homme n'avait jamais étreinte avec passion.

Cette dernière secoua la tête.

— La démarche de cette personne n'était pas celle de Veronica. La façon de marcher trahit le caractère, et celle de cette femme était unique. Il y avait en elle grâce et audace. Une femme de pouvoir, qui le savait et qui pourtant, je crois, aurait eu des raisons d'être inquiète.

— Oh... je vois... balbutia Charlotte. Mais alors, de qui s'agit-il ?

Sur les traits d'Adeline passa une expression reflétant une douloureuse sagesse, ainsi qu'un brin d'ironie.

— Je l'ignore, Miss Barnaby, et je ne pose pas de questions. Il y a tant d'anciennes amours, d'anciennes haines dont il vaut mieux ne pas parler.

— Vous m'étonnez ! s'exclama Charlotte d'un ton presque accusateur. Je vous pensais plus franche.

Un sourire douloureux crispa les lèvres d'Adeline.

— Le temps de la franchise est révolu, ma chère petite. Vous n'imaginez pas les douleurs que ces sentiments peuvent cacher. Fermer les yeux sur le passé permet parfois au chagrin de s'effacer, alors que l'évoquer implique une réponse inévitable.

Elle inclina doucement la tête en direction de la serre.

— Vous avez fait une bonne action, Miss Barnaby A présent, il est temps d'appeler Veronica. Si vous n'y allez pas, je serai obligée de la chercher moi-même.

— Je vais l'appeler, répondit Charlotte, l'esprit en ébullition.

Cerise était-elle une ancienne maîtresse de Julian ? Veronica le savait-elle, ou l'avait-elle deviné ? Luttait-elle contre le fantôme de cette liaison ? Était-ce pour cette raison qu'elle s'abandonnait aux bras de Julian, alors que leurs fiançailles n'étaient même pas annoncées ? Dans ce cas, qui avait tué Robert, et pourquoi ?

On en revenait à une affaire d'espionnage. Veronica cherchait-elle à démasquer le meurtrier de son époux ? Julian avait-il assassiné Robert York ? Le savait-elle ? Était-ce l'explication de la terreur qui la consumait ? Qu'y avait-il entre elle et Loretta ?

— Veronica ! s'écria-t-elle. Miss Danver dit que le thé sera servi dans quelques minutes. Veronica !

8

Pitt décida de marcher jusqu'à Mayfair. Un ciel de plomb recouvrait la ville ; le vent qui soufflait par rafales à travers Hyde Park lui piquait les joues et s'insinuait autour de ses oreilles, malgré son cache-col, l'obligeant à se raidir pour s'en protéger. Des attelages passaient bruyamment le long de Park Lane. Il n'y avait pas un piéton ; il faisait trop froid pour se promener. Les vendeurs de rues savaient qu'ils ne feraient pas d'affaires dans un quartier où les gens avaient les moyens de se déplacer en fiacre.

Il avait décidé de marcher car il repoussait le moment d'arriver chez les Danver. Dulcie étant morte, la seule personne susceptible de lui parler de Cerise était Adeline Danver. Le froid qui le paralysait était en partie dû au sentiment de culpabilité qui le hantait depuis la mort de Dulcie. Il revoyait sans cesse son visage ouvert et souriant. Si seulement il avait eu l'idée de fermer cette maudite porte avant de la laisser parler ! Il ne savait toujours pas laquelle de ses deux remarques avait causé sa mort : l'apparition de Cerise sur le palier, ou la disparition du collier de perles ? D'après les renseignements qu'il avait obtenus, Piers York était financièrement très à l'aise et, en dépit de la réflexion faite à Dulcie au sujet du collier, il ne paraissait pas avoir demandé le remboursement de sa valeur à l'assureur.

Jusqu'à présent, aucune des investigations menées

auprès des amis de Robert York pour prouver que l'un d'eux, ayant contracté une grosse dette, se serait transformé en monte-en-l'air amateur pour pouvoir la rembourser, n'avait abouti. Par ailleurs Pitt n'avait pas retrouvé les domestiques employés à Hanover Close à l'époque du meurtre et renvoyés peu après : le majordome avait trouvé un emploi à la campagne, le valet était parti à l'étranger ; quant aux femmes, elles s'étaient fondues dans la masse de la main-d'œuvre féminine travaillant dans la capitale et ses environs.

Déjà il arrivait chez les Danver. L'air humide, empli de l'odeur âcre des fumées de charbon qui s'échappaient des cheminées, lui râpait la gorge. Plus question d'atermoyer. Il n'était pas impossible que l'extrémité du fil qui remontait jusqu'au meurtrier se trouvât dans les mains d'Adeline Danver.

Celle-ci le reçut courtoisement, mais avec une surprise non déguisée. D'après la description qu'en avait faite Charlotte, Pitt s'était forgé une idée très précise du personnage ; néanmoins il fut frappé par l'intelligence aiguë de son regard et la laideur de son visage : nez en trompette, yeux ronds comme des billes, sourcils presque inexistants et menton fuyant. En revanche, elle avait un timbre de voix magnifique et une diction remarquable.

— Bonjour, inspecteur. J'ignore si je serai en mesure de vous aider, mais j'essaierai. Asseyez-vous, je vous prie. Entre nous, vous êtes le premier policier que je rencontre !

Elle l'examinait avec curiosité, comme on observe un spécimen de collection rarissime exposé pour le plaisir des yeux. Pitt eut honte de sa silhouette dégingandée et de son apparence négligée. Il s'assit gauchement, essayant sans succès d'arranger les basques de sa redingote.

— Merci, madame.

Elle ne le quittait pas des yeux.

— Je vous en prie. J'imagine que vous venez me

parler de la mort du jeune York? C'est la seule affaire criminelle à laquelle j'ai été mêlée, et encore, de très loin, croyez-moi. Mais je connaissais ce pauvre Robert, même si d'autres l'avaient mieux connu que moi.

Elle ajouta avec un léger sourire :

— A défaut d'être mouvementée, une vie monotone permet d'observer ce qui se passe autour de soi. J'ai souvent l'occasion de voir ce que d'autres ne remarquent pas.

Pitt se sentit soudain transparent, face à elle. Il lui rendit son sourire, ne sachant quelle attitude adopter : à trop vouloir l'amadouer, il finirait peut-être par se rendre ridicule.

— Madame, je suis venu vous poser une question très précise; étant l'une des rares personnes de cette maison à n'être mêlée que de très loin à l'affaire, vous serez, je l'espère, moins gênée pour me répondre.

— J'apprécie votre tact, fit-elle avec un hochement de tête approbateur. Merci de ne pas offenser mon intelligence par d'inutiles flatteries. J'avoue que je suis curieuse d'entendre votre question !

— J'irai donc à l'essentiel : avez-vous aperçu, dans cette maison, une femme au physique assez inhabituel, grande, mince, aux cheveux noirs, portant une robe d'un rouge très particulier, cerise ou fuchsia ?

Adeline demeura impassible. On aurait dit qu'elle ne respirait pas. C'est à peine si son châle se soulevait sur sa poitrine creuse, au rythme léger de sa respiration. Pitt attendit, fixant ses petits yeux marron et brillants. Elle était obligée de lui répondre; allait-elle mentir sans hésiter, ou lui dire la vérité ?

Dans le vestibule, le carillon de l'horloge sonna onze heures, interminablement.

— Oui, Mr. Pitt. J'ai vu cette femme. Inutile de me demander son nom, je l'ignore. Je l'ai vue deux fois et, si ma mémoire est bonne, je ne l'ai rencontrée nulle part ailleurs, ni avant, ni depuis.

— Merci de votre franchise, répondit-il avec gravité. Portait-elle la même robe, à ces deux occasions ?

— Pas exactement. L'une était plus foncée, dans mon souvenir. Mais la lueur des lampes à gaz est parfois trompeuse.

— Pourriez-vous décrire cette personne avec précision?

— Qui est cette femme, inspecteur?

En usant de ce titre, Adeline mettait une certaine distance entre eux, destinée à l'avertir qu'il n'avait pas encore gagné la partie.

— Je l'ignore, Miss Danver. Mais elle est la seule piste en ma possession susceptible de nous mener jusqu'à l'assassin de Robert York.

Elle écarquilla les yeux.

— Une femme? Quelque affaire sordide, j'imagine...

Il lui adressa un grand sourire.

— Pas nécessairement, Miss Danver. Peut-être s'agit-il d'un vol, non signalé à la police, parce que seul Mr. York en connaissait l'auteur. Cette femme peut avoir vu le voleur ou avoir été témoin du meurtre.

— Vous me surprenez, concéda Adeline Danver avec un très léger sourire. Comment se fait-il que vous n'arriviez pas à mettre la main sur elle?

— Jusqu'à présent, mes recherches n'ont rien donné. Pouvez-vous la décrire?

Elle pencha la tête de côté.

— Une chose m'intrigue... Comment avez-vous eu vent de son existence?

— Quelqu'un l'a vue, chez les York, dans les mêmes circonstances que vous, la nuit, à la lumière d'une veilleuse.

— Et la description que l'on vous en a faite ne vous satisfait pas? Ou croyez-vous que l'on vous ait menti à dessein?

Devait-il lui faire peur? Le visage confiant de Dulcie lui revint douloureusement en mémoire, comme si elle venait de franchir la porte de la bibliothèque.

— La description était sommaire, dit-il sans

s'embarrasser de circonlocutions. Hélas, mon témoin ne peut plus répondre à mes questions. Il est mort le lendemain du jour de notre rencontre. Tombé d'une fenêtre.

Adeline pâlit. Elle avait pourtant été confrontée à plusieurs événements tragiques. A plus de cinquante ans, elle avait vu disparaître nombre de personnes, dont la mort ne l'avait pas laissée indifférente. L'observation des joies et des chagrins d'autrui occupait la majeure partie de son existence.

— Vous m'en voyez désolée. Vous parlez sans doute de la camériste de Veronica York ?

— En effet. Miss Danver... commença-t-il, puis il s'interrompit aussitôt, ne voulant pas paraître trop mélodramatique.

— Oui, inspecteur ?

— Ne parlez de notre entrevue à personne. Ces paroles pourraient être répétées par inadvertance, même sans intention de nuire.

Elle haussa les sourcils et crispa ses doigts maigres sur les bras de son fauteuil.

— Je ne suis pas sûre d'avoir bien compris, murmura-t-elle d'une voix calme et mélodieuse.

— Je crois que cette femme rôde encore, parfois tout près, répondit-il en guise d'explication. Dans votre famille ou vos relations une personne connaît son identité, sait où elle se trouve et est probablement au courant de ce qui s'est passé cette nuit-là à Hanover Close, il y a trois ans.

— Ce n'est pas moi, Mr. Pitt.

— Si je pensais qu'il s'agissait de vous, Miss Danver, je ne perdrais pas mon temps à vous interroger.

— Vous croyez qu'une personne de mon entourage, et pour qui j'ai de l'estime, est au courant de tout ?

— Les gens se taisent pour différentes raisons, répondit-il. Le plus souvent par peur, ou pour protéger un être aimé. Un péché véniel, s'il frappe l'imagination, peut provoquer un scandale. Pour certains, la crainte du scandale est pire que celle de l'emprisonnement, ou d'une débâcle financière. L'estime de nos semblables nous est précieuse ; plus de sang a été versé pour la conserver qu'on ne veut bien l'admettre. Une femme préférera épouser un homme qu'elle n'aime pas plutôt que de ne pas paraître être aimée. Les gens font tout pour que les autres les croient heureux. Nous avons besoin de masques et d'illusions ; peu d'êtres humains peuvent aller nus, sous le regard des autres. Ils gardent donc leurs précieux vêtements...

Adeline le dévisagea avec intérêt.

— Vous êtes un étrange personnage, inspecteur. Pourquoi avoir choisi ce métier ?

Il ne vint pas à l'esprit de Pitt d'éluder la question, ou de mentir.

— Au départ, dit-il en baissant les yeux vers le tapis, parce que mon père avait été accusé d'un délit qu'il n'avait pas commis. La vérité a son utilité, Miss Danver, et bien qu'elle soit parfois douloureuse à entendre, le mensonge est pire, au bout du compte. Bien sûr, parfois j'apprends des choses que j'aurais préféré ignorer. Dans ces cas-là, je hais la vérité. La compassion fait parfois souffrir.

— Et vous pensez que cette fois la vérité va blesser, Mr. Pitt ? demanda Adeline.

Ses doigts maigres se crispèrent légèrement sur la dentelle de sa robe, sans qu'elle quittât le policier du regard.

— Non, répondit-il honnêtement. Elle n'apportera pas davantage de souffrance que celle déjà causée par le meurtre. A quoi ressemblait donc cette femme, Miss Danver ?

Elle réfléchit, fouillant sa mémoire.

— Grande... beaucoup plus grande que la moyenne. Avec une grâce qu'une femme de petite taille ne pourra jamais posséder. Mince, pas...

Elle cligna des yeux, cherchant ses mots.

— ... pas voluptueuse et pourtant... Non. Sa sensualité n'apparaissait pas dans sa silhouette ; mais, dans sa démarche, il y avait du feu, du style, de l'audace, comme si elle dansait sur le fil d'un rasoir. Je suis désolée, vous devez penser que j'exagère.

Pitt secoua la tête.

— Pas du tout. Si mes pressentiments sont justes, le personnage correspond parfaitement à votre description. Continuez, je vous prie.

— Des cheveux bruns, presque noirs à la lueur de la lampe. J'ai à peine entrevu son visage, mais il était très beau.

— Quel genre de visage? insista Pitt. Il y a toutes sortes de beauté.

— Une beauté inhabituelle...

Elle essayait de se représenter la scène : le palier faiblement éclairé, la robe rouge vif, la légère inclinaison de la nuque permettant d'apercevoir un profil.

— Il y avait un équilibre parfait entre le nez, la bouche, la courbe de la joue et de la gorge, la délicatesse des traits et le mouvement de la coiffure. Pas un joli minois, avec des sourcils arqués, une moue boudeuse et des fossettes. Elle m'a rappelé vaguement quelqu'un et pourtant je suis certaine de ne jamais l'avoir rencontrée.

— Certaine?

— Oui. Croyez-moi ou non, c'est la vérité. Et il ne s'agissait pas de Veronica — car je vois bien que c'est à elle que vous pensez — et encore moins de ma nièce Harriet.

— Je vous en prie, essayez de vous souvenir...

— J'ai déjà essayé, Mr. Pitt. Peut-être une personne dont j'ai vu le portrait. Les impressions laissées par le pinceau d'un artiste sont parfois trompeuses. N'avez-vous pas remarqué que les portraits évoluent avec la mode? Les peintres vous représentent comme ils s'imaginent que vous tenez à être perçu, tandis que le photographe, lui, obtient une ressemblance remarquable avec la réalité. Inutile de me presser de questions, je ne puis vous donner de réponse plus précise. Si la mémoire me revient, je promets de vous le faire savoir.

— Promettez-moi aussi, Miss Danver, de ne souffler mot à personne de cette conversation, ni de l'évoquer dans une lettre. Je suis très sérieux.

Il se pencha en avant. L'effrayer un peu en valait bien la peine, si cela pouvait lui sauver la vie.

— Robert York et Dulcie Mabbutt ont trouvé la mort dans une maison où ils se croyaient à l'abri. Donnez-moi votre parole, Miss Danver.

— Fort bien, Mr. Pitt, acquiesça-t-elle en le fixant avec gravité. Puisque vous pensez que l'affaire est aussi sérieuse, je n'en parlerai à personne. Ne vous faites pas de souci. Mais Dieu, que votre inquiétude est agaçante !

Lorsqu'il se retrouva dans la grisaille de la rue, Pitt partit en direction du sud, à la recherche de la femme en rouge. Il avait déjà écumé les grandes avenues, exploré les hôtels et les théâtres où Cerise devait trouver ses clients. Il avait interrogé portiers, filles de joie, souteneurs et entremetteuses. En vain. Ils ne la connaissaient pas, ou ils refusaient de parler. Tout tendait à confirmer ce qu'il pensait depuis le début, à savoir que Cerise était une espionne et non une prostituée. Elle n'était pas, dans sa tâche, intéressée par tous les hommes, mais par certains seulement. Et elle avait pris grand soin de ne pas être suivie.

Pour la retrouver, Pitt devrait donc entreprendre une enquête laborieuse et compliquée. Il connaissait désormais au moins un endroit où elle avait exercé ses talents et possédait d'elle une description précise. Dans le milieu de la prostitution, personne ne l'aiderait ; tous les intermédiaires tiraient profit de leur silence. Mais il y aurait toujours des gens ordinaires qui se souviendraient d'elle, des gens qui gagnaient leur vie dans la rue, des gens dont les yeux avides épiaient chaque passant, en quête du signe le plus ténu témoignant de son envie d'acheter quelque chose.

Il descendit sur la chaussée et agita le bras en direction d'un cab qui avançait pesamment le long de Park

Lane, dans la brume naissante. Le temps était à la neige. Pitt donna l'adresse de l'hôtel dont le portier se souvenait de Cerise et s'installa sur la banquette. Le trajet allait être long. L'heure n'était pas la meilleure pour commencer son enquête, les vendeurs à la sauvette dont il espérait le témoignage étant ceux qui travaillaient la nuit, mais il n'avait pas d'alternative et il était pressé.

Il fit stopper le cab au coin d'une rue, non loin de l'hôtel, en face d'un éventaire où un homme en tablier blanc et chapeau noir ceint d'un ruban vendait de la friture d'anguilles. A ses côtés, une fillette tournait lentement une soupe épaisse de pois cassés, qu'elle vendait un demi-penny la tasse.

Pitt porta instinctivement la main à sa poche. L'odeur de la nourriture lui chatouillait agréablement les narines. Il n'avait jamais aimé les anguilles, mets très apprécié des Londoniens, mais il ne dédaignait pas une bonne soupe. Il fit la queue derrière une femme au visage rougeaud puis tendit un demi-penny et reçut en échange une tasse de soupe brûlante. Le breuvage était épais et un peu grumeleux, mais excellent au goût; sa chaleur irradia dans tout son corps, lui redonnant un peu de courage.

— Vous êtes là, le soir? demanda-t-il, l'air de rien.

— Des fois, l'été, avec les anguilles. En cette saison, le soir, tous les gens qui ont un toit sur la tête sont chez eux. Et ceux qu'ont pas de toit ont pas d'argent, de toute façon.

— Alors qui est là, dans la soirée?

— Ça dépend de l'heure, dit l'homme, tout en sortant ses anguilles avec une écumoire. En début de soirée, jusqu'à huit, neuf heures, la petite, là-bas...

Il désigna une gamine installée une cinquantaine de mètres plus loin sur le trottoir, pieds nus, grelottante, une caisse de violettes posée devant elle. Elle ne devait pas avoir plus de dix ou onze ans.

— Je prendrai encore un peu de soupe, dit Pitt en tendant à l'homme un autre demi-penny.

La fillette le servit. Pitt la remercia et s'éloigna.

— Hé! Où vous allez? J' veux récupérer ma tasse! cria l'homme.

— Vous l'aurez quand elle sera vide, lança Pitt par-dessus son épaule.

Il s'approcha de la petite marchande de fleurs. Elle n'avait que trois ou quatre ans de plus que Jemima, et un petit visage aux traits tirés. Elle portait une robe de lainage noir sous laquelle dépassait un vieux jupon, et un châle usé. Ses pieds étaient marbrés et bleuis par le froid. Pitt posa la tasse de soupe à côté d'elle, sortit deux piécettes de sa poche et les lui tendit.

— Je voudrais deux bouquets de violettes pour ma femme.

— Merci, monsieur.

Elle prit l'argent, le dévisagea de ses grands yeux bleus et jeta un coup d'œil furtif vers la tasse fumante.

Pitt la prit, but une gorgée et la reposa.

— J'en ai trop, dit-il, tu peux la finir, si tu veux.

Elle hésita; dans son monde, on n'avait rien sans rien.

— Je n'en veux plus, répéta-t-il.

Prudemment, elle tendit la main et prit la tasse, sans le quitter des yeux.

— Il y a longtemps que tu travailles dans cette rue? demanda-t-il, réalisant au même moment qu'elle ne pouvait lui être d'aucun secours.

Elle était trop jeune. Mais il avait acheté la soupe sans penser à Cerise.

— Deux ans.

Elle avala la soupe d'un trait et se lécha les lèvres.

— Il y a du monde, ici, le soir?

— Pas mal.

— D'autres vendeurs?

— Deux ou trois.

— Que vendent-ils?

— Y a une femme qui vend des peignes, mais elle s'en va tôt. Une fille qui vend des allumettes, de temps en temps. Et puis le marchand de puddings, toute la soirée. Des fois, y a des canardiers. Ils viennent de Seven Dials, c'est là que sont les imprimeries. Mais eux, ils bougent tout le temps.

Les canardiers étaient des garçons doués d'une mémoire prodigieuse, qui, avec leur joyeux franc-parler, criaient les dernières nouvelles, en général des comptes rendus de cambriolages et de crimes passionnels. S'ils n'avaient pas de faits divers croustillants à raconter, ils inventaient des histoires émaillées de détails pimentés, accompagnées de dessins ou de photos à l'avenant.

Pitt la remercia et ramassa la tasse vide.

— Je reviendrai ce soir, lui promit-il.

Il rentra chez lui à l'heure du dîner et offrit à Charlotte, surprise et ravie, les deux bouquets de violettes. Puis, vers dix heures, il ressortit, bien à contrecœur, dans le brouillard glacé.

C'était une nuit épouvantable. Il n'y avait personne dans la rue devant l'hôtel, à l'exception d'un gros garçon au teint de papier mâché, qui vendait des puddings aux raisins, maintenus au chaud dans des torchons humides. Sa clientèle était en grande partie constituée par les hommes qui sortaient de l'hôtel. Pitt fit plusieurs fois le tour du pâté de maisons et battit la semelle pendant une demi-heure pour se réchauffer, sans apercevoir une seule prostituée.

A tout hasard, il parla de Cerise au vendeur de puddings, mais le garçon, qui travaillait là depuis cinq ans environ, n'avait jamais remarqué de femme vêtue de rouge.

Pitt revint le soir suivant, sans obtenir plus de succès ; le surlendemain, il décida de se rendre au Lyceum. Il parla à un vendeur d'eau mentholée, qui avait bien aperçu une femme vêtue de rose vif ; il ne se souvenait pas de sa taille, mais croyait se rappeler qu'elle était rousse

Peu après minuit, alors que la neige commençait à

tomber, Pitt, furieux de son échec, les pieds engourdis par le froid, le col de sa redingote remonté jusqu'aux oreilles, fut pris dans le flot de la foule bruyante, enthousiaste ou critique qui sortait du théâtre. Il aperçut de l'autre côté de la rue un jeune vendeur de sandwichs et décida de s'offrir un sandwich au jambon. Il se fraya un chemin dans la cohue, bousculé par des coudes, des tournures rebondies, les narines assaillies par le parfum des femmes, les odeurs de sueur, les haleines empestant la bière. Il avait une pièce de trois pence au fond de sa poche mais ses doigts gourds n'arrivaient pas à l'attraper.

Le garçon le regarda avec une certaine impatience. Il avait un visage émacié, aux pommettes marbrées de taches rouges, caractéristiques de la tuberculose. Quelle tristesse d'être ainsi obligé de gagner sa vie, debout dehors par tous les temps, parfois jusqu'à une heure tardive de la nuit ; il achetait la viande avec l'os et la faisait cuire, pour un bénéfice de moins d'un demi-penny par sandwich vendu. Chaque morceau de viande abîmé ou perdu lui faisait perdre une partie de la recette du jour.

Pitt finit par pêcher la pièce au fond de sa poche et commanda deux sandwichs. Le garçon les lui tendit et lui rendit la monnaie.

— Merci.

Pitt mordit à belles dents dans un sandwich. Il était étonnamment bon.

— Vous êtes là depuis longtemps ?

— Depuis huit heures, répondit le garçon. Mais les sandwichs sont frais, chef, ajouta-t-il d'un air inquiet. Je les fais moi-même !

— Ils sont excellents ! répondit Pitt avec enthousiasme pour le rassurer. Je voulais dire, est-ce que vous travaillez là depuis longtemps ? Par exemple, étiez-vous là il y a trois ou quatre ans ?

— Oui. Je suis arrivé ici à quatorze ans.

— Vous souvenez-vous d'une femme très belle

vêtue d'une robe rouge vif? Un physique inoubliable, grande, des cheveux noirs. Réfléchissez bien. Il y a trois ans.

— Quel genre de femme, chef? Une comme celle-ci? fit le garçon en inclinant la tête en direction d'une blonde lascive, aux grosses joues fardées de rouge.

— Oui, mais avec beaucoup plus de classe.

— J'en ai vu une comme ça, mais elle avait plutôt l'air d'une dame, même si elle se promenait avec un type de la haute qu'avait pas l'air d'être son mari.

Pitt refréna son excitation.

— Comment savez-vous qu'il ne s'agissait pas de son mari?

— Ben, il la couvait des yeux et il la lâchait pas d'une semelle, une vraie bernique! Fallait voir comment elle le faisait marcher! J'en ai trop vu des types comme ça pour pas les reconnaître. Certains ont de la classe, d'autres non, mais au bout du compte, ils sont tous pareils. Enfin, cette femme-là, c'était une vraie beauté.

— Avait-elle... des avantages là où il faut? demanda Pitt, qui, en dessinant dans l'air une silhouette en forme de sablier, manqua de faire tomber son sandwich.

Le garçon haussa les sourcils.

— Ah, ça non. C'était l'été et elle portait un décolleté; je peux vous assurer qu'il y avait pas grand-chose dessous. Mais quelle classe!

— Quelle taille? Grande ou petite?

Pitt ne pouvait maîtriser le tremblement de sa voix.

— Grande. A peu près comme moi. Pourquoi? Vous la connaissez? Mais je l'ai pas revue depuis. Elle a dû aller vers les quartiers chics, ou se marier — enfin, ça m'étonnerait. A mon avis, elle aura plutôt mal fini. Une maladie honteuse, ou le choléra. Ou bien amochée à coups de couteau.

— C'est possible, acquiesça Pitt. Pourriez-vous me décrire l'homme qui l'accompagnait et me dire dans quelle direction elle est partie? A pied ou en voiture?

— Vous êtes drôlement curieux ! J'ai pas trop fait attention à lui. Un gentleman, très élégant, lui aussi. Pas le genre employé ou commerçant qui vient faire la noce dans le quartier. Non, plutôt un type de la haute qui aime s'encanailler. Y en a comme ça qui viennent se changer les idées, sans leurs dames. Ici, ils risquent pas de rencontrer des connaissances qui pourraient les dénoncer.

— Sont-ils repartis ensemble ?

Le garçon le dévisagea avec un vague mépris.

— C'te bonne blague ! Vous avez déjà vu un gentleman emmener une fille le soir au théâtre, même si elle a de la classe, et se contenter de lui souhaiter bonne nuit sur les marches ?

— En cab ou en attelage particulier ?

— En cab, évidemment. Ces types-là prennent pas leur voiture pour sortir en douce. Réfléchissez, chef !

— Bien. Où est la station de cabs la plus proche ?

— A cent mètres d'ici, au coin de la rue, chef. Mais...

Pitt le remercia et disparut dans la tempête de neige, avant que le garçon ait pu finir sa phrase.

« Ce gars-là est dérangé », songea celui-ci en faisant joyeusement tinter ses pièces au fond de sa poche. Puis il reprit sa rengaine :

— Sandwichs ! Sandwichs au jambon tout frais ! Un penny pièce !

Pendant deux jours, Pitt arpenta le Strand et les rues avoisinantes, les pieds dans la neige, les mollets trempés par l'eau qui giclait des caniveaux ; la fumée mêlée au brouillard épais qui stagnait au-dessus des toits le faisait tousser. Il interrogea à tour de rôle tous les cochers qui stationnaient près du Lyceum. Il retrouva aussi deux hommes qui avaient été balayeurs dans le Strand trois ans plus tôt. L'un d'eux s'était élevé dans l'échelle sociale et partageait la gérance d'une petite échoppe qui vendait du café chaud, l'autre avait trouvé un meilleur quartier à balayer. Ils se bornèrent à lui décrire Cerise et lui confirmèrent qu'elle était arrivée et repartie en cab. Un des cochers se souvenait de l'avoir emmenée à Hanover Close.

Pitt rentra chez lui à minuit, harrassé, les pieds et les mains gelées. La maison était silencieuse ; seule brillait la veilleuse du vestibule. Il eut du mal à trouver le trou de la serrure, tant ses doigts étaient engourdis. A l'intérieur, il faisait encore bon. Charlotte n'avait pas oublié d'alimenter la cheminée du salon. Un petit mot était épinglé sur la porte, bien en évidence :

Cher Thomas,
La cuisinière est encore chaude, la bouilloire est pleine. Il y a de la soupe dans la casserole. Un homme bizarre est venu porter une lettre, à la tombée de la nuit. Il prétendait savoir quelque chose sur la femme en rouge — je suppose qu'il parlait de Cerise. Il disait être un « canardier ». L'enveloppe est posée sur la cheminée du salon.
Réveillez-moi, si je peux vous être utile.

Tendrement,
Charlotte.

Pitt poussa la porte du salon, chercha à tâtons le bouton de la lampe à gaz et le tourna. Il vit l'enveloppe, l'ouvrit, sortit la lettre et la lissa avant de la déchiffrer.

Cher Mr. Pitt,
J'ai entendu dire que vous cherchiez partout la femme habillée de rouge. Je sais où vous pourrez la trouver, et si vous êtes prêt à payer le prix, je vous mènerai auprès d'elle.
Si mon offre vous intéresse, rendez-vous à Seven Dials, au Triple Plea, demain soir vers six heures.

S. Smith.

Pitt sourit, replia la lettre avec soin, la mit dans sa poche et se dirigea à pas de loup vers la cuisine.

Le lendemain soir, il partit sous un crachin glacial,

emmitouflé dans son cache-col, et se rendit à Seven Dials. Il savait pourquoi l'homme lui avait donné rendez-vous dans ce district ; comme l'avait dit la petite marchande de violettes, la plupart des journaux étaient imprimés là-bas. C'était le quartier général des bonimenteurs. Ils vivaient en vendant des feuilles de chou ou des feuillets de chanson au mètre, toujours en mouvement, s'époumonant à raconter les pires horreurs qui s'y trouvaient imprimées. Des crimes pour la plupart et toujours les plus macabres. Parfois, ils déclamaient des lettres d'amour très osées, signées par une personnalité connue, une actrice célèbre ou, plus excitant, par « une dame du voisinage, à l'intention d'un gentleman habitant tout près ». Si la vérité manquait de saveur, les crieurs faisaient appel à leur imagination et brodaient habilement sur d'anciennes anecdotes : femme trompée assassinant l'amant infidèle ou le malheureux fruit de leur union. Bien racontées, ces histoires faisaient monter les larmes aux yeux des promeneurs. Les crieurs de nouvelles étaient des hommes entreprenants et observateurs ; rien d'étonnant à ce que l'un d'eux ait remarqué Cerise, puisqu'ils gagnaient leur vie en contant des récits de crimes passionnels dont le personnage central était toujours une beauté fatale.

Le vent glacial s'engouffrait dans les venelles de Seven Dials ; les passants marchaient le dos voûté, la tête dans les épaules. Les sans-logis dormaient dans les encoignures de portes, tassés les uns contre les autres, à la recherche d'un peu de chaleur. Les éclats de verre d'une bouteille de gin brisée scintillaient à la lueur d'un réverbère.

Pitt trouva assez facilement le *Triple Plea*. Il joua des coudes au milieu des consommateurs braillards et se dirigea vers le comptoir. Le patron, portant un tablier maculé de bière, les manches relevées, observa ce nouveau client d'un air soupçonneux.

— Ouais ?

— Je m'appelle Pitt, annonça celui-ci. Quelqu'un m'a demandé ?

— Comment je le saurais? Je suis pas un service de renseignements.

Pitt s'efforça de rester aimable, fouilla dans sa poche et en sortit une pièce de six pence.

— Oh, mais si! Et tout renseignement mérite salaire, quand il en vaut la peine. Si on me demande, prévenez-moi. En attendant, servez-moi un verre de cidre.

L'homme regarda l'argent d'un air rogue, fit couler le cidre à la pression dans un bock et le poussa vers Pitt.

— Tenez. Votre homme s'appelle Black Sam. Là-bas, dans le coin, l'homme à la chemise bleue et au manteau marron. Eh! Le cidre est pas gratuit!

— Bien entendu, fit Pitt en posant deux pence sur le comptoir.

Il prit le bock et but une gorgée avec précaution. Le cidre était particulièrement bon, à la fois brut et sucré. Il but encore une longue gorgée et se dirigea vers le coin de la salle, cherchant des yeux l'homme décrit par le patron. Plusieurs des buveurs attablés devaient être des canardiers; on n'était pas loin des imprimeries et ils avaient les traits mobiles, l'œil vif, la silhouette maigre et nerveuse de gens qui sont toujours en mouvement.

Il aperçut un homme au teint basané, vêtu d'une chemise bleu vif, assis devant une pinte de bière. Leurs regards se croisèrent et Pitt comprit qu'il avait trouvé le dénommé Black Sam. Celui-ci passait tous les clients en revue, comme s'il attendait quelqu'un. Pitt se fraya un chemin jusqu'à lui et s'arrêta devant la table bondée.

— Mr. Smith?

— C'est moi.

— Pitt. Vous avez dit que moyennant rétribution, vous pourriez m'aider.

— Ouais, c'est ça. Buvez votre cidre; quand je partirai, attendez un peu avant de me suivre. Je veux pas donner aux autres des raisons de se poser des questions; c'est pas bon de se poser des questions. Je vous attendrai sur le trottoir d'en face. J'espère que vous serez généreux. Je fais pas crédit. Un tuyau, c'est un tuyau, et moi, je vis de ça.

— Parfois, les informations ne sont que des canards, remarqua Pitt. Ce ne serait pas la première fois que j'en entendrais un. Il y en a des fameux qui se racontent dans le quartier.

Black Sam sourit, montrant une denture toute de travers, mais étonnamment blanche.

— Pour sûr. C'est pour faire pleurer les dames. Ça mange pas de pain si l'histoire est un peu... décorée. On est artiste ou on l'est pas.

— C'est vrai. Mais moi, l'histoire, je la préfère simple. Sinon rien.

— Oh, vous bilez pas, vous l'aurez !

Sam se leva, vida son bock jusqu'à la dernière goutte, le posa sur le banc, bouscula Pitt sans le regarder. Quelques secondes plus tard, il avait disparu.

Pitt termina son cidre sans se presser, puis quitta furtivement le pub et sortit dans la nuit noire. Le crachin avait cessé de tomber et il commençait à geler. Il n'y avait pas d'étoiles ; un épais manteau de fumée sortant de dizaines de milliers de cheminées stagnait au-dessus de la capitale. Il aperçut la silhouette de Sam sur le trottoir d'en face. Il traversa la rue et s'approcha de lui.

— Combien ? fit ce dernier sans bouger.

— Si la femme en rouge est bien celle que je cherche, une demi-couronne.

— Qu'est-ce qui vous empêchera de me dire que c'est pas la bonne ?

Pitt y avait déjà pensé.

— Ma réputation. Si je ne vous paye pas le service que vous m'avez rendu, aucun informateur ne voudra me donner de tuyaux. Je ne pourrai plus faire mon travail correctement.

Sam réfléchit, mais ne tarda pas à prendre une décision. La rumeur se répandait vite parmi ceux dont l'existence était à la limite de la survie et du désespoir. Il gagnait sa pitance grâce à sa capacité à juger les gens.

— Entendu, bougonna-t-il. Suivez-moi.

Il se redressa et partit à toutes jambes ; Pitt eut fort à

faire pour se maintenir à sa hauteur; pourtant il était habitué à marcher toute la journée, mais à un rythme mesuré, comme du temps où il était simple agent de police. Et il avait acquis l'habitude de se déplacer en cab! Il n'arrivait pas à reprendre son souffle, au train d'enfer que menait Sam.

Un quart d'heure plus tard, ils se trouvaient à l'autre bout de Seven Dials, dans un quartier moins insalubre. Les rues étaient encore étroites; un œil exercé reconnaissait des pensions bon marché, dont certaines devaient servir de maisons de passe. Si Cerise travaillait là, c'est qu'elle avait dû connaître des revers de fortune depuis l'époque où elle fréquentait les alentours du Lyceum.

Black Sam s'immobilisa brusquement.

— C'est là, en haut des marches, dit-il à voix basse.

Il n'était même pas essoufflé. On aurait dit qu'il venait d'effectuer une promenade digestive.

— Frappez à la porte et demandez à voir Fred. Il vous dira où est votre cliente. Moi, j'attends ici. Si c'est elle, vous redescendrez me donner ma demi-couronne. Je peux pas faire mieux. Si c'est pas elle, nous en serons quittes pour une jolie balade.

Il était inutile de discuter. Sans un mot, Pitt monta les marches, sur la pointe des pieds, et arriva devant une lourde porte. Il frappa fort, à s'en faire mal aux join-tures. Au bout d'un moment, elle s'entrouvrit sur un garçon maigre à la joue balafrée, qui le regarda avec indifférence.

— J'aimerais voir Fred, expliqua Pitt.

— Pour quoi faire? J' vous ai jamais vu!

— Des affaires, répliqua Pitt. Allez le chercher.

— Fred! cria le garçon. Un client pour toi! Y dit qui veut causer affaires!

Pitt attendit plusieurs minutes avant de voir arriver le fameux Fred, un homme replet et rubicond au front dégarni, et à l'air plutôt aimable.

— Oui? fit-il en découvrant des gencives édentées.

— Je cherche une femme toujours vêtue de couleur rouge. Black Sam m'a dit que vous sauriez où je pourrais la trouver.

— C'est vrai. Je lui loue une chambre.

— En ce moment ?

— Ben, évidemment ! Vous me prenez pour un imbécile ?

— Vous voulez dire qu'elle est là ?

— Oui. Mais je laisse pas entrer n'importe qui. C'est pas sûr que vous la voyiez. Elle a p'têt' déjà du monde.

— Bien entendu, je vous paierai. A quoi ressemble-t-elle, votre femme en rouge ?

L'homme haussa ses sourcils pâles.

— Ça, c'est la meilleure ! Qu'est-ce que ça peut vous faire ? Ou alors, vous avez plus d'oseille que vous en avez l'air, si c'est tellement important pour vous.

— C'est important, dit Pitt entre ses dents, puis, mû par une inspiration subite, il ajouta : Vous comprenez, je suis peintre. Alors, comment est-elle ?

L'homme haussa vaguement les épaules.

— Si vous le dites... Mais je vois pas pourquoi vous voulez faire son portrait ; elle est maigre comme un cent de clous, pas de poitrine, pas de hanches. Une jolie figure, ça je vous l'accorde. Très fine, des cheveux noirs. Bon, alors, décidez-vous ! Vous allez pas rester toute la nuit planté sur le pas de la porte. J'ai pas de temps à perdre, moi, c'est pas comme vous.

— J'y vais, dit aussitôt Pitt. Mais je dois d'abord payer Sam. Ensuite, je reviendrai vous donner ce que je vous dois.

— Alors, dépêchez-vous ! J'ai du travail, moi.

Dix minutes plus tard, après avoir réglé ses dettes, Pitt se retrouva dans un couloir au sol recouvert d'un tapis rouge usé, maculé de traces de chaussures. Des lampes à gaz chuintaient au mur. Arrivé au bout du couloir, il frappa à la porte. Personne ne répondit. Il frappa à nouveau, plus fort. Fred l'avait assuré que

Cerise était là. Il l'avait décrite avec précision, mentionnant des détails que Pitt ne lui avait même pas demandés.

Derrière lui, une porte s'ouvrit. Une blonde plantureuse sortit d'une chambre, enveloppée d'un grand châle qui ne cachait pas ses épaules grasses et nues.

— Arrêtez ce raffut ! Si vous voulez entrer, vous gênez pas. La porte est pas fermée à clé. Restez pas là à déranger tout le monde. Vous allez faire fuir mes clients. C'est une descente de police ou quoi ?

Pitt s'exécuta. Il se sentait très excité. Cerise était donc là. Dans quelques instants, il allait la voir et peut-être percer enfin le secret de la mort de Robert York. Il laissa la blonde retourner à ses amours, et tourna la poignée de la porte, qui céda facilement. Elle n'était pas verrouillée.

Il ne fut pas surpris par le décor : une pièce relativement confortable mais très en désordre, encombrée de meubles et bibelots. Il y flottait une odeur de parfum bon marché, de poussière et de draps sales. Des coussins, des poufs, des tentures rouge vif, un grand lit défait, avec deux courtepointes négligemment étalées, si bien qu'il ne pouvait discerner, de loin, s'il y avait quelqu'un sous les draps. Il referma la porte derrière lui. En s'approchant du lit, il discerna une forme humaine allongée, aperçut l'éclair d'un tissu de satin magenta et une chevelure noire soyeuse, éparse. Le visage de la femme était tourné sur le côté.

Il s'apprêtait à lui adresser la parole, quand il réalisa qu'il ne connaissait même pas son nom. Pour lui, elle était Cerise. On lui avait parlé d'une courtisane au sommet de sa gloire. En trois ans, la déchéance l'avait menée jusque-là. Ce n'était plus la même personne. L'excitation de la découverte se mua soudain en pitié. L'aventurière intrépide en était réduite à vendre ses charmes dans ce galetas. Bien qu'elle ait pu être une espionne, une meurtrière, ou la complice d'un assassin, Pitt n'en avait pas moins l'impression de violer son intimité.

— Madame... murmura-t-il, ne sachant comment l'appeler.

Elle ne bougea pas. Elle devait être plongée dans un profond sommeil, ou peut-être ivre. Pitt se pencha en avant, effleura son épaule et la secoua légèrement.

Elle ne réagit pas. Il la tourna vers lui, ce qui laissa voir la soie magenta d'un corsage et la pointe fuchsia d'un corset. Elle devait être ivre morte. Cette fois, il la secoua avec vigueur. La chevelure noire retomba en cascade, l'une des courtepointes glissa au sol.

Pitt n'en crut pas ses yeux. La tête ballottait bizarrement, non mollement, comme celle d'une personne endormie, mais avec une sorte de rigidité... cadavérique. Elle avait la nuque brisée. On avait dû lui assener un coup unique, très violent. Elle était maigre ; il sentait ses os fragiles sous ses doigts. Difficile de dire si elle avait été belle ; néanmoins il demeurait une certaine grâce dans les proportions de ce corps inerte.

— Mon Dieu !

Un instant, Pitt crut qu'il avait parlé à voix haute, mais il se rendit compte qu'il y avait quelqu'un dans la pièce.

— Espèce de salaud ! Comment vous avez osé ? Pauvre petite, elle vous a rien fait !

Pitt se redressa lentement et se retourna : c'était Fred, très pâle, qui bloquait la porte.

— Je ne l'ai pas tuée, riposta-t-il, agacé. Elle était morte quand je suis arrivé. Allez chercher un agent. Qui est entré ici avant moi ?

— Ah ça pour sûr, je vais prévenir les argousins, répondit Fred, féroce. Mais je peux pas vous laisser ici tout seul, des fois que je retrouverais d'autres macchabées, à mon retour.

— Mais je ne l'ai pas tuée ! grinça Pitt, qui avait du mal à garder son calme. Je l'ai trouvée morte. Allez chercher un agent, vite.

Fred ne bougea pas d'un pouce.

— Et bien sûr, vous allez sagement rester là à les attendre. Non, mais vous me prenez pour qui ?

Pitt se redressa de toute sa taille et s'avança vers lui. Par réflexe, Fred se mit en garde. Pitt comprit que sous son apparente bonhomie, il avait la ferme intention de l'empêcher de quitter la pièce, en utilisant la violence si nécessaire. Et il était de taille à avoir le dessus.

— Je suis de la police, dit-il sèchement. Nous recherchons cette femme, pour complicité de meurtre et forfaiture.

— Ah oui ? Et moi je suis le duc de Wellington.

Fred bloquait la porte, balançant ses bras, prêt à parer une attaque.

— Rosie ! cria-t-il sans quitter Pitt des yeux. Amène-toi ! Et vite !

— Je vous répète... commença Pitt.

— Oh toi, la ferme ! Rosie ! Viens par ici, avant que j'aille te chercher.

La blonde plantureuse apparut, enveloppée d'un drap rose, les joues empourprées de colère.

— Écoute-moi bien, Fred. Si je te paye un loyer, c'est pour pouvoir travailler tranquille. J'aime pas qu'on me crie après et qu'on me dérange toutes les...

Elle s'interrompit, comprenant que quelque chose de grave était arrivé.

— Qu'est-ce qui se passe ici ?

— Ce type vient de bousiller la fille qui portait ces couleurs horribles. On dirait qu'il l'a étranglée.

Rosie secoua la tête.

— Pauvre gosse... C'est pas bien d'avoir fait ça.

— Alors, qu'est-ce que t'attends pour aller chercher la rousse ? Bouge tes fesses ! Y a eu meurtre !

— Hé, on me traite pas comme ça, Fred Bunn ! Moi, je vais pas chercher les argousins. Je descends prévenir Jacko.

S'entortillant avec dignité dans son drap rose, elle tourna les talons et descendit l'escalier.

Pitt s'assit sur le bord du lit. Inutile de discuter avec Fred, têtu comme une mule. A l'arrivée de la police, il expliquerait tout.

Fred s'appuya contre le chambranle de la porte.

— Pourquoi vous avez fait ça ? dit-il tristement. C'était pas la peine de la tuer.

— Mais je ne l'ai pas tuée ! Je la voulais vivante ! J'avais des questions importantes à lui poser.

— Ah ouais... forfaiture. Bon, vous manquez pas d'imagination, faut le reconnaître. Pauvre môme.

— Depuis combien de temps travaillait-elle ici ? demanda Pitt, désireux de ne pas perdre de temps.

— Sais pas. Deux, trois jours.

— Deux ou trois jours seulement ? Et avant, elle était où ?

— Qu'est-ce que j'en sais ? Elle a payé son loyer, pour moi, c'est la seule chose qui compte.

Pitt se sentit soudain très las. Tout cela était si pathétique. Cerise, quel que fût son nom, avait bien eu une enfance, comme tout le monde. Une brève carrière de demi-mondaine, scintillante et dangereuse la nuit, cachée le jour ; puis sa chance avait tourné, ses charmes s'étaient fanés. Elle était tombée dans la prostitution ordinaire. Et on lui avait brisé le cou au cours d'une dispute stupide dans un meublé sinistre.

Il se retourna pour la regarder. C'était donc la femme qui avait exercé un tel pouvoir, une telle fascination sur Robert York et peut-être Julian et Garrard Danver, qu'elle avait pu s'introduire chez eux, la nuit, se riant des conventions et courant des risques insensés. Que serait-il arrivé si Veronica, Loretta ou Piers York l'avaient surprise ? Loretta ne serait pas discrètement repartie dans sa chambre, comme l'avait fait Adeline Danver. Elle était d'une autre trempe. Elle aurait mis son fils au pied du mur et lui aurait dit de retrouver ses maîtresses ailleurs que sous son toit.

Il regarda la forme mince allongée sur le lit. La chair des épaules était sombre, olivâtre. Mais au-dessus du ruban de satin rouge noué autour de son cou, la peau commençait à se flétrir ; quelques rides marquaient son visage et des cernes violacés ombraient ses paupières.

Elle avait une ossature délicate, des lèvres charnues, mais il était difficile de dire à présent si elle avait été belle. L'étincelle de vie peut bien sûr provoquer des miracles. Elle avait peut-être eu de l'esprit, ce rare sourire qui sait illuminer un visage, ce don d'écouter avec attention qui donne à l'interlocuteur l'impression d'être unique. Des jolis minois, on en rencontre partout, mais le charme véritable est une perle rare.

Pauvre Cerise.

Pitt fut brutalement tiré de ses pensées par le bruit de pas lourds dans le couloir; derrière la silhouette impassible de Fred, il entendit la voix de Rosie, aiguë et indignée. Quelque part, dans une chambre, un homme gémit.

Un agent apparut, la matraque à la main, une lanterne sourde à la ceinture; sa pèlerine était trempée.

— Eh bien? demanda-t-il. Où est la morte?

— Là-bas, répondit Fred, maussade.

Il n'aimait pas la police, et n'acceptait la nécessité de sa présence qu'à contrecœur.

— C'est ce drôle de coco qui l'a tuée; Dieu seul sait pourquoi. Je l'ai fait monter y a un quart d'heure, parce qu'il voulait la voir en particulier. Et puis je suis remonté et je l'ai trouvée là tout ce qu'il y a de plus morte. Alors j'ai envoyé Rosie dire à Jacko d'aller vous chercher. Elle vous dira la même chose que moi.

L'agent passa à côté de Fred et examina la pièce d'un air à la fois triste et dégoûté. Il regarda Pitt en soupirant.

— Pourquoi vous avez fait ça? C'est pas votre femme ou votre maîtresse, hein?

— Bien sûr que non!

Pitt sentait la moutarde lui monter au nez.

— Écoutez, je suis officier de police. Inspecteur Pitt, du commissariat de Bow Street. Voilà des semaines que nous recherchons cette femme. Je l'ai retrouvée ici, mais trop tard. C'était un témoin capital dans une affaire criminelle.

L'agent détailla Pitt de la tête aux pieds, incrédule. Un inspecteur de police, cet individu engoncé dans un cache-col en laine, avec une vieille redingote, un pantalon informe et des bottes usées ?

— Vérifiez auprès de Bow Street ! aboya Pitt. Demandez le commissaire Ballarat.

— Je vous emmène au poste de Seven Dials. Ils préviendront Bow Street, fit l'agent avec flegme. Faites pas d'histoires et il vous arrivera rien. Sinon, il faudra que je m'occupe de vous..

Il se tourna vers Fred.

— Qui d'autre est monté ici, quand elle était encore en vie ? dit-il en désignant le corps allongé sur le lit.

— Un type avec des cheveux bouclés gominés sur les tempes, répondit Fred en mimant l'aspect de la coiffure. Il voulait Clarrie ; elle est descendue le chercher. Et puis après lui, un chauve, d'une quarantaine d'années, pour Rosie ; je l'ai accompagné dans sa chambre. Un client régulier.

— Donc personne d'autre est entré dans cette chambre, à part lui ?

— Les filles. Demandez-leur.

— Vous pouvez compter sur moi. Et vous avez intérêt à tous être là, quand on reviendra, sinon on vous boucle pour refus de témoigner et vous finirez à Coldbath Fields ou à Newgate. Vous, suivez-moi gentiment, ajouta-t-il à l'adresse de Pitt. M'obligez pas à être méchant. Allez, tendez vos mains.

Pitt sursauta.

— Quoi ?

— Vos poignets, m'sieur. Je suis pas idiot. Je vais pas vous ramener au poste en pleine nuit sans menottes

Pitt ouvrit la bouche, puis, réalisant l'inutilité de ses protestations, tendit docilement ses deux bras.

Deux heures plus tard, Pitt était encore assis, menottes aux poignets, au poste de Seven Dials. Il commençait à s'inquiéter. On avait envoyé un message à Bow Street, et la réponse, manuscrite, n'avait pas tardé. Oui, ils connaissaient Thomas Pitt, qui correspondait à la description qu'on en avait faite, mais il n'avait pas reçu l'ordre de procéder à l'arrestation d'une prostituée en robe rouge ; d'ailleurs, à leur connaissance, aucune prostituée n'était liée à l'affaire sur laquelle travaillait l'inspecteur Pitt. Il était chargé d'un complément d'enquête sur un cambriolage et un assassinat, commis trois ans plus tôt à Hanover Close, au domicile de l'honorable Piers York. D'après les renseignements en possession du commissaire Ballarat, l'inspecteur Pitt n'avait jusqu'à ce jour découvert aucun élément nouveau susceptible de faire avancer l'enquête. L'officier de police de Seven Dials, en charge du meurtre de cette malheureuse fille, devait donc traiter l'affaire promptement, avec équité. Bien sûr, le commissaire souhaitait être tenu au courant des tenants et des aboutissants de l'enquête ; il espérait que Thomas Pitt n'était coupable que d'avoir stupidement succombé à la tentation de la chair. Néanmoins, justice devait être faite. Il ne pouvait y avoir d'exception pour un représentant de l'ordre.

Lorsque Fred était entré dans la chambre, Pitt n'avait pensé qu'à Cerise ; il l'avait retrouvée trop tard. Qu'on l'ait pris pour le meurtrier lui avait paru risible. Mais il devenait évident que personne ne le croyait et que ses protestations, au lieu de faire éclater la vérité, tombaient dans l'oreille de sourds, comme les dénégations d'un quelconque criminel pris en flagrant délit. Quant à Ballarat, il n'avait pas l'intention de soulever l'indignation de la bonne société, ni de subir les remontrances de ses supérieurs en couvrant les agissements de son subordonné. Il ne voulait pas davantage entendre parler d'espionnage, refusait d'enquêter chez les York, les Danver ou les Asherson et n'était que trop content de se débarrasser de l'homme qui le pressait d'agir de la sorte. Le meilleur moyen de réduire Pitt au silence était de le faire emprisonner pour homicide.

Celui-ci sentit une sueur froide couler dans son dos. Il frissonna et eut soudain envie de vomir. Que deviendrait Charlotte ? Dieu merci, Emily pourrait subvenir à ses besoins. Mais que dire du déshonneur, de la honte ? Les policiers avaient peu d'amis ; un policier condamné à la peine capitale pour le meurtre d'une prostituée n'en avait aucun. Charlotte trouverait partout porte close ; aucune main charitable ne viendrait la secourir. Les voisins, les amis d'antan la rejetteraient ; la pègre, qui, par solidarité, aurait donné de l'argent à la veuve d'un pendu, n'aurait aucune pitié pour la famille d'un policier. Daniel et Jemima grandiraient avec le souvenir de l'exécution de leur père, dissimulant leur identité, essayant de défendre sa mémoire, sans jamais vraiment être sûrs de savoir la vérité... Non, c'était trop horrible. Mieux valait penser à autre chose.

Une voix l'arracha à son tourment et le ramena à une réalité immédiate.

— Debout ! T'es bon pour Coldbath Fields. Tu vas pas rester assis là toute la nuit. On t'emmène.

Pitt leva les yeux et croisa le regard bleu glacial de l'agent qui le regardait avec tout le mépris qu'un membre de police réserve à un collègue qui a trahi les valeurs pour lesquelles il doit être prêt à donner sa vie.

— Allez, debout. A partir de maintenant, tu vas apprendre à faire ce qu'on te dit !

9

Se doutant que Pitt rentrerait tard, Charlotte alla se coucher peu avant onze heures, attristée de ne pas l'avoir revu depuis leur dispute. Le lendemain matin, elle s'éveilla en sursaut, consciente avant même d'ouvrir les yeux qu'il se passait quelque chose d'anormal. Un silence inhabituel régnait dans la chambre. Elle se redressa sur son oreiller. La place de Pitt était intacte, dans l'état où elle était la veille au soir.

Elle se leva et passa sa robe de chambre, tout en réfléchissant. Sans doute trouverait-elle un message dans la cuisine. Pitt était peut-être rentré puis avait été contraint de repartir sans avoir eu le temps de dormir. Pour l'instant, mieux valait ne pas penser au pire. Oubliant d'enfiler ses chaussons, elle partit pieds nus dans le couloir.

Elle ne trouva pas de message dans la cuisine ; la bouilloire était à la même place que la veille et les tasses, inutilisées. Pitt n'avait pas non plus laissé de mot dans le salon. Elle chercha des explications logiques à son absence, pour empêcher l'angoisse de l'envahir : il était sur une piste importante, si proche du dénouement de l'enquête qu'il n'avait pas eu le temps de rentrer ; il avait procédé à une arrestation et se trouvait encore au commissariat ; on l'avait chargé d'une autre affaire et il n'avait envoyé personne pour la prévenir parce qu'il ne voulait pas la réveiller. On ne pouvait entrer dans la maison sans la clé... Le bon sens l'empêcha d'aller plus loin : il aurait été si simple de glisser un message dans la boîte aux lettres.

D'un moment à l'autre, quelqu'un allait arriver, peut-être Pitt lui-même. Elle grelottait de froid, il lui fallait s'habiller. Gracie n'allait pas tarder à se lever et les enfants descendraient bientôt prendre leur petit déjeuner. Elle remonta dans sa chambre, qui lui parut bizarrement vide, se déshabilla en frissonnant, enfila des bas, un jupon et une vieille robe bleu foncé, puis épingla ses cheveux, sans même se regarder dans la glace. Elle se laverait la figure en bas, dans la cuisine où il y avait de l'eau chaude. D'ici là, quelqu'un aurait porté un message.

La sonnette retentit alors qu'elle était en train de s'essuyer la figure. Sa serviette lui échappa des mains. Sans prendre la peine de la ramasser, elle courut à la porte : un agent de police au visage congestionné se tenait sur le seuil, l'air si malheureux que Charlotte en perdit la respiration.

— Mrs. Pitt ?

Elle le dévisagea en silence.

— Je... je suis désolé, madame, bredouilla-t-il, mais faut que je vous dise que l'inspecteur Pitt a été arrêté. On l'accuse d'avoir tué une femme à Seven Dials. Il dit qu'elle avait déjà la nuque brisée quand il est arrivé. C'est sûrement vrai. Il aurait jamais fait une chose pareille ! En attendant, ils l'ont emmené à la maison d'arrêt de Coldbath Fields. Rassurez-vous, il va bien, madame, faut pas vous faire de mauvais sang !

Il resta là, impuissant, incapable de trouver d'autres mots de réconfort. Il ignorait si elle avait entendu parler du Steel, déformation tristement évocatrice du mot français Bastille. Il était inutile de lui mentir ; elle s'apercevrait bien vite de la raison pour laquelle on avait attribué au pénitencier de Coldbath Fields ce sinistre diminutif.

Charlotte demeura pétrifiée. Tout d'abord, elle ressentit un certain soulagement : Pitt etait vivant. Elle avait tellement eu peur qu'elle n'avait osé formuler tout haut sa première pensée. Puis une sorte de pénombre se referma sur elle, comme si le crépuscule avait pris la place de l'aube. Pitt arrêté ! Incarcéré ! Elle avait entendu parler de Coldbath Fields, ainsi que d'autres maisons d'arrêt, plus souvent que Pitt ne le supposait ; des prisons où l'on purgeait des peines courtes, où l'on enfermait les prévenus avant leur procès. Aucun détenu n'y survivait plus d'un an. Tante Vespasia avait livré bataille pour faire éradiquer l'épidémie de typhus, surnommé fièvre des prisons, qui y sévissait.

La voix du policier interrompit ses pensées. Ses yeux bleus l'observaient d'un air soucieux.

— Madame... vous devriez aller prendre une tasse de thé.

Charlotte le dévisagea avec étonnement. Elle avait presque oublié sa présence.

— Non... répondit-elle d'une voix lointaine. Non, je n'ai pas besoin de m'asseoir. Où avez-vous dit qu'on l'avait emmené ? Coldbath Fields ?

— Oui, madame.

Il voulut ajouter quelque chose, mais ne trouvait pas ses mots. C'était la première fois qu'on le chargeait d'annoncer à l'épouse d'un collègue que celui-ci était accusé de meurtre, et de surcroît, d'une prostituée. Son visage reflétait une profonde pitié.

— Il va falloir que je lui apporte du linge propre...

Charlotte se raccrochait à tous les détails pratiques qui pourraient aider Pitt.

— ... des chemises, un pantalon. Sont-ils nourris, au moins ?

— Oui, madame. Mais un petit extra serait le bienvenu. Vous auriez pas un frère, ou un ami, qui pourrait y aller à votre place ? C'est pas un endroit pour une dame.

— Non. J'irai moi-même. Je vais m'assurer que la bonne est levée et qu'elle s'occupe des enfants. Encore merci.

267

— Si je peux faire quelque chose...

— Non, merci. Tout ira bien.

Elle referma doucement la porte derrière lui et retourna dans la cuisine, les jambes flageolantes. Elle se cogna contre le chambranle de la porte, mais elle était tellement hébétée qu'elle ne sentit pas la douleur immédiatement. Elle aurait un beau bleu d'ici à quelques jours, mais elle s'en moquait ; elle ne pensait qu'à Pitt, transi, affamé, à la merci des gardes-chiourme.

Elle coupa des tranches de pain, les beurra, trancha la viande froide qui devait leur servir de repas pendant deux jours, enveloppa les sandwichs dans du papier et les mit dans un panier. Ensuite elle monta à l'étage, sortit des sous-vêtements repassés, une chemise de bonne qualité puis, après réflexion, se dit qu'il valait mieux apporter des habits plus usagés. Elle fouillait l'armoire du palier, quand elle vit Gracie descendre de sa chambre, située sous les combles. Celle-ci s'arrêta sur la dernière marche de l'escalier.

— Vous cherchez quelque chose, madame ?

Charlotte referma la porte du placard et se retourna.

— Non, merci, Gracie, j'ai trouvé ce qu'il me fallait. Je dois sortir. Je ne sais pas l'heure à laquelle je rentrerai ; peut-être tard. Ah, j'ai pris la viande froide pour Mr. Pitt. Il faudra que vous nous trouviez autre chose à manger.

Gracie cligna des yeux et resserra son châle autour de ses épaules.

— Madame, vous êtes toute blanche ! Il est arrivé quelque chose ? demanda-t-elle, désemparée.

Inutile de mentir ; il faudrait bien lui dire la vérité, tôt ou tard.

— Oui. Mr. Pitt a été arrêté. On l'accuse d'avoir tué une femme à Seven Dials. Je vais lui porter quelques affaires. Je...

Elle faillit se mettre à pleurer ; sa gorge était si serrée qu'elle n'arrivait plus à parler.

— J'ai toujours pensé qu'il y avait des malades dans

la police, décréta Gracie avec un profond mépris, mais alors là, ils sont tous devenus fous. J'espère que celui qui a fait cette erreur l'emportera pas au paradis. Allez-vous voir le commissaire de police, madame ? Ils ne savent pas qui ils ont arrêté ! Y a pas un homme dans tout Londres qui a résolu autant d'énigmes que Mr. Pitt ! Des fois, je me dis que certains voient pas plus loin que le bout de leur nez !

Charlotte eut un pâle sourire. La vue du petit visage indigné de Gracie la rasérénait.

— Oui, j'irai le voir, affirma-t-elle. Je vais d'abord porter des affaires à Mr. Pitt ; ensuite j'irai à Bow Street.

— Oui, madame, il le faut. Pendant ce temps, je m'occuperai de tout ici.

— Merci, Gracie.

Charlotte se détourna très vite et descendit précipitamment l'escalier avant que les larmes ne lui montent aux yeux. Mieux valait ne rien dire. Agir était plus facile et beaucoup plus utile.

Mais lorsqu'elle arriva devant la tour grise et les lourdes portes de l'établissement pénitentiaire, on ne la laissa pas voir Pitt. Au guichet, un gardien au nez rouge, à l'air enrhumé, lui prit des mains le panier empli de sandwichs et de linge en lui promettant d'un air lugubre qu'il serait remis au prisonnier. Il lui expliqua qu'elle n'avait pas le droit d'entrer, car ce n'était pas l'heure des visites ; non, il ne pouvait pas faire d'exception, non, il n'avait pas le droit de prendre de message. Il était désolé, mais le règlement était le règlement.

Il n'y avait pas à discuter devant un refus aussi ferme ; quand elle vit le désintérêt total dans ses yeux larmoyants, elle tourna les talons et s'éloigna dans l'allée de gravier mouillée, tout en réfléchissant à ce qu'elle allait dire à Ballarat. Le premier moment de colère passé, devant tant d'injustice et de stupidité, elle s'obligea à penser aux choses pratiques. Comment pousser Ballarat à agir vite ? A priori, une explication calme et raisonnée des faits suffirait. Sans doute ignorait-il ce qui s'était passé, sinon il aurait déjà trouvé une solution ; il aurait contacté le responsable du poste de police de Seven Dials qui avait commis une telle bévue et Pitt aurait été libéré sur-le-champ.

Elle prit un omnibus bondé de femmes et d'enfants, paya le ticket au receveur et se faufila entre une grosse dame vêtue de noir, à la poitrine volumineuse, et un petit garçon en costume de marin. Elle essaya de se changer les idées en observant les voyageurs : une vieille femme au visage ridé, coiffée d'un bonnet de dentelle à l'ancienne mode, une jeune fille vêtue d'une jupe rayée qui souriait à un garçon aux épais favoris ; mais, très vite ses pensées retournèrent vers Pitt. Être ainsi arrachée à lui, sans pouvoir l'aider ! Une vague de panique la submergea.

Elle descendit de l'omnibus sur le Strand et, d'un pas mal assuré, marcha jusqu'au commissariat. Son cœur cognait à tout rompre. Elle prit une profonde inspiration, expira lentement, pour se calmer, mais sans succès. Elle monta les marches du commissariat et buta sur la dernière, comme si elle n'arrivait plus à coordonner ses mouvements. En poussant la porte, elle réalisa que c'était la première fois qu'elle entrait dans ce poste de police où Pitt venait travailler tous les jours et dont il lui parlait souvent ; elle avait cru que l'endroit lui paraîtrait familier, mais il était plus sombre et plus glacial qu'elle ne l'avait imaginé. L'odeur du linoléum et de la cire frappa ses narines ; elle remarqua les boutons de porte en cuivre, les marques d'usure sur les bancs où tant de gens passaient des heures d'attente.

L'agent de service leva les yeux du registre sur lequel il était en train d'écrire avec application. Il vit tout de suite qu'il avait affaire à une femme respectable.

— Madame ? Je peux vous aider ? Vous avez perdu quelque chose ?

Charlotte avala sa salive.

— Non, merci. Je... je suis l'épouse de l'inspecteur Pitt. J'aimerais voir Mr. Ballarat, s'il vous plaît. C'est très urgent.

L'homme rougit et évita son regard.

— Bien, madame. Si... vous voulez patienter quelques instants, je vais aller voir.

Il ferma son registre, le rangea et disparut derrière la porte vitrée qui donnait sur un couloir. Charlotte entendit le son étouffé de sa voix qui chuchotait derrière la porte.

Elle attendit, debout, sur le linoléum usé. Personne ne revint. Les collègues de Pitt étaient trop embarrassés pour la regarder en face et ils ne savaient que lui dire. Elle s'était attendue à ce qu'ils fussent en colère, prêts à le défendre et à lui répéter qu'il s'agissait d'une monstrueuse erreur qui ne tarderait pas à être réparée. Ce silence l'inquiéta. De deux choses l'une : soit ils doutaient de l'innocence de Pitt, soit ils n'osaient exprimer ouvertement leur sentiment. N'avaient-ils donc aucun esprit de solidarité, aucune confiance en lui, après toutes ces années passées ensemble?

A nouveau, une peur panique s'empara d'elle, à lui donner la nausée. Sans s'en rendre compte, elle fit un pas en avant; elle avait envie de faire du bruit, de hurler jusqu'à ce que quelqu'un vienne.

La porte qui s'ouvrit brusquement la fit sursauter, l'agent était de retour. Cette fois, il la regarda dans les yeux.

— Si vous voulez bien me suivre, madame.

Il ne lui dit pas « Mrs. Pitt ». Avait-il honte, pour faire ainsi semblant de ne pas connaître son patronyme?

— Mrs. Pitt, dit-elle avec froideur.

— Mrs. Pitt, répéta-t-il docilement, les oreilles toutes rouges.

Elle le suivit dans le couloir, monta l'escalier, traversa le palier et entra dans le bureau de Ballarat. Il y faisait bon.

— Ah, Mrs. Pitt, entrez, entrez, fit-il avec chaleur. Asseyez-vous, ajouta-t-il en lui montrant un fauteuil de cuir bien rembourré, sans pour autant la prier de s'installer devant la cheminée.

Charlotte s'assit sur le bord du fauteuil, très droite. L'agent referma discrètement la porte derrière lui.

— Je suis désolé de vous avoir fait porter cette terrible nouvelle, commença Ballarat avant qu'elle ait ouvert la bouche. Quel choc terrible pour vous !

— Bien sûr, acquiesça-t-elle. Mais c'est sans importance. Qu'arrive-t-il à Thomas ? Ne sait-on pas qui il est ? Êtes-vous allé à Coldbath Fields pour tout leur expliquer ? Une lettre ne suffit peut-être pas !

Ballarat hocha la tête à plusieurs reprises.

— Ils savent qui il est, Mrs. Pitt. Je m'en suis assuré, cela va de soi. Mais je crains que les preuves soient contre lui. Je ne tiens pas à vous bouleverser en vous donnant tous les détails. Je pense, chère madame, que vous devriez rentrer chez vous veiller sur votre famille...

— Je n'en ai nullement l'intention !

Elle essaya de ravaler sa colère, mais sa voix tremblait de rage.

— Je suis tout à fait capable d'entendre ce que vous avez à me dire, quelles que soient ces prétendues preuves.

Il parut mal à l'aise ; son visage rubicond se couvrit de marbrures. Il s'éclaircit la gorge, pour se donner le temps d'ordonner ses pensées.

— Bien, bien. Je crois que vous ne comprenez pas exactement de quoi il retourne. Je vous assure que vous devriez me faire confiance, me laisser agir, et rentrer chez vous.

— Que faites-vous pour le sauver ? l'interrompit-elle avec véhémence. Vous savez très bien qu'il n'a rien fait ! Il faut trouver les preuves de son innocence.

Ballarat leva ses mains replètes et soignées. La lueur du feu accrocha sa chevalière en or.

— Chère madame, je dois respecter la loi, comme tout le monde. Bien sûr, reprit-il d'un ton qui se voulait patient, bien sûr, j'aimerais pouvoir le croire innocent...

Il hocha de nouveau la tête.

— Pitt est un bon officier de police, qui a rendu de grands services à la communauté...

Elle ouvrit la bouche pour le contrer, lui faire ravaler ce ton paternaliste, mais il poursuivit sur sa lancée :

— Mais je ne peux enfreindre la loi ! Si nous voulons maintenir la justice, nous ne pouvons nous placer au-dessus d'elle ! Bien entendu, ajouta-t-il en ouvrant de grands yeux, je ne crois pas un seul instant à la culpabilité de votre mari. Mais avec la meilleure volonté du monde, je ne peux et ne dois dire que je le sais innocent !

Il sourit très légèrement, montrant la supériorité du raisonnement masculin sur l'émotivité féminine.

— Nous ne sommes pas infaillibles ; mon jugement seul ne suffira pas à l'innocenter devant un tribunal ; et il ne le doit pas.

Charlotte se leva, blême de colère.

— Personne ne vous demande d'être juge, Mr. Ballarat, dit-elle en dardant sur lui un regard furibond. En venant ici, je m'attendais à ce que vous ayez l'honnêteté de vous battre pour défendre l'un de vos hommes, qui, vous le savez fort bien, ne peut avoir commis un tel crime. Même si vous ne le connaissiez pas, vous devriez le présumer innocent et tout faire pour trouver les défaillances dans les témoignages.

— Vraiment, ma chère... dit-il d'un ton doucereux, en faisant un pas vers elle.

Mais il croisa son regard et s'arrêta.

— Vraiment, chère madame, admettez que vous ne comprenez pas tout ! En tant qu'expert en la matière...

— Vous n'êtes qu'un lâche, laissa-t-elle échapper avec mépris.

Ballarat tressaillit, puis se ressaisit. Son regard se perdit dans le vague.

— Je comprends votre émotion. Elle est bien normale. Mais croyez-moi, après quelques jours de repos et de réflexion... D'ailleurs ne serait-il pas plus sage de laisser votre père, votre frère ou votre beau-frère...

— Mon père est mort, ainsi que mon beau-frère, et je n'ai pas de frère, Mr. Ballarat.

Il parut troublé. Sa porte de sortie s'était refermée. Quel dommage qu'il n'y ait pas eu d'homme pour s'occuper de l'affaire à la place de cette empoisonneuse !...

— Eh bien, dans ce cas... bredouilla-t-il, en détournant les yeux, nous ferons tout ce que nous pourrons, Mrs. Pitt. Mais je suis certain que vous ne tenez pas à ce que j'empêche la justice de suivre son cours, même si j'en avais le pouvoir.

Content de sa phrase, il durcit le ton.

— Vous devez vous calmer, et nous faire confiance.

— Je suis parfaitement calme, dit-elle d'une voix étranglée, sans daigner répondre à la seconde remarque. Merci de m'avoir consacré quelques minutes.

Et, sans attendre qu'il trouve des paroles d'adieu et sans lui tendre la main, elle lui tourna le dos, alla droit à la porte, l'ouvrit à la volée et sortit du bureau.

Mais la colère est une consolation passagère. Charlotte se retrouva dans la rue glaciale, bousculée par des gens indifférents, éclaboussée au passage par les voitures. Peu à peu, alors qu'elle marchait le long du Strand vers l'arrêt de l'omnibus, la vérité se fit jour : Ballarat ne ferait rien pour sauver Pitt. Elle s'était attendue à le voir indigné, révolté ! Pitt n'était-il pas l'un de ses meilleurs éléments ? Il aurait dû remuer ciel et terre pour réparer cette monstrueuse erreur. Or, à l'inverse, il faisait machine arrière, tergiversait, cherchait des excuses pour ne pas agir. Peut-être était-il même soulagé que Pitt fût réduit au silence. On n'aurait pu trouver meilleure solution pour l'empêcher, par ses questions embarrassantes, de déterrer un scandale impliquant les York, les Danver, les supérieurs de Ballarat au ministère de l'Intérieur et les services du

Foreign Office d'où avaient filtré des renseignements confidentiels.

Charlotte s'immobilisa au beau milieu du trottoir. Un homme portant un plateau chargé de feuilletés la heurta. Il lâcha un juron.

— Je suis désolée, murmura-t-elle.

Elle resta là, plantée sur le trottoir, tandis que les gens la dépassaient en grommelant. Était-il possible que Ballarat en personne...? Non, tout de même pas! C'était seulement un être faible et ambitieux. Mais qui avait fait disparaître Cerise? Que savait-elle de si important, pour qu'on l'ait traquée jusque dans une maison de passe de Seven Dials pour lui briser la nuque?

A l'évidence, quelqu'un l'avait tuée afin qu'elle ne le dénonce pas à la police. Et ce quelqu'un savait que Pitt ne tarderait pas à le retrouver. Si l'assassinat de Cerise, quelques minutes avant son arrivée, avait été une pure coïncidence, Ballarat serait en train de tout faire pour découvrir la vérité.

Charlotte repartit d'un pas vif. Elle avait au moins obtenu une information d'importance : Ballarat faisait partie de la machination, soit directement, soit par manque de courage. Elle penchait plutôt pour la seconde solution. Avec l'aide d'Emily, elle devait trouver un moyen d'action... oui, mais comment la joindre, chez les York? Sa sœur aurait pu tout aussi bien être en voyage à l'autre bout du monde! Charlotte n'avait même pas la certitude qu'une lettre lui parviendrait rapidement.

— Demandez le journal! Demandez le journal!

La voix du petit vendeur l'arracha à ses pensées.

— Dernière nouvelle! Une femme en rouge assassinée par un inspecteur de police! Dernière nouvelle!

Il s'arrêta tout près d'elle.

— Le journal, madame? Le célèbre inspecteur Pitt a tué une...

Le regard de Charlotte l'empêcha de terminer sa phrase comme il le voulait.

— ... une fille de joie.

— Je n'en veux pas, dit-elle d'une voix à peine audible.

Le gamin se détourna, et, prenant une grande inspiration, se remit à crier de plus belle. Charlotte se dit alors qu'il était stupide de se voiler la face. Si elle voulait se montrer vraiment utile, elle devait tout savoir.

— Hé, petit! le rappela-t-elle. J'ai changé d'avis. Donne-moi le journal.

Elle chercha de l'argent dans son sac et le lui tendit.

— Voilà, m'dame. Merci bien!

Il lui rendit la monnaie, puis poursuivit son chemin en s'époumonant :

— Dernière nouvelle! Horrible meurtre à Seven Dials!

Charlotte mit le journal sous son bras. Elle le lirait chez elle, à tête reposée. L'omnibus arrivait. Elle monta, paya le receveur et s'assit sur une banquette, indifférente aux autres voyageurs.

Lorsqu'elle en descendit, il pleuvait à torrents; elle fut trempée avant même d'arriver devant sa porte. Gracie se précipita à sa rencontre, les yeux rougis, le tablier tout taché. Charlotte ôta son manteau et l'accrocha à la patère du vestibule, sans se soucier qu'il s'égouttât par terre.

— Que se passe-t-il, Gracie? demanda-t-elle, agacée.

— Oh, madame, je suis désolée, c'est terrible...

Elle était visiblement encore au bord des larmes.

— Mrs. Biggs a rendu son tablier, madame. Elle est partie en disant qu'elle refusait de travailler une seconde de plus dans la maison d'un assassin. Alors j'ai été obligée de faire les parquets à sa place. Je suis désolée, répéta-t-elle, je voulais pas vous le dire, mais fallait bien que je vous explique pourquoi elle était partie...

La larmes roulaient sur ses joues.

— ... et le boucher a pas voulu me faire crédit. Il m'a pas dit d'aller acheter la viande ailleurs, mais c'était tout comme!

Déjà! Charlotte resta un instant suffoquée, nauséeuse. Elle n'avait pas encore envisagé la situation sous cet angle.

Gracie renifla avec vigueur, sans cesser de pleurer. Bouleversée, Charlotte mit ses bras autour de son cou et elles restèrent là à sangloter, étroitement enlacées. Charlotte finit par se ressaisir, se moucha et alla dans la cuisine se laver la figure à l'eau froide. Puis elle s'essuya énergiquement, donna quelques consignes à Gracie et se mit à éplucher des légumes avec frénésie, tout en essayant de réfléchir.

Ce soir-là, à table, elle ne dit rien aux enfants et fit tout pour se comporter normalement avec eux. Daniel avait trop faim pour remarquer quoi que ce soit, mais Jemima, très observatrice, lui demanda ce qui n'allait pas.

— J'ai attrapé froid, expliqua Charlotte en souriant. Ne t'inquiète pas.

Puis elle se dit qu'il valait mieux trouver une explication à l'absence de Pitt. Elle n'avait pas envie de mentir, et attendre ne ferait qu'aggraver les choses.

— Papa ne sera pas là pendant quelques jours, ma chérie. Il enquête sur une affaire tout à fait spéciale...

— C'est pour ça que tu es malheureuse? demanda Jemima, sans la quitter des yeux.

Charlotte essaya de lui fournir la réponse la plus proche de la vérité.

— Oui, mais ne te fais pas de souci. Nous nous tiendrons compagnie!

Elle essaya de sourire, mais s'aperçut que cela n'arrangeait rien. Jemima lui rendit son sourire, et sa lèvre inférieure se mit à trembler. Elle avait toujours été prompte à saisir les états d'âme de sa mère, qu'elle en comprît ou non la raison. Inconsciemment, elle adoptait ses gestes, ses mimiques, l'intonation de sa voix. Elle savait qu'il se passait quelque chose d'anormal.

— Il va me manquer, répéta Charlotte. Et tante Emily aussi. Elle est partie en vacances. Mais je vais avoir du travail et le temps passera vite. Allons, mange ta soupe avant qu'elle ne refroidisse.

Elle se pencha sur son assiette, se forçant à avaler un ragoût aux pommes de terre qu'elle trouvait insipide. Elle avait la gorge serrée et l'estomac noué.

A peine avaient-ils fini de manger que la sonnette retentit. Charlotte et Gracie se figèrent, inquiètes. Qui se pouvait-il être ? Un bref instant, Charlotte songea que Pitt avait peut-être été relâché et qu'il sonnait à la porte parce qu'il avait perdu ses clés. Non, ce devait être une voisine, venue aux nouvelles, par curiosité ou par pitié, ou encore un commerçant venant réclamer son dû.

La sonnette retentit à nouveau, insistante. Charlotte regarda Gracie.

— Oh, madame, ne me forcez pas à aller ouvrir ! On sait jamais qui ça peut être !

Elle se leva quand même, à contrecœur.

— A moins que vous m'autorisiez à leur claquer la porte au nez, si jamais ils me plaisent pas. Je promets pas d'être aimable !

— Vous avez mon autorisation, acquiesça Charlotte. Pensez à laisser la chaînette de sécurité accrochée.

— Bien, madame.

Gracie disparut dans le couloir, mâchoires serrées, en lissant son tablier. On entendit son pas précipité sur le linoléum. Daniel et Jemima cessèrent de manger, attentifs, l'oreille tendue. Il y eut un silence, le cliquetis de la chaîne de sécurité, un murmure de voix indistinctes, puis de nouveau le bruit de la porte qui se refermait.

Charlotte se leva.

— Restez là, les enfants.

— Qui est-ce, maman ? chuchota Jemima.

Le petit Daniel la dévisagea, mi-effrayé, mi-agressif, prêt à se battre.

— Je l'ignore. Attendez-moi. Je reviens.

Charlotte sortit dans le couloir et se trouva face à face avec Jack Radley, très pâle, qui précédait Gracie. Il lui tendit les bras, et elle s'y précipita. Il la serra très fort contre lui, sans un mot. Gracie se fit toute petite et s'éloigna, avec un reniflement soulagé. Elle avait beau tenir Charlotte en haute estime, à son avis, seul un homme pouvait maîtriser la situation. Et le Seigneur leur en envoyait un !

Charlotte se dégagea doucement de cette chaleureuse étreinte. Jack n'allait pas résoudre le problème d'un coup de baguette magique, hélas.

— Venez dans la cuisine. Il y fait bon.

Gracie était tellement retournée qu'elle avait oublié d'allumer le feu dans la cheminée du salon. Par un froid pareil, on ne pouvait recevoir personne dans une pièce non chauffée.

— Gracie, vous devriez aller coucher les enfants.

— C'est pas juste ! J'ai même pas eu de pudding ! s'écria Daniel, indigné.

Charlotte faillit lui rétorquer qu'il devrait s'en passer, mais devant son expression angoissée, elle comprit qu'il la savait effrayée, elle aussi, et que son propre monde était menacé. Elle s'arma de courage et répondit :

— Tu as raison. J'ai oublié. Je suis impardonnable ! Veux-tu que je te monte une tranche de gâteau dans ta chambre ?

— Oui, je veux bien, concéda-t-il, très digne, en descendant de sa chaise.

Après le départ des enfants, Jack et Charlotte se regardèrent.

— J'ai lu la nouvelle dans la presse, expliqua-t-il. Voyons, que s'est-il passé ?

— Je l'ignore. Ce matin, un agent est venu m'annoncer que Thomas avait été arrêté et incarcéré à Coldbath Fields, pour le meurtre d'une prostituée. Il doit s'agir de Cerise. J'ai acheté le journal, moi aussi, mais je n'ai pas osé le sortir de mon sac. Jemima sait lire. Dès que j'aurai lu l'article, je le jetterai au feu.

— Si j'étais vous, je le brûlerais tout de suite, dit-il

en se mordillant la lèvre. Vous n'apprendrez rien d'intéressant. Pitt a retrouvé Cerise dans un hôtel de Seven Dials. Morte, la nuque brisée. Le gérant et les filles prétendent l'avoir vue vivante juste avant son arrivée. D'après eux, personne d'autre que Pitt n'est monté à l'étage, excepté des clients réguliers. Tous les témoignages vont dans le même sens.

— Mais c'est impossible !

— Évidemment. Ils mentent tous ; à mon avis, ils ont été grassement payés. Pour le moment, rien ne permet de les confondre. Cela prendra du temps, mais nous arriverons à prouver qu'ils mentent. Hélas, Pitt n'est pas là pour nous aider.

Charlotte s'assit devant la table. Il prit place en face d'elle, sur la chaise de Gracie.

— Jack, je ne sais par où commencer ! Je suis allée voir le commissaire Ballarat, persuadée qu'il remuerait ciel et terre pour découvrir la vérité ! Or, il s'est borné à me dire de rentrer chez moi et de lui laisser régler le problème. Je suis prête à parier qu'il ne va rien faire du tout !

Elle hésita à continuer, se demandant si ce qu'elle allait lui dire ne lui paraîtrait pas exagéré.

— Jack... Je crois qu'il tient à ce que Thomas reste en prison. Il a peur de lui !

Persuadée qu'il ne la croirait pas, elle se hâta de poursuivre :

— A mon avis, il craint que Thomas ne découvre des faits qui mettraient dans l'embarras des gens influents, les York, les Danver, ou certains diplomates du Foreign Office. Ballarat veut enterrer l'affaire. Il se dit que s'il se tait, tout s'arrangera. Il préfère laisser un meurtrier ou un espion en liberté plutôt que d'être celui par lequel le scandale arrive. Les gens haïssent celui qui leur désigne ce qu'ils préféreraient ne pas voir, celui qui renverse les idoles et découvre leurs pieds d'argile. Ils lui reprochent en somme de dire la vérité et de les mettre en face de leurs responsabilités. On ne pardonne pas souvent à ceux qui détruisent nos illusions. Ballarat ne veut pas être le bouc émissaire qu'il deviendrait aussitôt si Thomas découvrait ce que savait Cerise. C'est pour cette raison qu'ils l'ont tuée. C'était indispensable.

— Je suis d'accord avec vous, acquiesça Jack.

Il tendit le bras et lui prit la main avec douceur, un geste amical, dépourvu de toute familiarité déplacée. Charlotte se surprit à s'accrocher à cette main avec l'énergie du désespoir.

— Voulez-vous que j'aille chercher Emily? proposa-t-il.

— Oui, s'il vous plaît! Je ne me sens pas en état de rendre visite aux York. Voyons, quel prétexte inventer? Dites que quelqu'un est malade dans la famille. Il vous faudra leur expliquer comment vous avez connu ma sœur. Trouvez un beau mensonge avant d'arriver là-bas.

L'idée de voir Emily lui procurait un immense soulagement. Sa sœur déciderait peut-être de venir habiter quelque temps chez elle. Ensemble, elles mèneraient l'enquête, comme elles l'avaient si souvent fait par le passé sur des affaires qui leur tenaient beaucoup moins à cœur.

— Que voulez-vous que je fasse? s'enquit Jack. Il faut jouer serré. Ce sera la première fois que je mène une enquête, mais je promets de tout faire pour vous aider.

Charlotte sentit à nouveau le découragement la gagner.

— J'avoue ne pas savoir par où commencer. Cerise est morte. A l'exception du meurtrier, elle était peut-être la seule à savoir la vérité.

— Nous sommes au moins sûrs d'une chose, désormais : elle n'était pas le coupable! Quelqu'un l'a tuée, juste avant que Thomas ne la retrouve. Il ne peut s'agir d'une coïncidence. Nous pouvons supposer que son assassin est aussi celui de Dulcie.

— Conclusion : nous trouverons le meurtrier chez les York, les Danver ou les Asherson.

— En effet.

— Mais qu'aurait été faire l'une de ces personnes à Seven Dials ?

— Réduire Cerise au silence, répondit Jack, très sombre. Ce qui veut dire qu'ils l'ont suivie. Ils ne l'ont pas retrouvée par hasard.

Il y avait en lui une colère, une assurance qu'elle ne lui avait jamais vues auparavant.

— Récapitulons : les York, les Danver, les Asherson...

Charlotte s'interrompit brusquement. Emily ! Seule chez les York, à leur merci, elle ne pouvait que feindre l'ignorance. Et Pitt emprisonné à Coldbath Fields, attendant d'être jugé pour homicide. Tous deux risquaient leur vie.

Emily, au moins, était libre ; elle pouvait se défendre !

Sûrement la justice allait suivre son cours ! La vérité éclaterait ! Ballarat...

Non. « Cesse de te comporter comme une gamine et de chercher des arguments réconfortants pour ne pas penser au pire, songa-t-elle. Ballarat ne fera rien. »

— Jack, j'ai changé d'avis, murmura-t-elle. Ne dites pas à Emily de venir ici. La seule façon pour elle d'aider Thomas est de rester chez les York. Le meurtrier de Cerise, de Robert York et de Dulcie se trouve à Hanover Close. Pour le démasquer, il nous faut les surveiller de près, deviner les passions enfouies, lever les masques, mettre à nu les peurs et les mensonges.

Jack ne bougea pas. Elle crut qu'il allait la contredire, lui parler des dangers que courait Emily, des « accidents » qui risquaient de lui arriver. Il n'en fit rien.

— Nous pouvons tous deux nous rendre chez les York le plus souvent possible, poursuivit-elle. Mais devant nous, ils seront toujours sur leurs gardes ; tandis qu'avec Emily.. Savez-vous jusqu'à quel point une femme peut faire confiance à sa camériste?

Jack sourit.

— Autant qu'un homme fait confiance à son valet, j'imagine. Peut-être même davantage. Les femmes passent plus de temps chez elles devant leur miroir

Charlotte songea soudain à un autre détail.

— Emily n'a certainement pas l'occasion de lire le journal. Les majordomes prennent soin de ne pas les laisser traîner, surtout s'il y a un meurtre à la une. Je vous assure que c'est vrai! ajouta-t-elle devant son air surpris. Vous imaginez la pagaille dans une maison, si les bonnes se racontaient en cachette des histoires horribles qui leur donneraient des cauchemars?

Il était évident, à voir l'expression stupéfaite de Jack, qu'il n'avait jamais pensé à cela. Elle se souvint qu'il était désargenté; bien qu'issu d'une bonne famille, il jouait le rôle de l'internel invité, n'ayant pas les moyens d'entretenir un train de domestiques et donc de recevoir chez lui. A ce propos, elle se rappela que Mrs. Biggs avait rendu son tablier; si Pitt n'était pas bientôt libéré, Gracie subirait des pressions, elle aussi. Sa mère essaierait de la convaincre de trouver une autre place. D'ailleurs, Charlotte ne pourrait bientôt plus lui payer ses gages. Elle avait quelques rentes qui lui permettraient de nourrir ses enfants. Un certain temps... L'angoisse l'étreignit à nouveau. Elle redoutait bien moins la misère et la solitude que l'absence de Pitt. Comment parviendrait-elle à vivre sans lui? Il était trop tard pour rattraper leur stupide dispute.

Ces pensées destructrices ne la mèneraient à rien. Elle prit une profonde inspiration et ressentit une brûlure dans la poitrine, comme si l'air lui faisait défaut. Elle devait se battre. Contre tous.

— Je vous en prie, demandez à Emily de rester à Hanover Close.

— C'est promis.

Jack voulut dire quelque chose, hésita, un peu gêné.

Son regard alla de la table au vaisselier sur lequel étaient alignées des assiettes de faïence blanche bordée de bleu.

— Charlotte... avez-vous de quoi vivre?

— Pour quelque temps, oui.

— La vie va être dure.

— Je le sais.

— Je peux vous aider un peu, proposa-t-il en rougissant.

Elle secoua la tête.

— Non merci, Jack.

Il chercha ses mots.

— Ne laissez pas la fierté...

— Il ne s'agit pas de fierté, le rassura-t-elle. Pour l'instant, ça ira. Et quand j'en aurai besoin...

« Dieu fasse que d'ici là j'aie trouvé l'assassin et que Pitt soit enfin libre », pria-t-elle intérieurement.

— ... quand j'en aurai besoin, Emily m'aidera.

— Je vais aller la voir. Je dirai que sa sœur est malade. Ils me laisseront entrer. Même le plus impitoyable des majordomes ne s'opposerait pas à ce qu'un domestique reçoive des nouvelles de sa famille.

— Comment expliquerez-vous le fait que vous êtes au courant de la maladie de sa sœur? Il faut trouver une explication, sinon les York vont se poser des questions. Ah, autre chose : on ne vous laissera pas lui parler seul à seule. Le majordome sera là, ou une autre camériste, pour une question de convenances. Une femme de chambre ne reste pas en tête à tête avec un gentleman.

Jack demeura un instant décontenancé, puis soudain son visage s'éclaira.

— Écrivez une lettre! Je dirai qu'elle vient de la famille. Emily pourra demander un jour de congé, pour aller voir sa sœur alitée.

— Une demi-journée, corrigea Charlotte. Emily n'a pas été embauchée depuis assez longtemps pour avoir droit à une journée, à moins qu'ils ne la lui octroient, par charité. Je vous en prie, Jack, allez la voir aujourd'hui. Je vais tout de suite écrire cette lettre, en lui précisant bien de la brûler dès qu'elle l'aura lue. Ce ne sont pas les cheminées qui manquent, là-bas.

Elle courut jusqu'au salon, alluma la lampe à gaz, prit une feuille de papier, de l'encre et une plume, s'installa au bureau, et, insensible au froid qui régnait dans la pièce, griffonna quelques lignes.

Emily chérie,

Un événement épouvantable s'est produit : Thomas a retrouvé Cerise, morte, la nuque brisée, et il est accusé du meurtre. On l'a transféré au Steel, c'est-à-dire à la prison de Coldbath Fields, en attendant son procès. Je suis aussitôt allée voir son supérieur, Mr. Ballarat, mais celui-ci ne veut rien faire pour le sortir de là. De deux choses l'une : il a reçu des ordres dans ce sens, ou c'est un lâche, trop content de se débarrasser de Thomas avant qu'il ne découvre un scandale susceptible d'éclabousser des gens influents.

C'est donc à nous de jouer. Personne ne nous aidera. Je t'en prie, reste où tu es, et surtout prends garde à toi. Souviens-toi de Dulcie! J'aimerais tant que tu reviennes ici avec Jack pour être en sécurité ; mais je sais aussi que nous seules pouvons sauver Thomas. Il devait s'approcher de quelqu'un d'éminemment puissant et dangereux. Encore une fois, sois prudente.

Ta sœur qui t'aime,
Charlotte.

Elle sécha l'encre d'une main tremblante, plia la feuille, la glissa dans une enveloppe, la scella et retourna dans la cuisine la donner à Jack.

— Je reviendrai demain, promit-il. A ce moment, nous aviserons.

Elle hocha la tête en silence, submergée par un intolérable sentiment de solitude à l'idée de le voir partir. Avec Jack à ses côtés, elle se sentait moins effrayée ; la compagnie de la fidèle Gracie et des enfants ne l'empêcherait pas de rester seule avec ses pensées. Et la nuit promettait d'être longue, sans la chaleur de Pitt à ses côtés. Elle redoutait le moment du réveil.

— Bonsoir, Jack.

Elle précipita leurs adieux, ne voulant pas se mettre à pleurer.

— Bonsoir, Charlotte.

Au moment de partir, il hésita. Elle savait qu'il s'inquiétait pour elle. Finalement, ne trouvant rien à ajouter, il se dirigea vers la porte. Charlotte l'accompagna et le regarda descendre le perron. La chaussée humide luisait à la lueur des réverbères dont les globes, pris dans un halo de pluie, ressemblaient à des lunes sinistres.

Jack effleura gentiment sa joue, puis s'éloigna rapidement en direction de l'avenue, à la recherche d'un cab en maraude.

Charlotte était si épuisée qu'elle aurait dû dormir, mais sa nuit fut peuplée de rêves angoissants. Elle se réveilla en sursaut à plusieurs reprises, le souffle court, la gorge serrée, les membres douloureux. La nuit lui parut interminable et quand enfin l'aube grise apparut ce fut un soulagement de se lever, malgré la pluie qui battait les carreaux. Elle enfila sa robe de chambre pour aller chercher un broc d'eau chaude à la cuisine et le remonter dans sa chambre ; mais, tout bien réfléchi, préféra faire sa toilette au rez-de-chaussée ; on y avait plus chaud. Elle décida de prendre une tasse de thé avant de s'habiller. Le liquide brûlant lui redonnerait peut-être un peu de courage.

Elle était encore assise quand Gracie apparut, en robe de chambre, les cheveux défaits ; on aurait dit une petite fille. Charlotte n'avait encore jamais remarqué que sa chemise de nuit était si usée. Il faudrait lui en acheter une neuve, mais en aurait-elle les moyens ? Elle regretta de ne pas l'avoir fait plus tôt.

Gracie s'immobilisa, les yeux écarquillés, ne sachant trop que dire. Mais son regard demeurait franc et loyal. Elle mourait d'envie de demander à Charlotte comment elle se sentait, mais elle n'osa pas, de peur de paraître impertinente.

— Gracie, prenez une tasse de thé avant de vous mettre au travail ; l'eau de la bouilloire est encore brûlante.

Gracie accepta avec une certaine appréhension ; c'était la première fois de sa vie qu'elle prenait le thé en robe de chambre.

— Merci, madame.

La matinée fut catastrophique : le livreur de pain passa devant chez elle sans s'arrêter ; le livreur de poisson, au contraire, sonna bruyamment à la porte, présenta sa facture en demandant à ce qu'elle soit payée sur-le-champ ; le patron lui faisait savoir que si à l'avenir elle voulait du poisson — ce dont le garçon paraissait douter — elle devrait le payer à la livraison. Gracie lui dit de se mêler de ses affaires et faillit lui frotter les oreilles sur le seuil de la porte. Lorsqu'elle revint à la cuisine, elle reniflait et avait les yeux tout rouges.

Charlotte pensa l'envoyer chercher du pain, puis réalisa que ce serait cruel de sa part, et peut-être imprudent. Gracie avait son franc-parler ; elle ne se gênerait pas pour riposter aux quolibets, même simplement chuchotés dans son dos. Charlotte, plus âgée, saurait sûrement mieux garder son calme.

Mais l'expérience fut pire que ce qu'elle avait prévu. Elle avait toujours entretenu avec ses voisins des rapports assez lointains. Ils avaient tout de suite deviné à sa façon de parler, à son port de tête, à la qualité de ses vêtements — laquelle pourtant diminuait chaque année —, à la présence parfois de l'attelage d'Emily devant sa porte, que Mrs. Pitt n'appartenait pas à la même classe sociale qu'eux. Ils se montraient courtois, en apparence, parfois même amicaux, mais l'animosité n'était jamais loin : elle trouvait sa source dans la peur de ce qu'ils ignoraient, dans l'envie de privilèges anciens dont ils ne lui pardonnaient pas d'avoir bénéficié.

Le vent soufflait par rafales, soulevant les pans de

son manteau. Ses jupes étaient trempées. Elle fut heureuse d'atteindre le coin de la rue et de se réfugier chez l'épicier. Lorsqu'elle franchit le seuil, les quelques commères présentes dans la boutique cessèrent soudain leurs papotages et l'observèrent fixement. L'une d'elles avait un fils qui purgeait une peine de six mois de détention à la prison de Wormwood Scrubs ; elle maudissait la police et tenait donc là l'occasion de se venger en toute impunité. Personne ne l'en blâmerait ; personne ne prendrait la défense de l'épouse d'un homme dont le métier consistait à arrêter les gens et qui, par-dessus le marché, venait d'assassiner une prostituée ! Elle lança à Charlotte un regard haineux, cala son panier à provisions sur sa hanche et, en se dirigeant vers la sortie, la bouscula violemment. Charlotte faillit perdre l'équilibre et resta pétrifiée, autant par la douleur que par la rapidité de la scène. Les autres clientes se mirent à rire sous cape.

— Belle matinée, n'est-ce pas, Mrs. Pitt ? fit l'une d'elles à voix haute. Comment allons-nous ? Pas si bien que d'habitude, on dirait ? On se fait pas livrer ses courses, aujourd'hui ?

— Bonjour, Mrs. Robertson, répondit Charlotte, très froide. Je vais bien, merci. Comment va votre mère ? J'ai entendu dire qu'elle avait pris froid avec ce mauvais temps.

— Oh, elle est pas bien vaillante, bredouilla la commère, décontenancée — s'attendant à plus de virulence de la part de Charlotte. D'ailleurs, qu'est-ce que ça peut vous faire ?

— Rien du tout, Mrs. Robertson. Je demandais cela par simple politesse. Avez-vous fini vos courses ?

— Non ! Vous attendrez votre tour, fit la mégère en se tournant vers le comptoir.

Elle parcourut du regard toutes les étagères, en prenant son temps. Charlotte fut bien obligée de ronger son frein.

L'épicier se balançait d'un pied sur l'autre, se

demandant où était son intérêt. Il ne tarda pas à choisir. Ignorant ostensiblement Charlotte, il sourit de toutes ses dents à Mrs. Robertson.

— Vous me mettrez une demi-livre de sucre, fit celle-ci avec une évidente satisfaction, savourant le fruit délicieux de la victoire. S'il vous plaît, Mr. Wilson.

L'épicier plongea sa mesure dans le gros sac de sucre, en pesa une demi-livre, qu'il versa dans un petit sachet bleu. Mrs. Robertson lança un regard mauvais en direction de Charlotte.

— Je crois que j'ai changé d'avis. Je me sens riche, ce matin! Au fond, j'en prendrai bien une livre.

— Certainement, Mrs. Robertson.

L'épicier pesa encore une demi-livre et la lui tendit.

La porte du magasin s'ouvrit; la sonnette retentit. Une cliente entra et alla faire la queue derrière Charlotte.

— Et je prendrai aussi du savon Pears, ajouta Mrs. Robertson. Il est bon pour le teint, n'est-ce pas, Mrs. Pitt? C'est celui-là que vous prenez? Quoique maintenant, vous pourrez plus vous permettre d'en acheter. On prend moins de grands airs, hein?

— C'est possible. Mais il faut plus qu'un morceau de savon pour être belle, Mrs. Robertson. Avez-vous retrouvé votre parapluie?

— Non! s'exclama cette dernière d'un ton coléreux. Y a pas que des gens honnêtes dans ce quartier. Je suis sûre qu'on me l'a volé!

Charlotte haussa les sourcils.

— Faites donc appel à la police, dit-elle avec un sourire.

Mrs. Robertson lui décocha un regard noir, et ce fut au tour de l'autre cliente de ricaner.

Pourtant cette brève victoire verbale n'apporta aucune consolation à Charlotte. A la boulangerie, l'accueil qu'on lui réserva fut bien pire encore. Aucune remarque, aucun quolibet, seulement le silence. Mais sitôt qu'elle eut tourné le dos, les clientes échangèrent des regards entendus, des chuchotements, des hochements de tête. Dans chaque boutique on lui demanda de payer comptant ; on s'assurait qu'elle avait donné la somme exacte avant de ranger les pièces de monnaie dans le tiroir-caisse. Si l'incarcération de Thomas s'éternisait, aucun commerçant ne lui ferait crédit, elle le savait sans avoir besoin de le demander ; à partir de ce jour, on ne lui livrerait probablement plus les provisions à domicile. Le marchand de légumes prétexta qu'il n'avait pas de garçon de courses, alors qu'un gamin, juché sur un sac de pommes de terre, attendait visiblement qu'on lui donne du travail. Charlotte dut porter ses paniers jusque chez elle. En chemin, elle fut dépassée par un chenapan d'une dizaine d'années qui criait : « Un roussin au Steel ! Ils vont sûrement le pendre ! On le verra danser au bout d'une corde, tra-la-lère ! » Et il continua son chemin en sautillant joyeusement dans le caniveau.

Charlotte fit mine de ne pas avoir entendu, mais ces mots terrifiants la hantèrent ; lorsqu'elle arriva devant la maison, trempée, les épaules et les bras douloureux d'avoir porté si longtemps ses paniers, elle était au bord du désespoir.

A peine avait-elle eu le temps d'ôter ses bottines et de s'asseoir près de la cuisinière pour se réchauffer que la sonnette retentit. Gracie la regarda et, sans que Charlotte ait eu besoin de le lui dire, partit ouvrir. Elle revint quelques secondes plus tard, tout essoufflée.

— Madame, madame ! C'est votre maman ! Je peux la faire entrer dans la cuisine ? On sent un froid de loup dans le salon. Je vais préparer du thé et ensuite j'irai continuer le ménage dans les chambres.

Charlotte se demandait ce que sa mère avait à lui dire. Elle se leva précipitamment.

— Oui, oui, il fait meilleur ici.

Elle ne pouvait inviter personne à prendre place dans le salon glacé. Elle avait encore les pieds gelés ; la chaleur de la cuisinière faisait fumer le bas de sa robe.

— Je ferai le thé, ajouta-t-elle.

Cela l'occuperait et lui permettrait d'avoir souvent le dos tourné.

Caroline entra. Elle avait déjà ôté son manteau et, comme, bien entendu, elle était venue en voiture, seules les semelles de ses hautes bottines étaient mouillées.

— Ma chérie, quel malheur ! s'écria-t-elle en lui ouvrant ses bras.

Charlotte lui rendit son baiser, très vite, puis recula d'un pas.

— Je vais faire le thé. Je viens juste de rentrer, je suis gelée.

— Ma chérie, tu vas venir t'installer à la maison, dit Caroline en s'asseyant sur le bord d'une chaise.

Charlotte prit la bouilloire, la remplit et la mit sur le feu.

— Non, maman, c'est impossible.

— Mais tu ne peux pas rester ici ! se récria Caroline. Dans les journaux, on ne parle que de cette affaire. J'ai l'impression que tu ne comprends pas...

— Je comprends parfaitement, la contredit Charlotte. Si je ne m'en étais pas rendu compte avant d'aller faire les courses, ce n'est plus le cas maintenant. Il est hors de question que je fuie.

— Chérie, il ne s'agit pas de fuir !

Caroline se leva et voulut s'approcher de sa fille, mais, sentant son recul instinctif, elle s'arrêta.

— Il faut affronter la réalité, Charlotte. En épousant un policier, tu as commis une grave erreur. Et voilà le résultat ! Tu peux revenir à la maison, reprendre ton nom de jeune fille...

Charlotte se figea sur place.

— Je vous répète qu'il n'en est pas question ! Comment osez-vous proférer une pareille énormité ? A vous entendre, on croirait que Thomas est coupable !

Elle se détourna lentement, les tasses et les soucoupes à la main.

— Je veux bien que vous emmeniez les enfants, si

vous le désirez. Dans le cas contraire, ils resteront ici, chez eux. Je n'ai pas honte de mon mari ! J'ai honte de ma mère qui, elle, me demande de le renier et de fuir, au lieu de me conseiller de me battre. Je démasquerai le véritable assassin, exactement comme je l'ai fait lorsque l'on a soupçonné Emily d'avoir empoisonné George !

Caroline soupira, mais contint son impatience, ce qui n'arrangeait pas les choses.

— Ma chère, c'était tout à fait différent...

— Pourquoi ? Parce que Thomas, lui, ne fait pas partie de notre monde ?

Caroline pinça les lèvres.

— Si tu tiens absolument à présenter la situation sous cet angle, oui.

— Pourtant, vous étiez bien contente qu'il fasse partie de « notre monde », lorsque vous avez eu besoin de lui !

Charlotte sentait qu'elle ne se maîtrisait plus et cela la rendait furieuse, contre elle-même et contre sa mère.

— Voyons, il faut être réaliste, reprit Caroline.

— Vous voulez dire l'abandonner, pour que les gens sachent que je n'ai rien à voir avec lui. Bravo, maman ! Quel courage !

— Mais ma fille, c'est pour ton bien !

— Vraiment ?

Ce fut un cri du cœur. La sincérité de Caroline n'était pas en cause. Mais elle redoutait le qu'en-dira-t-on. Charlotte se moquait bien d'être injuste, elle avait envie de prononcer des mots qui faisaient mal.

— Êtes-vous sûre de ne pas plutôt craindre les commentaires de vos relations ?

Elle prit une petite voix pointue et offusquée, imitant la voix des voisines de Caroline.

— « Vous connaissez cette charmante Mrs. Ellison ? Vous ne me croirez jamais, mais sa fille a épousé un policier ! — Non, quelle horreur ! — Eh bien, figurez-vous que c'est un assassin ! J'ai toujours pensé que faire une mésalliance n'avait rien de bon. »

— Charlotte ! Je n'ai jamais dit cela !

— Mais vous l'avez pensé.

— Tu es injuste. Regarde, l'eau bout. Bientôt la bouilloire sera vide ; il y aura de la vapeur dans toute la cuisine. Pour l'amour du ciel, prends une tasse de thé ! Cela te permettra peut-être d'y voir un peu plus clair. Être fidèle à ton mari, c'est bien beau, mais en l'occurrence, tu ne penses qu'à toi. Essaie d'avoir l'esprit pratique. Et les enfants ? Que vont-ils devenir ?

La cuisine était en effet en train de se remplir de vapeur d'eau. Charlotte se brûla les doigts en prenant la bouilloire. Elle posa la théière sur la table, en serrant les dents, fourragea dans le placard à la recherche de biscuits, les mit dans une assiette, puis servit le thé. Enfin, elle s'assit, toute juste calmée.

— Je vous serais très reconnaissante d'emmener les enfants avec vous. Ils seront ainsi protégés du pire, au moins...

Elle se mordit la lèvre. Elle avait failli dire « au moins pour le moment », mais cette pensée lui parut être une trahison à l'égard de Thomas.

— Bien entendu. Mais sache que si tu changes d'avis, il y a toujours une place pour toi à la maison.

— Maman, je-ne-viendrai-pas.

— Dans ce cas, va au moins rejoindre Emily à la campagne, insista Caroline. Thomas le comprendrait. Il ne s'attend certainement pas à ce que tu restes ici. Que peux-tu faire ? Montrer ton courage et crier à qui veut l'entendre qu'il est innocent ? Ma chérie, tu te ferais du mal inutilement et, au bout du compte, cela ne changerait rien. Laisse la police s'occuper de l'affaire

— La police, justement, est ravie de laisser l'affaire s'enliser et de voir Thomas croupir en prison. Il a découvert quelque chose que le ministère de l'Intérieur préférerait ne pas savoir. D'autre part, je ne tiens pas à rejoindre Emily. Je lui ai écrit, bien sûr. J'ai déjà prouvé que j'étais capable de mener une enquête ; je découvrirai l'assassin de Robert York, qui, j'en suis certaine, a également frappé à Seven Dials.

— Ma chérie, tu ne peux savoir ce qui s'est réellement passé, ni la raison pour laquelle Thomas se trouvait à Seven Dials avec cette... cette femme en rouge. Vois-tu, nous ne savons pas toujours tout sur nos époux...

— Vous prétendez que vous n'étiez pas au courant, pour Papa ? l'interrompit Charlotte, volontairement cruelle.

Caroline tressaillit. La phrase qu'elle voulait prononcer mourut dans sa gorge.

Charlotte fut prise de remords ; trop tard, tout était dit.

— Papa était innocent, n'est-ce pas ? Il n'avait pas tué ces filles [1]...

— Non, et je remercie la police de l'avoir prouvé, admit Caroline. Mais je sais qu'il menait une double vie et je ne peux m'empêcher de penser que je le connaissais fort peu. Je croyais le connaître. Ne cherche pas à tout prix à savoir la vérité, Charlotte. Il serait plus sage de laisser ce travail à la police, en espérant qu'ils ne t'apprendront que ce qui est nécessaire.

— Maman, si c'est tout ce que vous avez à me proposer, mieux vaut mieux arrêter là cette discussion.

Elle posa sa tasse de thé et se leva.

— Je vais préparer les affaires des enfants. Vous pouvez les emmener tout de suite. Cela évitera des adieux interminables. Et puis, cela vous évitera de revenir. Je vous remercie d'avance de ce que vous faites pour eux.

Sans attendre de réponse, elle sortit de la cuisine, monta à l'étage, laissant sa mère seule devant sa tasse de thé.

Caroline partit en tenant Daniel et Jemima par la main, comme elle le faisait avec ses filles quand elles étaient petites. Charlotte avait honte. Elle s'était montrée odieuse. Elle avait espéré que sa mère compren-

---

1. Voir *L'Étrangleur de Cater Street*, 10/18, n° 2852.

drait une situation qui, en fait, la dépassait complètement. Caroline n'avait pas son expérience de la vie ; il était à la fois injuste et stupide de croire qu'elles puissent toutes deux partager la même opinion. Il n'y avait pas si longtemps, Pitt était obligé de faire preuve de patience à son égard, d'excuser ses idées préconçues. Pis, elle avait rappelé à sa mère des peines et des désillusions encore douloureuses, allant jusqu'à salir ses souvenirs, qui étaient tout ce qui lui restait depuis la mort de son époux. Charlotte l'avait dit en connaissance de cause. Quand tout cela serait fini, elle lui demanderait pardon ; mais là, elle était trop inquiète, trop soucieuse pour trouver les mots justes.

Elle décida de régler les problèmes pratiques. Combien d'argent lui restait-il ? Quel usage en faire ? Si elle devait un jour choisir entre la nourriture et le chauffage, comment répartir convenablement les dépenses ? Il lui faudrait descendre à la cave vérifier le niveau du tas de charbon. Désormais, elle achèterait davantage de pommes de terre et de pain et moins de viande. Elle demanderait à Gracie de lui indiquer les magasins les meilleur marché.

Jack Radley arriva en début d'après-midi, vers trois heures. Le ciel était couvert de nuages et la lumière du jour commençait à diminuer. Gracie le fit entrer et s'éclipsa dans la cuisine.

— J'ai vu Emily, expliqua-t-il aussitôt. J'ai raconté un beau mensonge au majordome : Lady Ashworth, pour laquelle Emily — pardon, Amelia — est censée avoir travaillé, m'avait fait savoir que la sœur de celle-ci était alitée. Ils ont tout gobé !

Il souleva les basques de sa redingote, par habitude, et s'assit d'un mouvement élégant sur une chaise de la cuisine.

— Emily est d'accord pour rester chez les York ; c'est même elle qui l'a proposé. Pourvu qu'il ne lui arrive rien ! J'ai beau me creuser la cervelle pour trouver un moyen de la protéger, je suis à court d'idées. Elle a donc obtenu son samedi après-midi ; elle vous donne rendez-vous à Hyde Park sur le premier banc que l'on voit en arrivant par l'entrée la plus proche d'Hanover Close, à deux heures, quel que soit le temps. D'ici là, que puis-je faire pour me rendre utile ?

— Je ne sais pas, avoua Charlotte. Je suis retournée à la prison hier après-midi, mais ils ne m'ont pas laissée voir Thomas. Je connais seulement ce qu'il y a d'écrit dans les journaux.

— Je les ai tous achetés.

On lisait l'inquiétude sur son visage.

— Selon eux, Thomas a interrogé tous les gens susceptibles d'avoir vu et connu Cerise. Plusieurs vendeurs de rue sont prêts à le jurer. Il apparaît que le canardier qui l'a emmené à Seven Dials l'a seulement vu entrer dans l'immeuble, un genre de maison de passe. Il ne l'y a pas accompagné. Pitt aurait demandé au gérant de décrire la femme avec précision. Il voulait vérifier si c'était bien la personne qu'il recherchait. Ce dernier l'a fait monter à l'étage. Il n'a vu entrer personne d'autre. Et quand il est retourné dans la chambre quelques minutes plus tard, il a trouvé Pitt penché sur la femme, les mains autour de son cou. Je... je suis désolé, conclut Jack, très pâle, mais sans détourner les yeux.

— C'est bien ce que je pensais, observa calmement Charlotte. Inutile d'aller enquêter à Seven Dials. La clé de cette affaire se trouve à Hanover Close. Je dois retourner voir Veronica York. Voudriez-vous m'y emmener ?

— Bien volontiers. Et je vous accompagnerai à Coldbath Fields. Il ne faut pas y aller seule.

— Merci, Jack.

Charlotte voulut ajouter quelque chose, mais ne trouva pas ses mots.

Elle fut enfin autorisée à pénétrer dans la prison, une forteresse sinistre aux murs massifs, aux corridors humides et glacés suintant la misère et le désespoir. Partout flottait une odeur de sueur et de renfermé. Le garde-chiourme lui parla sans la regarder. Il la conduisit dans une petite pièce où se trouvaient une table couverte d'entailles et deux chaises. Ce privilège leur était accordé car Pitt était encore légalement présumé innocent.

Charlotte dut rassembler tout son courage pour ne pas éclater en sanglots en le voyant. Il était sale. La chemise qu'elle lui avait fait porter était déjà déchirée, son visage tuméfié. Le reste de son corps était-il aussi couvert d'ecchymoses ? Elle préféra ne pas y penser. Gardiens et prisonniers s'accordaient pour mener la vie dure à un policier devenu meurtrier. Le gardien leur ordonna de s'asseoir face à face, et resta debout en faction dans un coin de la pièce, sans les quitter des yeux.

Pendant de longues secondes, Charlotte se contenta de dévisager Pitt en silence. Il était ridicule de lui demander comment il allait. Il savait qu'elle se faisait du souci pour lui ; c'était la seule chose qui comptait. Puis, la tension devenant intolérable, elle décida de briser le silence et dit d'une voix entrecoupée ·

— Maman a emmené les enfants. Ce sera plus facile pour eux, et pour moi. Gracie est merveilleuse. J'ai écrit une lettre à Emily. Jack la lui a portée. Je lui ai demandé de rester chez les York — je vous en prie, ne protestez pas —, c'est la seule façon d'apprendre quelque chose.

— Charlotte, soyez prudente, chuchota Pitt en se penchant vers elle.

Aussitôt le gardien fit un pas en avant, prêt à intervenir.

— Il faut qu'Emily quitte cette maison. C'est trop dangereux ! L'assassin a déjà frappé trois fois. Je vous interdis de retourner à Hanover Close. Envoyez une lettre disant que vous êtes malade, ou que vous partez en province. Promettez-le-moi. Laissez faire Ballarat, il va s'occuper de l'affaire. On ne m'a pas dit quel collègue reprenait l'enquête, mais lorsqu'il viendra me voir, je lui dirai tout ce que je sais. Nous devions nous rapprocher de l'assassin, sans cela il n'aurait pas tué Cerise. En attendant, jurez-moi de ne rien entreprendre !

L'hésitation de Charlotte fut de courte durée. Elle le défendrait de toutes ses forces et par tous les moyens. Elle ne prit pas la peine de réfléchir, pas plus qu'elle ne l'aurait fait si elle avait vu l'un de ses enfants traverser une rue devant un attelage emballé. Une réaction aussi instinctive que de chercher à respirer quand on se noie.

— Oui, Thomas, je vous le promets, mentit-elle sans hésiter. Emily va rester quelques jours à la maison, sinon, j'irai chez elle. Ne vous faites aucun souci pour nous, tout ira bien. Je suis sûre que Mr. Ballarat ne tardera pas à découvrir la vérité. Il doit forcément se douter que vous n'avez pas tué Cerise.

La crainte s'effaça momentanément du visage de Pitt. Il ébaucha un sourire.

— Bien, fit-il soulagé. Au moins, je sais que tout va comme il faut pour vous. Merci de votre promesse.

Elle n'avait pas à avoir honte de mentir. Le bourreau attendait.

Elle lui rendit son sourire, et avala sa salive.

— Ne vous inquiétez pas, Thomas, tout ira bien.

10

Emily, abasourdie, regardait la lettre de Charlotte se consumer dans l'âtre de la cheminée du salon. Thomas emprisonné pour meurtre! Quelle absurdité! A tout moment, la vérité allait se faire jour. Elle regretta d'avoir brûlé la lettre : peut-être avait-elle mal compris? Elle observa le petit trou rouge où le papier avait disparu, au milieu des boulets de charbon. Il n'en restait que quelques fragments incandescents qui bientôt furent réduits en cendres.

Soudain la porte s'ouvrit sur le majordome.

— Tout va bien, Amelia?

Il y avait une sollicitude presque tendre dans sa voix. « Mon Dieu! songea Emily; il ne manquait plus que ça! »

— Oui, merci, Mr. Redditch. J'ai appris que ma sœur était malade.

— C'est ce que m'a dit Mr. Radley. C'est très gentil à lui d'être venu vous prévenir. Lady Ashworth doit vous tenir en très haute estime. De quoi souffre votre sœur?

— Je... je ne sais pas, répondit-elle, prise au dépourvu. Les médecins ne peuvent se prononcer, c'est bien ce qui m'inquiète. Merci de m'avoir donné mon samedi après-midi, Mr. Redditch.

— De rien, ma chère petite. Edith peut bien faire le travail à votre place. Vous l'avez si souvent remplacée!

Allez prendre un thé dans la cuisine. Cela vous ravigotera.

Il posa sa main sur son bras.

— Merci, Mr. Redditch.

Il recula d'un pas, à regret.

— Si je peux faire quelque chose pour vous, n'hésitez pas à me le demander.

Elle aurait voulu le remercier encore, lui sourire, lui montrer que sa sollicitude lui faisait plaisir. Mais elle n'osa pas. Cela le ferait inutilement souffrir, plus tard.

— C'est promis, monsieur, dit-elle en baissant les yeux vers son tablier. Je vais prendre un thé, comme vous me l'avez conseillé.

Elle se hâta de quitter le salon, traversa le vestibule, poussa la grande porte matelassée et entra dans la cuisine.

Une fois assise, un bol de thé à la main, elle réfléchit à ce qu'elle pouvait faire. Son premier réflexe avait été de se précipiter chez sa sœur, pour la protéger de la méchanceté du voisinage, l'empêcher de douter et soulager son angoisse lorsque arrivait la nuit. Mais Charlotte avait raison : sa douleur ne devait pas entrer en ligne de compte. Elle apprendrait à la surmonter seule, puisqu'il le fallait ; l'heure n'était pas à l'apitoiement. Elles ne pouvaient se permettre de se réconforter mutuellement, au prix d'un drame qui endeuillerait tout leur avenir. La recherche de la vérité passait avant tout. Puisque la solution se trouvait à Hanover Close, seule Amelia pouvait la découvrir.

L'enquête ne progresserait jamais si elle ne se décidait pas à prendre le taureau par les cornes. Toute l'affaire tournait autour de cette femme en rouge et des événements qui s'étaient produits dans la maison trois ans plus tôt. Quelles relations entretenaient Robert York et Cerise ? Une tierce personne entrait-elle en jeu ? Veronica, ou Loretta, savait la vérité ou, du moins, la soupçonnait ; Emily était bien décidée à la leur arracher, d'une manière ou d'une autre.

Comment briser les nerfs du coupable? se demandait-elle. Par un choc émotionnel violent, suivi d'un sentiment de panique? Par une pression de plus en plus intense exercée graduellement? Oui, c'était dans ce sens qu'elle devait agir. Elle n'avait pas le temps d'attendre que le criminel commette un faux pas. En trois ans, la situation n'avait pas évolué. Une femme comme Loretta ne négligeait rien; ses défenses étaient inattaquables. Il suffisait d'observer sa chambre, ses tiroirs bien ordonnés, ses robes rangées avec bottines et gants assortis. Elle portait de la lingerie fine, toujours en harmonie avec ses toilettes. Elle choisissait des robes du soir originales et très féminines, sans jamais aucune faute de goût, à l'inverse d'Emily qui conservait dans ses armoires des toilettes achetées sur un coup de tête, parce qu'elle les avait trouvées superbes portées par d'autres femmes. Souvent, elles ne lui allaient pas du tout, ou leurs couleurs ne la flattaient pas. Chez les York, tout portait la marque de Loretta, qu'il s'agisse de ses affaires, des rideaux, ou du mobilier. Elle ne se trompait jamais.

Veronica, plus jeune et infiniment plus belle, montrait davantage d'audace dans ses goûts vestimentaires; sa robe de taffetas noir au corsage incrusté de perles de jais, par exemple, était superbe, mais sa robe de soie grise était un désastre. Loretta s'en serait aperçue et n'aurait pas pris le risque de l'acheter. Parfois, Veronica doutait d'elle-même et agissait sans réfléchir. Au début Emily avait été stupéfaite de la voir changer si souvent d'avis sur ses toilettes ou sa coiffure. Oui, si quelqu'un devait craquer, c'était bien elle, à condition que la pression exercée soit assez forte et prolongée.

C'était une pensée cruelle. Une heure plus tôt, Emily n'y aurait pas songé; mais une heure plus tôt, elle ignorait que Thomas était en prison, attendant d'être jugé! Elle regrettait de devoir prendre cette décision, mais ne voyait pas d'autre solution.

Elle termina sa tasse de thé, remercia la cuisinière

d'un sourire affable et monta à l'étage, pour mettre son plan à exécution. Tout d'abord, elle prit une paire de bottines appartenant à Veronica et qui avaient besoin d'être ressemelées. Ainsi, elle avait une excuse pour sortir de la maison. Elle avait besoin de marcher seule dans les rues, de se sentir libre ; elle ne supportait plus d'être enfermée entre quatre murs. Une domestique n'a jamais une minute à elle et passe son existence sous une surveillance constante. Même par ce mauvais temps, l'extérieur lui manquait ; elle rêvait de voir le ciel autrement que par les petits carreaux d'une fenêtre. Cette permanente disponibilité, cette impossibilité de s'isoler lui étaient chaque jour un peu plus intolérables. Pourtant, elle appréciait la compagnie des autres domestiques, dès lors qu'elle ne revêtait pas un caractère obligatoire ; elle passait parfois d'agréables soirées à l'office, à écouter leurs plaisanteries.

Mais le véritable but de cette sortie était de ramener des nouvelles fraîches de l'extérieur.

On la laissa partir sans lui poser de questions. A dix-sept heures, elle était de retour dans la chambre de Veronica. Elle pliait du linge quand celle-ci apparut.

— J'ai été désolée d'apprendre que votre sœur était souffrante, Amelia, dit-elle aussitôt. Bien sûr, vous pouvez prendre votre samedi après-midi pour aller la voir. Si son état s'aggravait, prévenez-moi.

— Bien, madame, fit Emily. Merci beaucoup. J'espère qu'elle va se remettre très vite. Oh, vous savez, il se passe des choses bien plus graves : je reviens de chez le cordonnier où j'ai porté vos bottines noires à ressemeler. Eh bien, j'ai entendu dire que le policier qui était venu ici interroger tout le monde à propos de l'argenterie volée est accusé du meurtre d'une femme tout habillée de rouge...

Elle s'interrompit, scrutant le visage de Veronica ; celle-ci avait blêmi. C'était exactement la réaction qu'attendait Emily, qui poursuivit, impitoyable :

— Ce doit être le même policier qui vous avait harcelée de questions, madame. Ça m'étonne pas de lui ! Encore heureux qu'il ne soit pas devenu enragé avec vous, sinon vous auriez pu subir le même sort ! Sauf que je vous imagine pas portant une couleur aussi peu flatteuse. D'après la description, ce rouge était horrible !

— Arrêtez ! hurla Veronica, livide, les yeux étincelants. Quelle importance, la couleur de la robe ! Vous parlez de la mort d'un être humain, d'une vie... volée...

Emily se couvrit le visage de ses mains.

— Oh, madame, madame, je suis désolée ! J'avais oublié ce pauvre Mr. York ! Pardonnez-moi ! Je ferai n'importe quoi pour...

Elle s'interrompit, feignant d'être trop bouleversée pour parler, tout en observant Veronica entre ses doigts. La pâleur de la jeune femme reflétait-elle le souvenir horrifié de la mort de son époux, ou était-elle le signe de sa culpabilité ? Elle paraissait paniquée. Avait-elle rencontré Cerise ? Connaissait-elle son assassin ?

Pendant plusieurs secondes, elles s'observèrent en silence, Veronica choquée, Emily les yeux écarquillés, affectant une profonde contrition. Veronica s'assit sur le bord de son lit. Emily s'agenouilla pour déboutonner ses bottines.

— Je... je n'étais pas au courant, murmura Veronica. Je ne lis pas les journaux et beau-papa ne m'en a pas parlé. A-t-on une description de cette femme... en rouge ?

— Oh oui, madame.

Emily essaya de se souvenir de tout ce qu'elle savait sur Cerise.

— Grande, plutôt maigre pour une... fille de joie, un très beau visage.

Elle releva la tête, le tire-bouton à la main, et vit l'expression horrifiée de Veronica. La jambe qu'elle tenait avancée était rigide, les jointures de ses phalanges toutes blanches.

— On dit qu'elle portait toujours ce rouge si particulier... cerise, je crois que c'est le mot.

Veronica émit un curieux bruit, comme si elle allait pousser un cri, mais la tension étouffa le bruit dans sa gorge.

— Vous avez l'air bouleversée, madame, dit Emily, sans pitié. Vous savez, c'était une femme de mauvaise vie, alors pour elle, il vaut peut-être mieux être morte. Au moins, c'est plus rapide que la maladie.

— Amelia ! A vous entendre, on croirait...

— Oh, non, madame, protesta Emily. Personne ne mérite de mourir comme ça. Je voulais seulement dire que sa vie devait pas être bien drôle, de toute façon. J'ai connu des filles qui avaient perdu leur place, renvoyées sans références ; elles ont fini dans la rue. Elles meurent jamais bien vieilles, à travailler vingt heures par jour. Des fois, elles attrapent des maladies, ou bien elles se font tuer.

Elle ne cessait d'observer Veronica et vit qu'elle avait touché un point sensible, une plaie encore ouverte. Elle décida d'aller plus loin encore.

— Le policier dit qu'il voulait lui poser des questions sur un crime... Elle connaissait peut-être le cambrioleur qui a tué ce pauvre Mr. York.

— Non, murmura Veronica dans un souffle.

Emily attendit.

— Non, reprit Veronica d'une voix raffermie. La police enquête sur plusieurs affaires en même temps. Pourquoi une femme comme celle-là connaîtrait-elle notre maison ?

— Le cambrioleur était peut-être un ami à elle, madame, suggéra Emily. Ou bien son amant.

Un sourire mystérieux, plutôt une sorte de rictus douloureux, effleura les lèvres de Veronica. Une lueur d'ironie passa dans ses yeux.

— Peut-être, dit-elle à voix basse.

Emily comprit, à un imperceptible changement dans l'atmosphère de la pièce, à un certain relâchement dans la posture de Veronica, que le moment de faiblesse était passé. Elle n'obtiendrait plus rien d'elle pour le moment. Elle termina le déboutonnage des bottines, les lui ôta et se releva.

— Voulez-vous que je prépare votre bain, ou désirez-vous vous reposer, madame ? Je peux vous monter une tisane.

Veronica se leva à son tour et se dirigea vers la fenêtre.

— Je ne veux pas prendre de bain, dit-elle d'un ton décidé. Allez me préparer une tisane et un toast, non, deux toasts beurrés.

Emily comprit qu'elle désirait surtout se débarrasser de sa présence, mais elle n'avait d'autre choix que d'obéir.

Elle partit en courant dans le couloir, dévala l'escalier, ce qui lui valut les remontrances de la gouvernante, qui la tança vertement sur l'indécence d'un tel comportement.

— Bien, Mrs. Crawford, désolée, Mrs. Crawford, s'excusa Emily.

Elle ralentit le pas jusqu'à la grande porte matelassée, mais, dès qu'elle l'eut franchie, reprit sa course en direction de la cuisine. Par politesse, elle demanda à Mrs. Melrose l'autorisation de faire bouillir de l'eau, puis entreprit de couper et de beurrer des tranches de pain. Elle était si pressée que la première tranche se défit en petits morceaux. Heureusement Mary vint à son secours.

— Hé, c'est pas comme ça qu'il faut s'y prendre. Laisse-moi faire.

Elle prépara deux fines tranches de pain, en prenant soin de les beurrer avant de les couper, une astuce qu'Emily ne connaissait pas.

— Merci, Mary, merci mille fois ! Sois bénie ! la remercia Emily avec une réelle gratitude.

Elle sautillait d'un pied sur l'autre pour se réchauffer en attendant que la bouilloire se mette à chanter. Elle réussit à ne pas renverser d'eau en remplissant la tasse.

— C'est bien, approuva Mary. Tu vois, hâte-toi lentement, comme on dit.

Emily lui lança un sourire reconnaissant, prit le plateau et monta l'escalier aussi vite que le lui permettaient ses longues jupes. Entendant un murmure de voix provenant de la chambre de Veronica, elle s'immobilisa et approcha son oreille de la porte, espérant surprendre des bribes de conversation, mais ne put distinguer un seul mot.

Soudain elle eut une idée : le dressing attenant à la chambre !

Elle posa son plateau par terre, tourna doucement la poignée, en s'assurant que le loquet ne cliquetait pas, puis reprit le plateau, le glissa dans un placard et referma la porte sans bruit. Elle avait elle-même fermé d'un geste machinal la porte qui donnait dans la chambre de Veronica. Il lui fallait donc l'ouvrir, millimètre par millimètre, afin que le mouvement n'attire pas l'attention des gens présents dans la pièce, même s'ils lui faisaient face. S'ils voyaient la poignée tourner, elle était perdue. Une femme de chambre surprise à écouter aux portes, sans aucune excuse à fournir, était renvoyée sur-le-champ.

Elle se pencha vers le trou de la serrure et y colla son œil, mais n'aperçut que l'angle du lit et un petit bout de la robe bleue qu'elle y avait étalée. Mais elle entendait un peu mieux les voix ; elle devait donc se mettre à genoux et coller son oreille au trou de la serrure. Elle prit une épingle de son chignon et la posa par terre ; ainsi, elle aurait une excuse, si elle était surprise dans cette position.

— Qui était-ce ? fit la voix de Veronica, proche du désespoir.

La réponse de Loretta arriva, rassurante.

— Ma chère, comment le saurais-je ? Cette histoire ne nous concerne en rien.

— Mais la robe ! s'écria Veronica. La couleur ! Ce rouge fuchsia !

— Reprenez-vous, voyons. Vous vous conduisez comme une idiote.

Il y eut un silence. Emily se demanda si Loretta n'avait pas giflé sa bru, comme on gifle quelqu'un en pleine crise de nerfs pour lui faire reprendre ses esprits. Mais elle n'entendit aucun halètement, aucun hoquet. Soudain Veronica bredouilla entre deux sanglots :

— Qui... était-ce ?

— Une putain de bas étage, répliqua Loretta avec un froid mépris. Dieu sait pourquoi cet imbécile de policier lui a brisé le cou.

Veronica parla si doucement qu'Emily dut tendre l'oreille pour la comprendre.

— L'a-t-il tuée, belle-maman ? L'a-t-il vraiment tuée ?

Emily commençait à avoir un torticolis et des crampes dans les jambes, mais elle s'en moquait, autant que de la tisane qui refroidissait dans le placard. Dans la chambre attenante, on n'entendait plus un bruit, pas même un bruissement de taffetas.

— Eh bien, oui, j'imagine, répondit Loretta, après ce qui parut à Emily être un siècle. Il avait pour ainsi dire les mains autour de son cou quand on l'a découvert. Je ne vois pas d'autre explication.

— Mais pourquoi a-t-il fait cela ?

— Ma chère, comment le saurais-je ? Il était peut-être tellement obsédé par l'idée d'obtenir des informations qu'il l'a secouée par les épaules et, comme elle refusait de parler, il a perdu la tête et l'a étranglée. Je vous répète que cela ne nous concerne pas.

— Mais elle est morte ! s'écria Veronica au désespoir.

Loretta commençait à perdre patience.

— Une fille perdue de plus ou de moins, quelle importance ? Elle portait une robe rouge. Dans cette profession, cela n'a rien d'étonnant. Reprenez-vous, Veronica, ajouta-t-elle d'une voix sourde. Une telle attitude vous fera tout perdre. Tout. Souvenez-vous-en.

Robert est mort. Qu'il repose en paix. Le passé est le passé. Dieu sait que j'ai tout fait pour vous aider. Mais si vous avez des vapeurs et des crises de larmes à tout bout de champ, je ne promets pas de pouvoir continuer à vous soutenir. Vous me comprenez?

Il y eut encore un silence. Emily se figea, au point d'entendre les battements de son cœur, mais aucun bruit ne parvenait de l'autre côté de la porte.

— Vous me comprenez? répéta Loretta d'une voix rauque, impatiente, dénuée de pitié.

Si Emily n'avait pas entendu les mots prononcés, elle aurait seulement gardé l'impression d'une intonation menaçante. Loretta avait réconforté et soutenu sa belle-fille pendant trois ans, mais la force et surtout la patience commençaient à lui manquer; elle aussi avait subi une perte cruelle. Veronica était sur le point de se remarier, mais Loretta, elle, ne retrouverait pas son fils. Rien d'étonnant à ce qu'elle jugeât qu'il était grand temps pour sa belle-fille de s'écouter un peu moins.

— Je comprends, répondit celle-ci sans conviction, avec une pointe d'agressivité, avant de se mettre à pleurer.

— Bien.

Loretta parut satisfaite. Elle s'assit dans un grand froissement de taffetas, manifestement indifférente aux larmes de Veronica. Peut-être l'avait-elle trop souvent vue pleurer.

Soudain, on frappa à la porte. En voulant bondir sur ses pieds, Emily marcha sur ses jupes et s'étala en avant de tout son long. Son chignon se défit complètement. Elle se remit debout en toute hâte, lissa son tablier et reprit le plateau. A ce moment-là, elle se rendit compte qu'on avait cogné à la porte de la chambre et non à celle du dressing! Son soulagement fut tel qu'elle se mit à trembler comme une feuille. Elle reposa le plateau, épingla son chignon tant bien que mal, sortit sur le palier et frappa à la porte de la chambre.

En entrant, elle vit Veronica assise sur son lit, l'air

épuisé. Ses pommettes était marbrées de rouge. Loretta paraissait très maîtresse d'elle-même. Piers York se tenait debout, perplexe, le front plissé. Pour la première fois, Emily crut lire dans ses yeux lassitude et désillusion, mais cette expression disparut dès qu'il s'adressa à elle

— Que nous apportez-vous, Emily? Du thé et des toasts? Posez-les sur la coiffeuse.

— Bien, monsieur.

Elle déplaça une brosse à cheveux au dos en argent et un face-à-main, puis posa le plateau. Elle ne proposa pas de les servir. Ainsi, s'ils attendaient un peu avant de boire, ils croiraient être seuls responsables de la tiédeur du breuvage.

Loretta la rappela sèchement à l'ordre.

— Amelia!

Emily prit son air le plus innocent.

— Oui, madame?

Patatras! Une épingle se détacha de son chignon et tomba sur la coiffeuse avec un tintement métallique; une mèche de cheveux se déroula le long de sa joue.

— Pour l'amour du ciel, ma fille! explosa Loretta. Mais regardez-vous! Vous ressemblez à une... une roulure!

Emily se sentit devenir cramoisie, mais ne put donner la repartie à la fois innocente et insolente qu'elle avait sur le bout de la langue. Elle ne pouvait se permettre de riposter en se mettant sur un pied d'égalité, sous peine d'être démasquée; or la vie de Pitt dépendait de sa présence chez les York. Ravalant sa fierté, elle baissa les yeux, de sorte que Loretta ne vît pas la lueur de haine qui passait dans son regard.

— Je m'excuse, madame, murmura-t-elle. Tout à l'heure, j'ai fait un faux pas et j'ai frôlé un rideau. J'ai dû perdre une épingle à cheveux sans m'en rendre compte.

Loretta ne cacha pas son scepticisme.

— Cela en dit long sur vos dons de coiffeuse. Enfin,

je n'en ferai pas état dans ma lettre de références, bien que votre attitude ait souvent laissé à désirer. En revanche, vous êtes impardonnable d'avoir parlé à Miss Veronica du crime sordide commis à Seven Dials. Ici, les domestiques ne sont pas au courant de ce genre d'horreur et il n'est pas question qu'ils en parlent entre eux. Il ne manquerait plus que cela ! Imaginez un peu toutes les bonnes en pleine crise de nerfs ! La marche de la maison en serait gravement perturbée. Je suis donc au regret de vous dire que nous ne pouvons vous garder à notre service ; vous retrouverez sans aucun doute une autre place. Vous terminerez votre semaine, en attendant l'arrivée de votre remplaçante. Edith ne peut pas faire le travail de deux personnes, et j'ai besoin d'elle pour des travaux de couture. A présent, vous pouvez disposer. Laissez le plateau ici.

Veronica bondit, comme mue par un ressort.

— Amelia est *ma* cameriste ! s'écria-t-elle. Je suis très satisfaite de son travail ! Je l'apprécie énormément ! Je la garderai avec moi, si j'en ai envie ! Elle n'est pas à blâmer : elle a entendu parler de ce crime chez le cordonnier et m'a tout raconté car elle se souvenait que la visite de ce policier m'avait bouleversée. D'ailleurs, il ne reviendra pas et j'en suis fort aise.

Piers York secoua la tête.

— Dommage, dit-il avec une pointe de regret. Je ne comprends pas ce qui a pu pousser ce garçon à faire une chose pareille. Il me paraissait tout à fait correct. A mon avis, il doit y avoir une explication...

— Fadaises ! répliqua vivement Loretta. Parfois je me demande comment vous avez pu réussir en affaires, mon ami. Vous portez sur les autres un jugement... infantile !

Un imperceptible changement d'expression se peignit sur les traits de Piers York. Emily sentit que Loretta avait été trop loin, bien qu'elle ne parût pas s'en rendre compte.

— Je pense que l'adjectif approprié serait « charitable », releva-t-il d'une voix douce.

— Faut-il être « charitable » pour accepter qu'une domestique entre dans votre chambre en donnant l'impression de sortir de son lit ? s'enquit Loretta d'un air dégoûté.

Piers York se tourna vers Emily. Son regard reflétait une curiosité amusée.

— Auriez-vous folâtré avec un valet, Amelia ?

Elle soutint son regard sans trembler.

— Non, monsieur. Jamais de la vie, monsieur.

— Merci, dit-il avec gravité. Le chapitre est clos. Il est temps que nous allions nous changer pour dîner.

Là-dessus, il enfonça ses poings dans ses poches et sortit de la pièce d'un pas nonchalant.

Veronica regarda sa belle-mère.

— Je garde ma camériste. Si elle doit s'en aller, ce sera parce que je l'ai décidé.

— Buvez donc votre thé, répliqua Loretta d'une voix dénuée d'expression, mais Emily devina, à sa calme assurance, que sa défaite n'était que temporaire.

Le temps était compté.

Mais il l'était encore davantage pour Pitt.

Loretta sortit de la chambre et referma la porte avec un bruit sec. Veronica ne toucha pas à sa tisane.

— Amelia, j'ai changé d'avis, dit-elle en se regardant dans son miroir. Ce soir je mettrai ma robe violet cramoisi.

Les jours suivants furent difficiles. Emily fit son possible pour jouer les femmes de chambre modèles, de façon que même Edith n'ait rien à lui reprocher. Elle repassait la lingerie de coton et de batiste à trois ou quatre reprises, l'humidifiant et la pressant jusqu'à faire disparaître le moindre pli. Elle avait le dos et les bras endoloris, mais décida qu'elle ne se laisserait pas démoraliser pour un faux pli dans un tissu. Elle n'eut même pas le temps de s'asseoir pour papoter, comme elle aurait aimé le faire, dans l'espoir de glaner d'autres informations auprès des domestiques.

Restait la possibilité que Veronica revienne sur sa décision de la garder auprès d'elle et que sa résolution faiblisse devant sa belle-mère, auquel cas Emily se verrait donner à nouveau congé. Elle ravala systématiquement toutes les répliques qui lui venaient à l'esprit, se contraignit à plus de docilité et s'obligea à marcher sans relever le menton ni faire virevolter ses jupes. D'autre part, appliquant la maxime « l'ennemie de mon ennemie est mon amie », elle flatta de façon éhontée la cuisinière, qui finit par devenir sa meilleure alliée. puisqu'elle détestait la gouvernante. Elle appliqua la même tactique envers le majordome. En temps normal, elle aurait jugé le stratagème méprisable, mais si elle voulait aider Charlotte et Thomas, il lui fallait garder sa place chez les York. L'heure n'était pas aux considérations d'ordre moral !

La bonne à tout faire et la fille de cuisine se situaient tout en bas de l'échelle de la domesticité, mais la petite Fanny était une gamine perspicace et intelligente. Emily parvenait, grâce à sa gentillesse, à lui soutirer bon nombre d'informations. Bien entendu, Fanny ne savait rien sur Robert York et presque rien sur les membres de la famille, mais elle avait des idées très arrêtées sur le reste de la domesticité.

Le samedi après-midi, Emily alla retrouver Charlotte, comme convenu, à Hyde Park. Il pleuvait à verse et il faisait froid ; elles se serrèrent l'une contre l'autre, cols remontés et mains enfouies dans des manchons. Par un temps pareil, elles avaient fort peu de chances d'être remarquées. Qui, en dehors de couples illégitimes ou de passants pressés, aurait songé à mettre le nez dehors ? Les sans-logis préféraient se réfugier dans les rues, sous les porches, plutôt que rester dans le parc où la bise soufflait sans rencontrer le moindre obstacle. Quant aux amants, ils n'avaient d'yeux que pour eux-mêmes.

Les nouvelles qu'elles échangèrent leur permirent d'éclairer la situation sous un jour différent, sans pouvoir en tirer de conclusions définitives : l'assassin se trouvait à Hanover Close. Veronica, ou Loretta, connaissait son identité, ou du moins, le mobile de ses actes. Mais comment parvenir à percer ce mur de silence ? Charlotte craignait le pire. Elle faillit supplier Emily de quitter le service des York. Par trois fois, elle ouvrit la bouche pour le lui dire, mais toujours elle pensait à Pitt, et les mots mouraient dans sa gorge. De toute manière, rien n'aurait pu ébranler la décision d'Emily, qui était fermement décidée à ne pas rester les bras croisés alors que Pitt attendait d'être jugé et risquait la pendaison.

Ce qui ne voulait pas dire qu'Emily n'avait pas peur ; après avoir quitté sa sœur, elle ravala ses larmes et courut d'une traite sous la pluie battante des grilles du parc jusqu'à Hanover Close. Elle entra dans la cuisine par la porte de service, au sous-sol ; elle était glacée jusqu'aux os. Elle mit son manteau et ses bottines trempées à sécher dans la buanderie, se restaura en silence à la table de la cuisine et monta dans sa mansarde. Là, elle s'allongea sur son lit, encore grelottante, et réfléchit à la façon dont elle pourrait piéger le criminel qui avait déjà frappé à trois reprises et si bien camouflé ses forfaits que le seul suspect était l'inspecteur de police chargé de l'enquête.

Elle s'éveilla dans l'obscurité, la gorge serrée, le corps tendu en entendant un bruit de pas légers dans le couloir devant sa porte. En silence, elle se glissa hors du lit. Le froid glacial transperça la mince cotonnade de sa chemise de nuit. Le rideau mal tiré laissait filtrer une faible lueur par la lucarne : elle saisit l'unique chaise de la pièce et alla la coincer sous la poignée de la porte. Puis elle se remit au lit, remonta ses genoux sur sa poitrine, essayant d'emmagasiner un peu de chaleur pour parvenir à se rendormir. Elle tenait à être efficace dans son travail du lendemain et en état de se mesurer avec le meurtrier ; il lui fallait survivre pour démontrer sa culpabilité.

Avant l'aube, elle se leva pour remettre la chaise à sa

place, si bien que lorsque Fanny vint la réveiller, elle ne sut rien de ce qui s'était passé pendant la nuit. La journée s'écoula, pareille aux précédentes, avec ses corvées épuisantes et monotones, sans qu'Emily apprît rien d'intéressant. Les jours pouvaient se répéter ainsi à l'infini, sans que rien ne se passe. N'y tenant plus, elle décida de forcer le destin.

Tard dans la soirée, elle se glissa jusqu'au garde-manger, mit dans sa poche une demi-douzaine de biscuits, prépara deux tasses de chocolat chaud, et monta inviter Fanny à venir dans sa chambre.

Cinq minutes plus tard, elles étaient toutes deux assises sur son lit, les jambes repliées sous elles, à siroter le chocolat en grignotant des gâteaux. Emily commença à bavarder et, au bout de dix bonnes minutes, se décida à aborder le sujet de la mort de Dulcie.

— Que faisait-elle à la fenêtre ? Tu crois qu'elle parlait à quelqu'un ?

— Que non ! S'il y avait eu quelqu'un en bas, il aurait appelé au secours ! Personne l'a vue tomber. Et pis, elle était pas comme ça...

— Comme quoi ? fit mine de s'étonner Emily.

— Ben, elle était pas du genre à avoir un amoureux. Elle était... correcte, quoi. Très tranquille.

— Personne ne l'a vue, tu es sûre ?

— Il faisait nuit noire ! On était tous dans la maison.

— Comment le sais-tu ? Te souviens-tu où étaient tous les autres ?

Fanny fit la grimace.

— En plein hiver, quand il pleut, où veux-tu qu'on soit ?

Emily, déçue, prit appui contre son mince oreiller.

— Je pensais que tu savais où était chacun, à la cuisine, à l'office...

— Je te dis que personne sait à quelle heure elle est tombée, expliqua Fanny, patiente. En tout cas, elle a dîné avec nous.

Emily ouvrit de grands yeux.

— Tu veux dire qu'elle est tombée en pleine nuit ? A quelle heure l'avez-vous vue pour la dernière fois ?

— Edith lui a dit bonne nuit à neuf heures et demie. Moi, je jouais aux cartes avec Prim. Dulcie avait pas tellement envie de jouer, alors elle est montée se coucher.

— Mais c'est invraisemblable ! s'entêta Emily. Pourquoi se serait-elle penchée par la fenêtre en pleine nuit ? Tu ne crois tout de même pas...

Elle prit une profonde inspiration et attendit.

— ... qu'elle faisait monter quelqu'un dans sa chambre ?

— Oh non ! s'exclama la fillette, profondément choquée. Pas Dulcie ! Jamais de la vie ! C'était pas son genre, je viens de te le dire. D'ailleurs, si on veut faire entrer quelqu'un dans une maison, on l'oblige pas à grimper par les gouttières jusqu'au grenier ! On se débrouille pour qu'il pénètre discrètement par la porte de l'arrière-cuisine. Dulcie était pas si bête !

Elle observa Emily par-dessus le bord de sa tasse et repoussa une mèche de cheveux qui lui tombait sur les yeux.

— Tu sais ce que je crois, Amelia ?

Emily se pencha vers elle, brûlant d'impatience. Fanny baissa la voix, jusqu'à ce qu'elle ne soit plus qu'un murmure.

— Je crois que Dulcie a vu quelque chose la nuit où Mr. Robert a été tué. Quelqu'un est revenu l'empêcher de dire à ce policier ce qu'elle avait vu...

Emily fit mine d'étouffer un petit cri de surprise.

— Oh, Fanny ! Tu as peut-être raison ! Tu penses que quelqu'un est entré par une fenêtre ?

Fanny secoua vigoureusement la tête.

— Impossible. On s'en serait rendu compte. Depuis qu'il y a eu ce cambriolage, la nuit de la mort de Mr. Robert, Mr. Redditch fait très attention. Tous les soirs, avec Albert, il vérifie que les portes et les fenêtres sont bien fermées.

— Quelqu'un aurait-il pu réussir à entrer avant?

— Bien sûr que non!

Fanny sourit devant tant d'ingénuité.

— Comment il aurait fait? On peut pas entrer par la porte principale sans que quelqu'un vous ouvre. Et si on entre par la porte de service, on tombe dans la cuisine où il y a toujours du monde, Mrs. Melrose, ou Mary. Et les soirs où il y a des invités, on est tous là.

— Tu te souviens qui était invité, ce soir-là?

— Mr. Julian Danver et son père, Miss Harriet, la vieille Miss Danver et Mr. Asherson et sa femme. Un beau monsieur, Mr. Asherson, mais toujours triste et sérieux. En tout cas, il plaît drôlement à Nora. Elle a le béguin pour lui!

Elle renifla, imitant inconsciemment la voix de la gouvernante.

— Quelle petite peste, celle-là! Qu'est-ce qu'elle y gagnerait, à part des ennuis?

— Cette personne se trouvait donc déjà dans la maison, murmura Emily, oubliant un instant d'utiliser un vocabulaire moins châtié. Et si quelqu'un l'avait fait entrer? reprit-elle précipitamment.

Fanny ne s'était aperçue de rien. Elle répondit, indignée :

— Qui ça? Pas une d'entre nous, en tout cas! D'ailleurs personne travaillait ici à l'époque de la mort de Mr. Robert, à part Mary et Dulcie. Et Mary travaille en cuisine. Personne est rentré par là, sinon on l'aurait tous vu. Albert, lui, était dans le vestibule.

— A moins que Dulcie, ou Mary, soient descendues dans la nuit pour faire entrer quelqu'un.

Emily n'avait ajouté cela que par pure logique; pas une seconde, elle n'avait supposé que les deux jeunes filles aient pu faire une chose pareille. Elle avait obtenu les renseignements qu'elle désirait : la chute de Dulcie s'était produite après l'heure du dîner, peut-être avant le départ des invités, et personne n'était entré dans la maison par effraction.

— Fanny, je crois que tu as raison ! s'exclama-t-elle en agrippant le bras maigre de la fillette. Surtout, ne dis rien à personne ! Tu risquerais, toi aussi, de tomber d'une fenêtre. Promets-le-moi.

Fanny hocha la tête avec gravité.

— Juré, j'en parlerai à personne. J'ai pas envie de finir écrabouillée sur le trottoir. Toi aussi, t'as intérêt à tenir ta langue.

— Promis ! fit Emily avec conviction. Et je barricaderai ma porte avant de me coucher.

— Bonne idée, acquiesça Fanny. Moi aussi.

Elle déplia ses jambes et se glissa hors du lit, en serrant sa chemise de nuit sur sa poitrine.

— Bonne nuit, Amelia.

Mais même avec une chaise coincée en travers de la porte, Emily dormit très mal cette nuit-là. A plusieurs reprises, elle se réveilla en sursaut, le cœur battant, se demandant si elle n'entendait pas des bruits de pas dans le couloir et s'ils ne s'arrêtaient pas devant sa porte. Quelqu'un cherchait-il à tourner la poignée ? Le vent faisait vibrer le châssis de la lucarne ; elle resta là, paralysée, attendant que le bruit revienne pour pouvoir en déterminer l'origine. Même dans ses rêves, elle avait l'impression que quelqu'un cherchait à s'introduire dans sa chambre.

Le courage lui revint avec le jour, mais elle demeurait inquiète. Il lui fallut un énorme effort de concentration pour ne pas commettre d'erreurs dans son travail. Tout en vaquant à ses occupations, elle était attentive aux faits et gestes de tous. Le soir venu, elle faillit pleurer d'épuisement. Elle se sentait prisonnière de ces murs, courant sans cesse d'une pièce à l'autre sans jamais profiter d'une minute de solitude, et pourtant son isolement lui pesait affreusement. Et le temps passait. Le temps... son pire ennemi. En un sens, avoir les mains occupées était une bénédiction.

Charlotte ne pouvait qu'imaginer les moments

pénibles que traversait Emily, après qu'elles se furent séparées devant les grilles de Hyde Park. Il ne servait à rien d'y penser. Elle ne pouvait lui être d'aucun secours. Et elle devait continuer à mentir à Pitt, qui, si elle lui avouait qu'elle cherchait à établir la vérité, comprendrait que Ballarat ne faisait rien pour l'aider. Ce mensonge permanent était l'une des expériences les plus éprouvantes de son existence. Elle était tellement accoutumée à tout partager avec lui qu'elle en avait oublié à quel point est précieuse l'habitude de tout se dire. En ce moment, lui avouer la vérité eût été une preuve d'égoïsme.

Heureusement, elle reçut quelques témoignages d'amitié auxquels elle ne s'attendait pas : un curieux bonhomme, vêtu d'un tablier et d'une casquette, lui apporta une caque de harengs et refusa de se faire payer ; il partit en hâte sous la pluie sans regarder en arrière, comme si le fait d'être remercié l'eût embarrassé. Un matin, elle trouva un fagot de petit bois d'allumage posé sur les marches de l'escalier de service ; deux jours plus tard, il y en avait encore un autre, au même endroit. Elle ne vit jamais celui qui les lui avait laissés. Le marchand de légumes devint désagréable jusqu'à la grossièreté tandis que le charbonnier continuait à la livrer normalement. Charlotte crut même s'apercevoir que ses sacs étaient plus remplis que de coutume.

Caroline ne revint pas la voir, mais elle écrivait régulièrement pour dire que les enfants se portaient bien, et lui proposer son aide.

La lettre qui toucha le plus Charlotte vint de tante Vespasia ; rédigée sur un papier vergé bleu, d'une écriture tremblante et un peu penchée, elle lui apprenait que la vieille dame était alitée à cause d'une mauvaise bronchite. Elle ne doutait pas un instant de l'innocence de Pitt et se proposait, au cas où les choses s'aggraveraient, de demander à son homme de loi de prendre sa défense. Dans l'enveloppe, dix guinées étaient jointes à la lettre. Vespasia espérait que Charlotte ne s'en offus-querait pas. « On ne peut se battre l'estomac vide ! » disait-elle en guise de conclusion.

Charlotte resta au beau milieu de la cuisine, la lettre à la main, en songeant à tante Vespasia qui vieillissait. Elle avait l'impression de voir s'échapper toutes ses certitudes ; les joies de l'existence faisaient partie d'un passé désormais lointain ; elle se sentait habitée par un froid intérieur qu'aucun feu ne pourrait jamais réchauffer.

Elle retourna à la prison, attendant l'heure de la visite sous la pluie en compagnie de femmes silencieuses, au visage triste, dont le père, le mari, ou le fils pourrissait dans les geôles du Steel. Certaines étaient violentes, cupides ou brutales, selon ce que la vie leur avait réservé, mais nombre d'entre elles étaient incapables de survivre seules dans les bas-fonds où régnait la loi du plus fort.

Charlotte avait le temps de réfléchir au sort de ces femmes ; compatir à leurs souffrances lui semblait plus facile que d'assumer ses propres problèmes et lui per-mettait de mentir à Pitt avec plus d'assurance et de le regarder en souriant.

Lorsque enfin on la laissa entrer, on ne l'autorisa pas à le toucher, seulement à s'asseoir en face de lui. Son visage était sale et contusionné ; ses yeux cernés expri-maient toute l'horreur que son sourire forcé essayait de cacher. Jamais, auparavant, elle n'avait réussi à lui mentir. Il la connaissait si bien. Or cette fois, elle men-tait effrontément, en le regardant droit dans les yeux, comme si elle avait affaire à un petit garçon qu'elle devait protéger et réconforter avec de belles histoires.

— Oui, vous nous manquez terriblement, mais nous allons tous très bien. Nous avons tout ce qu'il nous faut ; je n'ai pas eu à demander de l'aide à maman ni à Emily, mais je sais que je peux compter sur elles en cas de besoin. Les York ? Non, je ne suis pas retournée chez eux. Je laisse Mr. Ballarat s'occuper de tout,

comme vous me l'avez demandé. Pourquoi ne vous a-
t-il envoyé personne ? Je l'ignore. Cela ne doit pas lui
sembler nécessaire.

Elle monopolisait la conversation, ne lui laissant pas
le temps de l'interrompre pour lui poser des questions
auxquelles elle aurait été incapable de répondre.

— Emily va bien, poursuivit-elle. Où est-elle ? A
Parangon Walk, cela va de soi. Elle est venue à la prison, mais on ne l'a pas laissée entrer. Une belle-sœur
n'est pas considérée comme faisant partie de la famille
proche. Jack Radley nous soutient moralement...

Emily se trouvait à la lingerie, en train de repasser ce
qu'elle détestait le plus : les dentelles amidonnées
d'une demi-douzaine de tabliers en coton. Edith avait
profité d'un moment d'inattention de sa part pour la
convaincre de repasser les siens.

Soudain, Mary entra dans la pièce, regarda tout
autour d'elle et referma la porte sans bruit, l'index sur
la bouche.

— Que se passe-t-il ? chuchota Emily, étonnée.

— Un homme ! fit Mary à voix basse. Tu as un
admirateur !

— Absolument pas ! nia Emily avec vigueur.

Comme si elle avait besoin de ça ! Elle n'avait
encouragé personne ; au contraire, elle avait envoyé
promener le garçon boucher parce qu'il avait osé lui
sourire, l'impudent !

— Mais si ! insista Mary. Tout débraillé et tout plein
de suie ! On dirait qu'il sort du conduit d'une cheminée.
Mais il est drôlement poli et il parle très bien. Et s'il
était propre, il serait très mignon...

— Je ne le connais pas, protesta Emily. Dis-lui de
s'en aller.

— Viens le voir deux minutes...

— Non ! Tu ne veux tout de même pas que je perde
ma place, et sans références !

— Mais on dirait qu'il en pince vraiment pour toi !

— Je serai renvoyée ! explosa Emily.

— Il dit qu'il te connaît, insista Mary. Allez, viens, Amelia. Il pourrait peut-être... Tu tiens vraiment à rester bonniche toute ta vie ?

— C'est toujours mieux que de se retrouver à la rue sans références !

— Bon, tant pis pour toi. Il s'appelle Jack quelque chose.

— Quoi ?

— Jack quelque chose.

Emily lâcha son fer à repasser.

— J'arrive ! Où est-il ? Quelqu'un l'a vu entrer ?

Mary parut très satisfaite.

— Ben, toi, t'es une vraie girouette. Mais méfie-toi, si Mrs. Melrose t'attrape, tu vas avoir des ennuis. Il t'attend à la porte de service. Allez, vite ! Dépêche-toi !

Emily se précipita dans le couloir, traversa en courant la cuisine et l'arrière-cuisine, Mary sur les talons. Celle-ci fit le guet, au cas où la cuisinière apparaîtrait.

Emily n'en crut pas ses yeux. Elle avait devant elle, debout sous la pluie, à côté des seaux à charbon et des poubelles, un homme vêtu d'une veste noire déchirée qui lui arrivait jusqu'aux genoux ; son visage était presque entièrement dissimulé par un chapeau à large bord. Des mèches pleines de suie pendaient sur son front. Sa peau était également noire de suie, comme celle d'un ramoneur.

— Jack ? murmura-t-elle, incrédule.

Il sourit, montrant des dents étonnamment blanches. Comme elle était contente de le voir ! Elle faillit pouffer de rire, mais se rendit compte que ce rire tournerait vite aux larmes.

— Comment allez-vous ? demanda-t-il, inquiet. Vous êtes toute pâle...

Cette fois, Emily partit d'un petit rire nerveux, qu'elle étouffa très vite en pensant que Mary pouvait l'entendre.

–– Je vais bien, dit-elle en s'efforçant de contrôler le

tremblement de sa voix. La nuit, je me barricade dans ma chambre. Dites-moi comment va Charlotte.

— Elle traverse une période difficile. Nous n'avançons pas.

On entendit un cri venu de l'arrière-cuisine. Emily comprit que Mrs. Melrose était de retour, ou bien Nora, ce qui revenait au même.

— Jack, partez vite! Dans une demi-heure, j'irai chez le cordonnier. Attendez-moi au coin de la rue. Je vous en prie, dépêchez-vous!

Il hocha la tête, remonta prestement l'escalier qui donnait dans la rue et disparut.

Nora apparut à la porte, dévorée de curiosité.

— Qu'est-ce que tu fais dehors? J'ai cru t'entendre parler.

— A ta place, je ne croirai que ce que je vois, rétorqua Emily, agressive.

Elle regretta aussitôt ses paroles, non par scrupule vis-à-vis de Nora mais parce qu'il était imprudent de se la mettre à dos. Et s'excuser ne ferait qu'augmenter ses soupçons.

— A propos, reprit-elle pour se donner le change, que fais-tu dehors, toi?

Nora, venue pour l'espionner, fut prise au dépourvu.

— J'ai pensé que quelqu'un t'embêtait! Je suis venue t'aider!

— C'est très gentil à toi, ironisa Emily. Comme tu peux le constater, il n'y a personne. J'étais venue voir s'il faisait froid. Je dois aller faire une course. Il faut que je prenne un manteau.

— Évidemment! Quel temps veux-tu qu'il fasse en plein mois de janvier?

— Pluvieux, répondit Emily qui reprenait confiance en elle.

— Mais il pleut! Tu ne le voyais pas par la fenêtre?

— Désolée, mais la lingerie n'a pas de fenêtre.

Emily plongea son regard dans les jolis yeux de la soubrette, la mettant au défi de l'accuser ouvertement.

— Très bien, fit Nora avec un petit haussement d'épaules plein de coquetterie. Tu as intérêt à te dépêcher. Ne passe pas tout l'après-midi dehors !

Emily retourna terminer son repassage. Elle plia le dernier tablier, rangea le fer, alla chercher son manteau et son chapeau et prévint Mary qu'elle se rendait à la cordonnerie. Puis elle sortit par la courette à l'arrière de la maison, descendit Hanover Close jusqu'à la rue la plus proche, s'attendant à voir ou à entendre arriver Jack.

Elle faillit se cogner à lui au coin de la rue. Il avait toujours l'air d'un épouvantail, dans sa veste noire trop grande pour lui. Il marcha respectueusement à ses côtés, comme un ramoneur doit se tenir quand il se promène auprès d'une jolie femme de chambre partie faire une course pour ses maîtres.

Tout en marchant, Emily lui raconta la conversation qu'elle avait surprise entre Veronica et Loretta, puis les conclusions qu'elle avait tirées de sa discussion avec Fanny au sujet de la mort de Dulcie. A son tour, Jack lui donna les rares nouvelles qu'il avait de Charlotte.

Une fois les bottines ressemelées, ils reprirent le chemin d'Hanover Close. Il pleuvait de plus en plus dru. Emily avait les pieds trempés, ainsi que les bas de ses jupes. La suie coulait en sillons noirâtres sur les joues de Jack.

— Si vous pouviez vous voir ! s'exclama Emily avec un petit sourire douloureux.

Elle s'aperçut qu'elle avait ralenti le pas. Elle redoutait le moment de retourner dans cette maison, non seulement parce qu'elle goûtait à ces précieuses minutes de liberté avant de revenir vers sa prison et sa solitude angoissée, mais surtout, et elle en fut étonnée, parce que la présence de Jack allait lui manquer.

— Votre propre mère ne vous reconnaîtrait pas ! ajouta-t-elle.

Il se mit à rire, d'abord doucement, puis de bon cœur en regardant son manteau marron tout miteux, son petit chapeau ridicule et ses bottines trempées. Emily se mit à glousser à son tour et soudain ils s'immobilisèrent, pris d'un fou rire inextinguible qui ressemblait presque à des sanglots. Jack prit ses mains dans les siennes et les retint longuement.

Un instant, elle crut qu'il allait lui faire une demande en mariage. Mais même s'il en avait eu l'intention, il n'aurait jamais osé formuler cette requête à haute voix. Un gentleman désargenté ne pouvait demander la main d'une richissime aristocrate. Il n'avait que son amour à lui offrir, et l'amour était peu de chose, dans la bonne société.

— Jack, dit-elle sans prendre le temps de réfléchir, envisageriez-vous de m'épouser ?

La pluie avait presque entièrement lavé la suie de son visage.

— Oui, Emily. J'aimerais que vous soyez ma femme. C'est mon vœu le plus cher.

— Dans ce cas, je vous autorise à m'embrasser, dit-elle avec un sourire timide.

Lentement, précautionneusement, il s'approcha d'elle. Et là, debout sous la pluie battante, sales et transis, ils échangèrent le plus doux des baisers.

11

La vie en prison ne ressemblait pas à ce que s'était imaginé Pitt. Au début, le choc causé par son arrestation et le fait d'être passé brutalement de l'autre côté de la barrière avaient anesthésié ses capacités de réflexion, ne lui laissant que les émotions les plus primaires. Même durant son transfert du poste de police à la prison, il n'éprouva que des impressions sensorielles. Il vit les murs massifs, entendit la lourde porte se refermer avec un son métallique, sentit l'étrange odeur de moisi ; elle le saisit à la gorge, mais elle ne l'atteignait pas

Lorsqu'il s'éveilla le lendemain, les muscles raidis par le froid, la mémoire lui revint, et sa situation lui parut grotesque. A tout moment, quelqu'un allait arriver pour lui faire des excuses ; on l'emmènerait et on lui offrirait une tasse de thé brûlant, du porridge et du bacon.

Mais son premier visiteur fut son geôlier lui apportant une assiette de bouillie de gruau. Il lui ordonna de se lever et de se préparer. Pitt protesta, sans réfléchir. On le prévint que ceux qui désobéissaient aux ordres étaient impitoyablement châtiés.

Les autres détenus le considéraient avec une curiosité haineuse. Il était l'Ennemi. S'ils n'avaient pas été arrêtés par la police, aucun d'entre eux n'aurait été conduit au Steel et condamné à la « cage d'écureuil », moulin de discipline où le prisonnier, marchant sans fin sur des lattes de bois mouvantes, essaie de rester debout sans perdre l'équilibre à l'intérieur d'une roue qui tourne lentement. Un homme ne pouvait y passer plus d'un quart d'heure sans s'évanouir ; la chaleur suffocante lui brûlait les poumons.

Au détenu qui se rebellait, on réservait bien d'autres châtiments : il était fouetté avec des verges ou flagellé ; s'il se montrait insolent ou refusait d'obéir aux ordres, il était astreint à la « manœuvre des boulets » : les détenus étaient mis en rang dans un carré creusé dans le sol de la cour d'exercice, disposés à deux ou trois mètres les uns des autres ; chacun recevait un boulet de canon de douze kilos environ, qu'il posait à ses pieds. Au commandement, il devait le soulever, aller le déposer devant son voisin de droite et revenir à sa place où il trouvait un autre boulet déposé par son voisin de gauche. Cette manœuvre durait parfois soixante-quinze minutes, jusqu'à ce que les hommes, éreintés et fourbus, ne puissent plus se relever.

Pitt y fut condamné, le troisième jour de sa détention, pour insolence et paresse. On l'accusa aussi d'avoir déclenché une bagarre, en fait une stupide querelle provoquée par un détenu qui se croyait toujours obligé de fanfaronner devant ses compagnons. Si Pitt avait prêté plus d'attention à ce qui se passait autour de lui à ce moment-là, il aurait remarqué le comportement du prisonnier, son agitation, ses poings serrés, sa démarche sautillante. Il aurait vu que son regard allait de l'un à l'autre, cherchant qui le regardait avec cette admiration mêlée de crainte et de respect, caractéristique du faible face au fort. Il aurait reconnu dans son sourire mauvais l'expression de la brute qui parade.

Mais Pitt ne pensait qu'à la maison de passe et au corps sans vie de Cerise. Il essayait de se souvenir de son visage. Avait-elle été si belle ou possédait-elle tant de charme et d'esprit qu'elle avait pu ensorceler Robert York au point de lui faire trahir son pays ? Démasqué, il aurait risqué de perdre non seulement l'amour de son épouse, mais son poste au Foreign Office et sa position sociale. L'honorabilité de sa famille aurait pu le couvrir et prévenir un scandale dont le gouvernement se serait volontiers passé; ou bien alors, il aurait été amené ici, à Coldbath Fields, ou dans une autre prison, en attendant son procès et sa condamnation à mort.

Préoccupé par ces pensées, Pitt ne vit pas le danger venir. L'homme marquait son territoire en paradant devant les autres, agressif. Lorsqu'il s'adressa à Pitt, celui-ci lui répondit sèchement la première chose qui lui vint à l'esprit; sans s'en rendre compte, il avait placé la brute dans l'obligation de riposter pour ne pas perdre la face. Une rixe stupide, qui se termina, pour tous les deux, dans la cour, à la manœuvre des boulets. Pitt se penchait, se relevait, portait le boulet à son voisin, retournait à sa place, trempé de sueur, le dos rompu. Lorsqu'on siffla la fin de l'exercice, ses vêtements lui collaient à la peau, dans le froid humide; ses muscles le faisaient tellement souffrir qu'il passa quatre jours perclus de douleurs, qui ne le quittaient pas, même pendant son sommeil.

Les jours passaient. Il s'accoutuma à la routine de la prison, à la saleté, à la nourriture immangeable. Il avait toujours froid, sauf durant les heures de travail forcé au cours desquelles il transpirait, mouillant ses vêtements d'une sueur glacée. Il était impossible d'avoir un minimum d'intimité, même pour satisfaire ses besoins naturels. Il se sentait plus isolé qu'il ne l'avait jamais été, sans un instant être seul. Une vraie solitude aurait été une bénédiction, qui lui aurait permis de se détendre, d'oublier la haine qu'il sentait autour de lui et, surtout, de réfléchir sans que des regards cruels et inquisiteurs l'observent, cherchant à deviner ses faiblesses.

Le moment le plus pénible avait été la première visite de Charlotte. La voir, lui parler devant témoin, sans pouvoir la toucher, être obligé de formuler à voix haute des émotions intimes le mettait au supplice. Ses propres pensées étaient chaotiques. Que pouvait-il lui dire?

Qu'il était innocent ? Il se sentait seulement coupable de trop de naïveté — fallait-il parler de stupidité ? Il ignorait toujours l'identité du fameux espion et de l'assassin de Robert York. S'il avait quelque chose à se reprocher, c'était d'avoir échoué sur toute la ligne ! Qu'allaient devenir Charlotte et les enfants ? Elle devait subir la honte d'être considérée comme la femme d'un meurtrier. Bientôt s'ajouterait la crainte de la pauvreté — sauf si Caroline et Emily lui venaient en aide. Mais accepterait-elle toute sa vie l'humiliation d'être financièrement dépendante de sa famille ?

Comment lui dire qu'il l'aimait, devant un garde-chiourme sinistre et méprisant ? Il aurait tant voulu lui faire comprendre qu'il regrettait son mouvement de mauvaise humeur, qui avait gâché les derniers jours précédant son arrestation.

Bien qu'elle eût tout fait pour paraître enjouée, il l'avait trouvée pâle et angoissée. Il ne se souvenait même plus de ce dont ils avaient parlé ; de tout et de rien, sans doute, de banalités destinées à meubler la conversation. Les petits silences au contraire étaient bien plus parlants, ainsi que la tendresse qui brillait dans les yeux de Charlotte.

La seconde visite s'était mieux passée. Charlotte n'avait pas paru se rendre compte des souffrances qu'il endurait ; elle avait confiance en Ballarat, qui, selon elle, mettait tout en œuvre pour le faire libérer. Pitt, en revanche, doutait de la diligence de son supérieur à le sortir de Coldbath Fields. Il n'était même pas venu le voir et s'était contenté de lui envoyer le brigadier Maybery, un brave homme au visage rond qui, tout au long de l'entretien, lui avait posé des questions embarrassées, la plupart stupides et sans intérêt.

— Qu'est-ce que vous faisiez à Seven Dials, Mr. Pitt ?

Il continuait à lui dire « Monsieur », par habitude, sans le regarder dans les yeux, tout en tripotant son crayon d'un air gêné.

— J'ai suivi un canardier qui m'avait prévenu que la femme que je cherchais se trouvait dans cet hôtel, répondit Pitt, irrité. Je l'ai déjà dit cent fois !

— Pourquoi la cherchiez-vous, Mr. Pitt ?

— Elle était le principal témoin dans le meurtre de Robert York.

— Robert York, domicilié à Hanover Close, tué par un cambrioleur il y a trois ans ?

— Évidemment !

— Et comment savez-vous que cette femme a un lien avec ce meurtre ?

— On l'a vue dans la maison.

— Ah ? Qui ça ?

— Dulcie Mabbutt, l'une des femmes de chambre.

— Vous pouvez m'épeler son nom, Mr. Pitt ?

— Oubliez ça, mon vieux. Elle est morte. Tombée d'une fenêtre.

Le brigadier écarquilla les yeux et, pour la première fois, regarda Pitt en face.

— Comment c'est arrivé, monsieur ?

Était-ce la peine de le lui dire ? Pitt hésita. Ce simple policier était peut-être le seul homme que lui enverrait Ballarat, pour régler les formalités et remplir un rapport à son sujet. Il lui fallait tenter sa chance.

— La cameriste m'a parlé de la femme en rouge, dans la bibliothèque. Je pense que quelqu'un a surpris notre conversation. La porte était restée ouverte.

— Vous pensez... que quelqu'un l'a poussée par la fenêtre ?

— Oui.

Maybery réfléchit.

— Mais la femme en rouge était une fille de joie, Mr. Pitt. Pourquoi quelqu'un s'en soucierait ? Les beaux messieurs fréquentent les prostituées, tout le monde le sait. Mr. York s'est peut-être montré imprudent... Il peut s'agir d'un drame domestique.

— Cette femme n'était pas seulement une prostituée, reprit Pitt avec gravité.

Comment lui faire comprendre que cette tragédie sordide cachait une affaire de prévarication?

Le brigadier plissa les yeux.

— Ah?

— Des documents importants ont été dérobés au Foreign Office, dans le service où travaillait Robert York.

Cette fois, Maybery cligna des yeux.

— Vous voulez dire qu'il les avait volés?

— Je l'ignore. Felix Asherson et Garrard Danver travaillent dans le même département, avec beaucoup d'autres diplomates. Je sais que le vase en argent et l'édition originale des *Voyages de Gulliver* déclarés volés la nuit de la mort de Robert York n'ont jamais réapparu dans une boutique de recel. Dans le milieu, personne n'en a jamais entendu parler, pas plus que du meurtre.

— En êtes-vous certain, monsieur?

— Quelle question! Que croyez-vous que j'aie fait au cours des semaines passées? De la dentelle?

— Je vois.

Le brigadier suçota le bout de son crayon, mais n'écrivit rien sur son calepin.

— Non, vous ne voyez rien! s'écria Pitt, furieux. Moi non plus, d'ailleurs. Je sais seulement que Robert York a été assassiné, que Dulcie Mabbutt est tombée d'une fenêtre et que la femme en rouge aperçue à Hanover Close a été assassinée dans un hôtel de passe de Seven Dials quelques minutes avant mon arrivée.

— Vous persistez à affirmer que ce n'est pas vous qui l'avez tuée?

— Oui.

De la part du brigadier, c'était une affirmation plutôt qu'une question. Il ne paraissait pas douter de l'innocence de son supérieur.

Il partit sans poser d'autres questions, plongé dans de profondes réflexions.

Les jours s'écoulaient, identiques et sombres. Les

détenus ne voyaient pratiquement jamais la lumière du jour. Dans la cour d'exercices, entourée de hautes murailles, le pâle soleil d'hiver ne pouvait percer. Courbé en deux pendant les manœuvres du boulet, serré contre ses compagnons de misère puant la crasse et la sueur, Pitt sentait les ténèbres envahir son esprit. Le monde extérieur n'était pour lui qu'un conte pour enfants, irréel et lointain.

Puis, petit à petit, il finit par s'intéresser au sort des autres prisonniers : Iremonger, un homme d'une quarantaine d'années, au teint terreux, accusé de pratiquer des avortements, clamait son innocence avec une sorte de résignation stoïque, en sachant bien qu'il ne serait pas cru. Il était quelque peu guérisseur et éprouvait une certaine pitié pour ses compagnons d'infortune. Il savait soigner les petites blessures des hommes qui revenaient de la « manivelle », la plus redoutée des punitions : un détenu faisait tourner un axe relié à un tambour muni de godets en forme de cuillère qui s'emplissaient de sable en remontant ; le poids des godets infligeait une douleur musculaire pire que celle causée par la manipulation des boulets. Iremonger distribuait des conseils et soulageait les souffrances de ceux qui avaient fait un séjour dans la cage d'écureuil.

Il y avait aussi Haskins, la petite brute qui s'était battue avec Pitt ; un individu triste et superficiel qui avait gagné les rares batailles de son existence avec ses poings ; les autres faisaient semblant de le respecter, mais riaient derrière son dos. Et puis Ross, un beau garçon assez jovial, condamné pour vol et proxénétisme. Il ne voyait rien de mal à l'exercice de l'une ou l'autre de ces occupations ; la seconde subvenait à ses besoins et il profitait de la première quand l'occasion se présentait. A sa sortie de prison, il reprendrait ses activités. La notion de bien et de mal, excepté la loyauté envers ses amis, n'avait aucun sens pour lui. Malgré lui, Pitt ne pouvait s'empêcher de l'apprécier.

Il remarqua aussi Goodman, un petit homme affreusement cupide, mais merveilleux conteur d'histoires, même s'il ne s'agissait que de fables. Il était accusé d'avoir détourné l'argent de son beau-père ; comme la plupart des autres prisonniers, s'il acceptait d'être reconnu coupable de l'acte lui-même, il prétendait n'avoir commis aucune faute morale. Sa figure de fouine reflétait une indignation permanente. Mais son imagination fertile, alliée à une certaine culture, faisait de sa compagnie, aux rares moments où les détenus étaient autorisés à parler, une agréable échappatoire à l'ennui qui les accablait.

Il y avait aussi Wilson, un garçon au caractère emporté qui se battait avec tout le monde ; Wood, ignorant et révolté contre un monde dans lequel il n'avait pas sa place ; le gros Molloy, qui avait passé la plus grande partie de son existence en prison et qui, en dépit de son désir affirmé d'en sortir, craignait de retrouver le monde extérieur ; enfin, le petit Raeburn, à la bouche et aux yeux tombants, qui volait simplement parce qu'il avait faim, incapable qu'il était de gagner sa vie.

Pitt avait commencé par tous les détester, parce qu'ils faisaient partie de cet univers carcéral dans lequel il était piégé, de cette laideur inhérente à l'endroit. Puis il finit par se laisser toucher par certains gestes, certaines marques de souffrance. Au début, les incidents qui survenaient dans la prison lui paraissaient sans importance ; ils ne faisaient que l'effleurer et l'agacer, plutôt que l'émouvoir. Mais un jour une tragédie stupide impliquant Raeburn le força à cesser de s'apitoyer sur son propre sort.

Raeburn était un simple d'esprit, incapable d'affronter le monde extérieur. Bien que complètement amoral, il y avait une chose dont il était fier : il ne mentait jamais, même pour échapper à une punition. Il s'en vantait de temps à autre ; personne ne prêtait attention à son bavardage ennuyeux. On le savait inoffensif : il ne menaçait le territoire de personne. Par une sorte de compréhension tacite, nul ne lui cherchait noise. Il était en quelque sorte l'animal familier de la prison.

Or, un jour, un gardien égara sa montre; par malchance, Raeburn fut accusé du vol. Il jura que ce n'était pas lui, mais le gardien, qui ne le connaissait pas, refusa de le croire. Raeburn fut donc condamné à une peine d'isolement. L'idée d'être seul le terrifiait, car il était démuni face à cette solitude qui menaçait de le détruire. Lorsqu'on vint le chercher, il se débattit et se jeta sur les geôliers. On oublia le vol de la montre, mais on le condamna pour agression caractérisée sur la personne d'un gardien. Jeté au mitard, il continua à jurer qu'il n'avait pas touché à la montre.

Parfois, la nuit, grelottant sur sa paillasse, Pitt l'entendait hurler:

— Je l'ai pas volée! Dites-leur que je l'ai pas volée!

Puis on ne discernait plus que des paroles confuses, et c'était le silence.

Raeburn était un homme faible; la seule chose qui comptait à ses yeux lui avait été retirée. Son honnêteté, que tout le monde lui reconnaissait, une personne l'avait niée. Il se retrouvait absolument seul, annihilé, sans rien à quoi se raccrocher. Il refusait de manger. Au bout d'une semaine, on le transféra à l'asile d'aliénés de Bedlam; quelques jours plus tard, il était mort.

L'annonce de son décès fut un choc pour les autres prisonniers. De son vivant, on affichait à son égard une tolérance mêlée de mépris, mais tous savaient que sa droiture était la petite lumière qui éclairait sa solitude et constituait son identité d'être humain dans un monde anonyme; il ne se connaissait pas d'autres qualités; ses défauts, en revanche, l'avaient souvent trahi.

Lorsqu'on l'emmena, un frisson de colère parcourut l'ensemble des détenus. Pour une fois, ils cessèrent de se lamenter sur leur propre sort; celui du malheureux Raeburn avait fait naître en eux un commencement de compassion.

Ce drame marqua Pitt profondément. Il s'efforçait de l'oublier, mais les cris de Raeburn résonnaient dans sa tête; il revoyait sans cesse ses traits tombants, son regard effaré, noyé de larmes.

Son apitoiement sur lui-même se mua en colère. Lui qui au début haïssait ses congénères se surprit à oublier, parfois des heures durant, ce qui les différenciait de lui, pour ne plus voir que leur douleur commune. La nuit, allongé dans le froid glacial de sa cellule, il réfléchissait ; il ne pouvait parler à personne de son propre cas, mais on ne pouvait l'empêcher d'y penser. A son avis, la clé de l'affaire York résidait dans ce fameux vol de documents. Mais qui était l'espion ? Au début, il avait pensé à Robert York, séduit par Cerise, elle-même commanditée par un puissant personnage qui la manipulait dans l'ombre. Puis, après la mort de Dulcie, qui, il en était sûr, avait été défenestrée, la liste des suspects se limitait pour lui aux habitants d'Hanover Close et à leurs visiteurs, Felix Asherson et les Danver, qui eux aussi travaillaient au Foreign Office.

Enfin Cerise avait été assassinée à son tour. Par ce mystérieux inconnu qui avait craint qu'elle ne le dénonce, volontairement ou non, à la police ?

Pitt était de plus en plus perplexe car si ce personnage tirant les ficelles dans l'ombre existait vraiment, il n'était en rien responsable de la mort de la femme de chambre. Pitt était certain de connaître l'assassin de Dulcie, de lui avoir parlé ; elle était morte parce qu'elle avait vu la femme en rouge, cela était corroboré par le fait que Cerise avait elle aussi été tuée lorsqu'il était devenu certain que Pitt la retrouverait.

Mais alors pourquoi Robert York avait-il été assassiné ? Que savait-il ? Avait-il bel et bien reconnu quelqu'un de son entourage en la personne du cambrioleur ? A moins que Cerise, ayant échoué dans ses tentatives de séduction, ait envoyé un voleur à sa place ? Mais qui était ce voleur ? Quelqu'un de suffisamment fort, habile et maître de lui pour lui assener un coup violent, alors qu'il était sur ses gardes ? Si l'on surprend un cambrioleur chez soi en pleine nuit et qu'on le reconnaît, on doit bien se douter qu'il ne peut pas vous laisser la possibilité de le dénoncer. Alors qui ? Julian

Danver? Son père, bien qu'il eût deux fois l'âge de Robert York, ou Felix Asherson? Pitt excluait la culpabilité de Piers York, qui n'aurait pas eu à justifier sa présence dans sa propre bibliothèque, même en pleine nuit.

Mais les Danver et Felix Asherson travaillaient au Foreign Office. Pourquoi auraient-ils dérobé des documents à un collègue?

Pitt, allongé, les yeux ouverts, percevait les bruits désormais familiers des hommes qui s'agitaient sur leur lit, toussaient, gémissaient, juraient. Au loin, il entendit un homme pleurer de désespoir.

Il n'était pas plus avancé. Les éléments du puzzle ne s'emboîtaient pas. Qui était Cerise? se demandait-il chaque soir tandis que les ombres de la nuit se refermaient sur lui.

Le matin, la grisaille du jour l'envahissait. Il parvenait à fermer les yeux, oublier les bruits, ne pas penser au froid, mais il ne pouvait échapper aux odeurs de renfermé, de sueur, de moisi. Elles étaient toujours là, au fond de sa gorge, lui soulevant l'estomac.

Dans la journée, il lui était impossible de réfléchir avec sérénité. Le soir revenaient l'illusion de la solitude et ses questions obsédantes. Il avait beau tourner et retourner le problème en tous sens, aucune réponse ne le satisfaisait. Très probablement, Robert York, Dulcie et Cerise savaient quelque chose. C'est pour cela qu'on les avait tués. Mais que savaient-ils?

Lors de sa deuxième visite, le brigadier Maybery paraissait préoccupé. Il ne mentionna même pas le nom de Ballarat.

— C'est bien cette femme de chambre, Dulcie Mabbutt, qui vous a parlé pour la première fois de la femme en rouge, Mr. Pitt?

Il fronça les sourcils, regarda son calepin et releva la tête.

— Comment l'avez-vous retrouvée à Seven Dials?

— J'ai eu beaucoup de mal, répondit Pitt, sèchement. J'ai sillonné la capitale, interrogé les marchands de quatre-saisons, les marchandes de fleurs et d'allumettes, les vendeurs de sandwichs, les portiers d'hôtel, de théâtre, les prostituées...

Maybery hocha la tête.

— Cela a dû vous prendre beaucoup de temps, monsieur. N'y avait-il pas un moyen plus rapide de la retrouver ?

— Personne n'a voulu me parler d'elle, excepté Miss Adeline Danver. Or elle ne l'avait aperçue qu'un bref instant, sur un palier éclairé par une lampe à gaz.

— Vous voulez parler de la tante de Mr. Julian Danver ?

— Oui. Mais bien entendu, elle ne pouvait m'aider à la retrouver.

Maybery plissa le front.

— Je pourrai vérifier cela auprès d'elle, Mr. Pitt.

— Comme vous voudrez. Mais faites bien attention. La dernière personne à avoir parlé de Cerise est tombée d'une fenêtre.

Le brigadier se mit à mâchonner le bout de son crayon.

— Vous pensez que c'était qui, au fond, cette femme que vous appelez Cerise ?

Pitt se cala sur sa chaise.

— Je l'ignore. Tous ceux qui l'ont approchée disent qu'elle était très belle, qu'elle avait une classe folle et un visage inoubliable. Par ailleurs, Felix Asherson a reconnu que des documents ont disparu du Foreign Office, dans le service où travaillait York.

Le brigadier sortit son crayon de sa bouche, tout mâchouillé.

— Mr. Ballarat ne croit pas à cette thèse, Mr. Pitt. Il a fait enquêter discrètement, en haut lieu. Aucun usage n'a été fait de ces papiers volés.

— Ces papiers, comme vous dites, n'ont pas été nécessairement utilisés tout de suite !

Pitt sentait qu'il s'aventurait sur un terrain difficile. Ballarat refusait la thèse de la trahison au profit de l'ennemi car il redoutait d'annoncer à ses supérieurs une nouvelle qu'ils n'étaient pas disposés à entendre. Une suspicion de prévarication mettrait en cause l'honneur de bon nombre de hauts fonctionnaires. Le commissaire redoutait d'affronter leur fureur, s'il réunissait les preuves démontrant que le scandale leur serait imputé. Il tenait à ce que l'on ait une bonne opinion de lui ; il nourrissait l'ambition de s'élever dans la société, plus encore que de faire carrière ou de s'enrichir. Il rêvait d'une vie facile ; bien qu'il aimât exercer son pouvoir sur ses subordonnés, il n'avait pas l'envergure d'un homme de pouvoir ; les risques, les jalousies, les désagréments encourus avaient un prix qu'il n'était pas disposé à payer. On l'avait chargé de prouver qu'il n'y avait pas eu forfaiture, ou du moins, que si celle-ci était avérée, elle avait été dissimulée avec suffisamment de soin ; la révéler serait la preuve d'un échec absolu.

Le brigadier, pensif, recommença à mordiller son crayon.

— Je connais pas grand-chose à ces histoires, monsieur, mais tout ça me paraît improbable. D'abord, cette femme m'a semblé bien ordinaire ; des cheveux noirs, une peau mate, un peu terne — moi, je préfère celles qui ont des couleurs. Pas laide, bien sûr, mais elle avait vraiment rien de spécial. Pas de formes, rien. On peut pas même pas dire qu'elle était jolie.

Pitt chercha des mots simples pour décrire Cerise vivante à cet homme un peu fruste.

— Elle avait de la grâce, du charme, de l'esprit.

Maybery parut perplexe.

— J' vous demande pardon, Mr. Pitt, mais elle avait plutôt l'air d'une bonne qu'on a mise à la porte et qui se retrouve dans la rue pour survivre...

— C'était une courtisane. Une prostituée de haut vol, qui choisissait ses clients et faisait payer très cher ses services.

Le brigadier haussa les épaules.

— Sauf votre respect, Mr. Pitt, moi, je vais vous dire une chose : elle avait dû passer pas mal d'années à frotter des parquets. Il suffisait de regarder ses mains et ses genoux. J'ai vu suffisamment de femmes avec des cals aux genoux. Elle les avait pas attrapés sur un prie-Dieu, ça c'est sûr.

— Vous devez vous tromper !

— Non, Mr. Pitt. Je connais mon métier et je l'ai bien examinée sur toutes les coutures. D'ailleurs, on sait toujours pas comment elle s'appelle, la pauvre.

Une idée stupéfiante commençait à germer dans l'esprit de Pitt : et s'il n'avait pas retrouvé la vraie Cerise, mais une victime innocente placée là pour le duper ? A supposer que la scène ait été montée de toutes pièces pour se débarrasser de lui et le laisser croupir, emmuré vivant dans les geôles du Steel ? Avait-on assassiné une malheureuse dans le but de bloquer son enquête ? Quelqu'un avait suivi ses allées et venues, et tout prévu, jusqu'à l'heure exacte où il arriverait dans cette chambre d'hôtel ! Donc Cerise était toujours vivante !

Ballarat était-il au courant ? Protégeait-il Cerise en se désintéressant du sort de son subordonné, et en feignant de croire à sa culpabilité ?

Dans ce cas, jusqu'à quelles sphères gouvernementales remontait la trahison ? Pitt ne parvenait pas à croire que son supérieur ait agi délibérément. Il était trop plein de suffisance et trop dépourvu d'imagination. Jamais il n'aurait eu le courage de jouer un jeu aussi risqué. Il était insensible, lâche et arriviste, mais il était anglais jusqu'à la moelle. Il serait mort plutôt que de trahir sa patrie. Non, Ballarat était manipulé.

Mais par qui ?

— Ça va, Mr. Pitt ? fit la voix inquiète du brigadier. Vous avez l'air tout chose.

— Êtes-vous bien sûr qu'elle avait des cals aux mains ? demanda Pitt lentement, essayant de cacher son

338

désespoir. Et son visage? Était-il beau? Pouvez-vous l'imaginer vivante, pleine de grâce et de charme?

Maybery secoua la tête.

— Difficile à dire, Mr. Pitt.

Celui-ci se pencha en avant, agacé.

— Voyons, mon vieux, l'ossature! Essayez de vous en souvenir! Je me souviens du gonflement, de la décoloration de la peau, mais je ne me rappelle pas l'ossature du visage!

Il attendit.

— Je suis sûr d'avoir vu des cals, répondit Maybery, prudent. Et autant que je me souvienne, c'était une personne ordinaire, ni jolie, ni laide. Elle avait rien de particulier. Pourquoi vous me demandez tout ça? A quoi vous pensez?

— Je pense qu'il ne s'agissait pas de Cerise, brigadier, mais d'une pauvre fille que l'on a déguisée et assassinée, pour me faire endosser le meurtre. Cerise est encore en vie.

— Ben, ça alors...

Maybery poussa un sifflement de surprise. Mais il ne parut pas mettre en doute les assertions de Pitt.

— Qu'est-ce que vous voulez que je fasse, Mr. Pitt?

— Je n'en ai pas la moindre idée, brigadier. Puisse Dieu nous venir en aide.

12

Assise dans sa cuisine, Charlotte poursuivait sans le savoir un raisonnement analogue à celui de Pitt. Pas une seconde, elle ne s'était imaginé qu'il avait pu lui mentir. Il avait ouvertement sillonné beaux quartiers et bas-fonds de la capitale, à la recherche de Cerise; un informateur l'avait mené jusqu'à un hôtel de Seven Dials où il avait découvert la jeune femme. Juste au moment où il venait de constater son décès, quelqu'un était entré dans la chambre. Incroyable coïncidence, ou mise en scène de génie destinée à faire taire Cerise tout en se débarrassant d'un policier trop curieux? Que savait-elle donc de si important pour qu'on ait voulu à tout prix empêcher Dulcie de parler à Pitt? Connaissait-elle l'identité de l'assassin de Robert York ainsi que celle de l'espion, qui n'étaient peut-être qu'une seule et même personne?

Selon toute apparence, Cerise avait séduit le jeune York afin qu'il lui livre des documents confidentiels qu'elle avait ensuite transmis à une autorité supérieure. Puis, au cours d'une dispute, York avait menacé de la dénoncer et elle s'était débarrassée de lui pour se protéger. Alors pour quelle raison l'avait-on liquidée à son tour? Avait-elle regretté la fin tragique de son amant, qu'elle n'avait peut-être pas souhaitée? L'avait-elle aimé, à sa façon? Tout le monde s'accordait à dire que Robert York était un bel homme, élégant, plein d'esprit et d'un tempérament réservé qui le rendait attirant aux yeux des femmes.

Ou bien Cerise, ayant craqué nerveusement, était-elle devenue un risque pour son commanditaire ? Ce mystérieux personnage travaillant dans l'ombre, sachant que Pitt avait entendu parler de Cerise par Dulcie, avait-il cherché à éliminer systématiquement tous ceux que risquait d'approcher le policier ?

A ce stade de ses réflexions, le désespoir la gagna. Elle tournait en rond ! D'une part, aucun indice ne permettait de deviner qui était entré dans la bibliothèque et avait tué Robert York. D'autre part, n'importe qui aurait pu pénétrer dans l'hôtel de Seven Dials, sachant que Cerise s'y trouvait. En revanche, seul un membre des familles présentes ce soir-là à Hanover Close avait pu pousser Dulcie par la fenêtre. Charlotte les avait tous rencontrés et avait conversé poliment avec chacun d'eux. Or, l'une de ces personnes souhaitait se débarrasser de Pitt, par tous les moyens !

Elle bondit de sa chaise. Il faisait nuit, à présent. Gracie était depuis longtemps montée se coucher. Ce soir-là, il était trop tard pour entreprendre quoi que ce soit ; mais une chose était sûre : réfléchir ne servait plus à rien. Il lui fallait agir.

Elle n'avait le droit de voir Pitt que tous les quatre jours. Inutile de chercher de l'aide auprès de Ballarat ; mais elle pouvait se mettre en contact avec le policier qui avait interrogé le gérant de l'hôtel et examiné le corps de Cerise.

Il lui faudrait également retourner à Hanover Close, car, elle en était sûre, là se trouvaient les réponses à ses questions.

En dépit de son épuisement physique et nerveux, elle dormit mal et s'éveilla avant l'aube. A sept heures, elle descendit à la cuisine, sortit les cendres de la cuisinière et la rechargea en charbon. Lorsque Gracie apparut, à sept heures et quart, la bouilloire chantait déjà. La jeune fille ouvrit la bouche pour protester, mais, voyant la mine défaite de Charlotte, jugea préférable de ne rien dire.

En fin de matinée, Charlotte partit à la recherche du brigadier Maybery. Auparavant, elle était passée au commissariat de Bow Street, où l'officier de service avait fini par lui donner le nom du policier chargé de l'enquête sur la mort de la femme en rouge. La perspective d'être confronté à une crise de nerfs avait eu raison de ses hésitations. Il détestait les scènes ; or les joues empourprées et le regard étincelant de Mrs. Pitt signifiaient clairement qu'elle n'hésiterait pas à faire un scandale au beau milieu du commissariat.

Charlotte marchait d'un pas vif le long de Green Park lorsqu'elle aperçut la pèlerine et le couvre-chef bleu foncé du policier, au moment où celui-ci quittait Half Moon Street pour entrer dans Piccadilly. Elle traversa la rue comme une folle, indifférente aux voitures qui filaient à toute allure et aux cris des cochers furieux. Elle le rattrapa après une course effrénée.

— Monsieur l'agent !

Il s'arrêta.

— Madame ?

— Êtes-vous le brigadier Maybery ?

Il fronça les sourcils, perplexe, un peu inquiet.

— Oui, madame.

— Je suis Charlotte Pitt. L'épouse de l'inspecteur Pitt.

L'homme parut d'abord embarrassé, puis une expression compatissante se peignit sur ses traits. Il parut désireux de parler.

— J'ai vu votre mari hier, madame. Tout bien considéré, il ne se porte pas si mal.

Il cligna des yeux, gêné, mais il n'y avait aucune culpabilité dans son regard. Charlotte sentit le courage lui revenir. Il était possible que cet homme crût à l'innocence de Pitt. L'expression de soulagement qu'elle lisait sur son visage signifiait peut-être qu'il était de son côté.

— Vous enquêtez sur le meurtre de la femme en rouge, Mr. Maybery. Que savez-vous d'elle ? Comment s'appelait-elle ? Que faisait-elle avant d'arriver à Seven Dials ?

Il secoua légèrement la tête, sans la quitter des yeux.

— On ne sait rien d'elle, madame. Elle était arrivée à l'hôtel de Seven Dials trois jours plus tôt, disant s'appeler Mary Smith. On a jamais entendu parler d'elle. Elle a rien dit et personne lui a posé de questions. Les gens sont pas bavards, dans ce genre de métier. Mais quelque chose me tracasse, madame. Mr. Pitt paraissait persuadé qu'il s'agissait d'une... comment a-t-il dit, déjà ? D'une... courtisane, qui choisissait ses clients et les faisait payer très cher. Mais moi, j'ai bien regardé le cadavre... Je m'excuse de parler de ça, mais cette femme avait des cals aux mains et aux genoux. Ça se voit tout de suite, quand on a l'habitude. Je crois que Mr. Pitt se trompe. C'était pas une femme entretenue.

Charlotte resta un instant sans voix.

— Mais si ! Elle était très belle ! Tout le monde la remarquait ; elle avait de la grâce, du charme... Elle n'avait jamais dû frotter des parquets !

Maybery secoua la tête.

— Vous vous trompez, madame. Elle avait peut-être un sacré caractère, ça, je peux pas le savoir, puisque je l'ai pas vue vivante. Mais à première vue, elle avait rien d'extraordinaire : une peau terne, des cheveux bruns ; maigre, très maigre. Non, madame, je vous demande pardon, mais elle avait vraiment rien de spécial.

Charlotte demeura immobile sur le bord du trottoir. Une voiture la frôla, si près que le courant d'air déplaça son chapeau sur sa tête. Ainsi donc, la morte n'était pas Cerise, mais une femme que l'on avait tuée afin que Pitt perde la trace de la vraie Cerise ! Était-ce pure coïncidence qu'il ait trouvé le corps juste à ce moment-là et qu'il ait été arrêté, ou cela faisait-il partie d'un plan soigneusement calculé ?

Charlotte eut alors une idée. Insensée et dangereuse, mais elle n'avait pas le choix.

— Merci beaucoup, brigadier Maybery, dit-elle à voix haute. Transmettez mon bonjour à Thomas, si vous le voyez. Et surtout, pas un mot de notre conversation, s'il vous plaît. Il s'inquiéterait inutilement.

— Très bien, madame. C'est promis.

Charlotte se hâta vers l'arrêt de l'omnibus. L'idée qu'elle venait d'avoir l'obsédait. Il existait certainement une meilleure solution, moins risquée, mais laquelle ? Le temps pressait. Elle n'avait plus personne à interroger, aucune preuve tangible à apporter, tel un lapin que l'on sort d'un chapeau, pour débusquer le coupable. Sa dernière chance était de le contraindre à se trahir sous l'effet d'une violente surprise ; pour cela elle ne voyait d'autre solution que celle qui venait de germer dans son esprit.

Au lieu de rentrer chez elle, elle se rendit chez Jack Radley, dans St. James's. Elle n'y était jamais allée, mais connaissait l'adresse, pour lui avoir écrit. En général, il passait fort peu de temps chez lui, préférant se faire inviter dans les beaux quartiers. Une occupation plaisante, qui lui évitait de dépenser ses maigres rentes. Mais il avait promis à Charlotte de rester à sa disposition tant que durerait cette affaire, aussi n'hésita-t-elle pas à lui rendre visite.

Jack n'habitait pas une luxueuse résidence, mais il n'avait pas à avoir honte de donner son adresse. Dans le hall, elle s'adressa au portier qui lui indiqua poliment, avec une très légère réticence, que l'appartement de Mr. Radley se trouvait au troisième étage.

Elle monta l'escalier et arriva sur le palier du troisième étage, un peu essoufflée, déçue de ne pas être récompensée de ses efforts par une jolie vue sur la ville. L'appartement donnait sur la cour. Elle toqua fermement à la porte, priant pour que Jack soit là ; dans le cas contraire, elle serait obligée de lui laisser un message.

Elle dansait d'un pied sur l'autre, frémissante d'impatience. La porte s'ouvrit au moment où elle s'apprêtait à frapper à nouveau.

— Charlotte ! s'exclama-t-il, stupéfait. Que se passet-il ? Entrez donc...

Elle ne prit pas la peine d'examiner les lieux, comme elle l'aurait fait quelques semaines plus tôt, poussée par la curiosité. Le décor d'une maison en dit long sur la personnalité de ses occupants. Mais cette fois, elle n'en ressentait ni l'envie, ni le besoin. Elle avait désormais toute confiance en Jack ; les doutes qu'elle avait entretenus à son égard s'étaient évanouis sans qu'elle s'en rendît compte. Elle remarqua seulement que les pièces, de dimensions modestes, étaient meublées avec goût.

— Eh bien ? s'enquit-il.

— Je viens de rencontrer le policier chargé d'enquêter sur la mort de Cerise.

Le visage de Jack s'assombrit.

– Comment l'avez-vous « rencontré » ?

— Par hasard, dans Half Moon Street, dit-elle simplement, omettant de s'étendre sur les détails. Figurezvous qu'il m'a décrit avec précision le corps de la morte de Seven Dials. Jack, il ne s'agit pas de Cerise, mais d'une pauvre femme que l'on avait affublée d'une robe rouge...

— Attendez, attendez. Comment pouvez-vous en être certaine ?

— A cause de ses mains, et surtout de ses genoux.

Il la dévisagea, incrédule. Elle crut qu'il allait éclater de rire.

— Elle avait des cals aux genoux, à force de frotter les parquets à quatre pattes. Jack, cela veut dire que Cerise est toujours en vie ! Il m'est venu une idée un peu folle et peut-être complètement stupide, mais j'ai beau chercher, je n'en vois pas d'autre. J'ai besoin de votre aide. Nous devons retourner chez les York, un soir où les Danver sont invités. Le plus tôt sera le mieux. Il nous reste peu de temps.

Le sourire de Jack s'évanouit. La date du jugement de Pitt n'allait pas tarder à être fixée.

— Je vous écoute, dit-il, soudain très grave.

— Je dois savoir la date de ce dîner au moins deux jours à l'avance, de façon à pouvoir faire certains préparatifs...

— Quel genre de préparatifs ?

Elle hésita à répondre. Jack désapprouverait certainement son plan.

— Charlotte, comment puis-je vous aider si je ne suis pas au courant de ce que vous manigancez ? Vous n'êtes pas la seule à avoir une cervelle ! Et sûrement pas la seule à avoir peur !

Elle eut l'impression de recevoir une gifle. Elle faillit riposter par une phrase peu amène, quand la justesse de sa réflexion la frappa. Grâce à Jack, encore une fois, elle se sentait un peu moins seule.

— Voilà : les Danver viennent régulièrement dîner chez les York. J'ai donc l'intention de me faire passer pour Cerise et de donner rendez-vous à chacun de ces messieurs. Piers York, Felix Asherson, Julian et Garrard Danver étaient présents le soir de la mort de Dulcie. Je commencerai par les Danver, parce que Adeline a vu Cerise chez eux.

Jack demeura bouche bée. Il réfléchit longuement, cherchant une meilleure idée ; n'en trouvant pas, il concéda, dubitatif :

— Vous ne ressemblez guère à Cerise... Je veux dire, à la description que nous en avons.

— Je les rencontrerai dans le jardin d'hiver. Il est très peu éclairé. Je porterai une robe rouge et une perruque noire. Je veux simplement épier leur réaction.

Tandis qu'elle exposait son plan, ses chances de réussite lui paraissaient de plus en plus ténues. Elle sentit ses maigres espoirs s'envoler.

— Si l'un d'entre eux reconnaît Cerise, cela prouvera au moins quelque chose !

Sentant l'affolement qui la gagnait, Jack posa gentiment sa main sur son bras.

— Avez-vous conscience des risques que vous prenez ?

— Oui, Jack.

Comment lui dire qu'elle aimait le goût piquant du danger ? Plus elle prendrait de risques, plus elle s'approcherait de la victoire. Seul l'homme qui connaissait Cerise viendrait au rendez-vous et, s'il la menaçait, c'est qu'elle l'aurait démasqué.

— Mais vous serez là ! s'écria-t-elle, tout excitée. Et Emily aussi ! D'ailleurs, j'ai besoin de son aide. Rassurez-vous, j'ai tout prévu ; je mettrai la robe et la perruque dans un sac et m'arrangerai pour les lui faire porter à l'avance. Après le repas, je feindrai un malaise et demanderai à aller m'allonger. Emily — Amelia — sera censée m'apporter des sels. J'en profiterai pour aller me changer dans sa chambre. Quand la voie sera libre, elle me fera signe et j'irai attendre mon galant dans le jardin d'hiver.

— Vous laissez une grande part au hasard, remarqua-t-il, anxieux.

— Avez-vous une meilleure idée ?

— Hélas, non, avoua-t-il. De mon côté, j'essaierai de trouver un sujet de conversation passionnant, pour empêcher les autres invités de sortir du salon, ajouta-t-il en souriant. Mais si vous êtes en danger, promettez-moi d'appeler au secours ! Je ne plaisante pas, Charlotte.

— C'est promis.

Elle partit d'un petit rire nerveux.

— Comment expliquerai-je aux York ma présence dans leur jardin d'hiver, habillée en rouge et affublée d'une perruque noire, alors que je suis censée avoir des vapeurs ?

— Je me verrai dans l'obligation de leur dire que vous avez perdu l'esprit, répondit-il avec une grimace. Cela vaut toujours mieux que de perdre la vie. N'oubliez pas que l'assassin a déjà trois morts sur la conscience...

Le rire de Charlotte s'éteignit. Elle sentit sa gorge se serrer et les larmes lui monter aux yeux.

— Avec Thomas, cela fera bientôt quatre.

Ne connaissant pas l'écriture de Cerise, ni son vrai nom, elle rédigea quatre brèves missives sur un papier luxueux, se contentant de donner l'heure et le lieu du rendez-vous. Au lieu de glisser les lettres dans une enveloppe et les cacheter, elle les entoura d'un ruban de satin rouge magenta.

De son côté, Emily avait écrit à son banquier afin qu'il délivre à Charlotte la somme nécessaire pour acheter la robe et la perruque. Jack, déguisé cette fois en charbonnier, s'était introduit dans la cuisine des York avec un sac de charbon contenant le déguisement. Comment s'était-il arrangé pour le faire parvenir à Emily, Charlotte ne le sut jamais ; elle était bien trop préoccupée par ses propres préparatifs.

Ce soir-là, elle revêtit une robe toute simple, blanche et gris fumée, habilement reprise par la caémriste d'Emily. Elle flattait moins sa carnation colorée et sa chevelure cuivrée que la blondeur et le teint pâle de sa sœur, mais elle avait le grand avantage de s'enlever très facilement. Elle plaqua ses cheveux en arrière en chignon serré, de manière à pouvoir enfiler la perruque sans avoir à ôter des dizaines d'épingles. La coiffure ne l'avantageait guère, mais Jack eut le tact de ne pas faire de commentaires en la voyant ; il parut surpris, mais se contenta de sourire et de lui adresser un clin d'œil encourageant.

Ils arrivèrent à Hanover Close avec quelques minutes de retard. Un valet les aida à descendre de voiture sur le trottoir gelé. Charlotte, au bras de Jack, gravit les marches du perron et entra dans le vestibule illuminé. Lorsqu'elle entendit la grande porte se refermer, la panique la gagna, mais elle pensa à Pitt et adressa un grand sourire à Loretta York.

— Bonsoir, Mrs. York. C'est très aimable à vous de nous avoir invités.

— Bonsoir, Miss Barnaby, répondit cette dernière

sans grand enthousiasme. Comment supportez-vous notre triste hiver londonien ?

Charlotte se souvint à temps qu'elle était censée se trouver mal à la fin du repas. Aussi choisit-elle soigneusement ses mots avant de répondre.

— Il est vrai que l'hiver est différent, à la campagne. Ici, il est assez désagréable de marcher dans les rues ; la neige devient tout de suite très sale.

Loretta haussa légèrement les sourcils.

— Il ne me viendrait jamais à l'esprit de marcher dans les rues par un temps pareil.

— Oh, c'est très bon pour la santé, fit Charlotte d'un ton aimable.

Veronica se tenait près du feu, dans le salon, vêtue d'une superbe robe blanc et noir ; elle paraissait bien plus sûre d'elle que lors de leur dernière rencontre. Elle accueillit Charlotte avec un plaisir évident, surtout lorsqu'elle vit que celle-ci portait une toilette sans prétention.

S'ensuivirent les habituelles salutations et Charlotte constata avec soulagement que tous les protagonistes requis par son plan étaient présents : Harriet, toujours aussi pâle, et tante Adéline, vêtue d'une affreuse robe marron ; Loretta portait une toilette rose saumon, féminine et très originale, dont le devant était brodé de perles. Tous les hommes étaient là : Julian, avec son sourire franc et direct, Garrard, élégant, insaisissable, mais, songea Charlotte, certainement plus subtil et plus brillant que son fils. Piers York l'accueillit avec une grande amabilité, née d'une longue pratique des mondanités, mais due aussi à la conscience réelle de ses devoirs envers ses hôtes. Les bonnes manières qu'on lui avait inculquées dès sa plus tendre enfance étaient chez lui aussi naturelles que le fait de se lever tôt ou de terminer le contenu de son assiette.

Avec l'aide de Jack, Charlotte se concentra sur les échanges de propos insignifiants qui précèdent rituellement le début des repas. Le dîner en lui-même fut sans surprise, la discussion roulant comme d'ordinaire sur des sujets sans intérêt. Le placement des neuf convives, en revanche, s'avéra délicat : quatre étaient des femmes célibataires et trois des hommes non mariés. Garrard Danver ne pouvait porter un intérêt particulier à sa fille ou à sa sœur et probablement pas à Veronica, sa future belle-fille. Ayant vingt-cinq ans de plus que Charlotte, il avait fort peu de chances d'être assis à ses côtés, même s'il avait manifesté le désir de se remarier. Jack étant supposé être le cousin de Miss Barnaby, il était impensable qu'on le plaçât auprès d'elle.

Néanmoins, Loretta se révéla une hôtesse parfaite. Elle usa de son charme et de son expérience pour maintenir un équilibre parfait entre son autorité naturelle et son désir que ses hôtes se sentissent à l'aise. Cependant, Charlotte remarqua qu'elle serrait le pied de son verre avec plus de force qu'elle ne l'aurait dû ; peut-être sa belle-fille était-elle la cause de son inquiétude ; craignait-elle que Veronica manifestât en public des signes d'hystérie ou de jalousie qui déplairaient particulièrement aux hommes et qu'elle avait récemment laissés éclater dans l'intimité supposée de sa chambre à coucher ?

Comme ils étaient peu nombreux et vu l'heure tardive, Jack proposa hardiment que tout le monde se retire au salon. Pas une seule fois, son regard ne croisa celui de Charlotte ; il jouait son rôle à la perfection. Le moment était venu de placer la phrase qu'elle avait préparée.

Chacun se leva. La table était jonchée d'assiettes à moitié vides et de serviettes chiffonnées. Le gaz des suspensions chuintait doucement. Les corolles des lis blancs, sous cette lumière, semblaient de cire.

Charlotte se sentit brusquement ridicule. Il devait exister une autre solution. Son stratagème ne marcherait jamais ; ils devineraient tout de suite la supercherie et Jack n'aurait plus qu'à leur annoncer qu'après deux ans de solitude au chevet d'une malade, sa cousine avait l'esprit un peu dérangé !

La voix de Julian Danver lui parvint, comme dans un brouillard.

— Miss Barnaby... Comment vous sentez-vous ?

— Je... Je vous demande pardon ? bégaya-t-elle.

Veronica s'approcha d'elle, inquiète.

— Elisabeth, êtes-vous souffrante ?

Charlotte faillit éclater de rire. Elle avait provoqué la scène désirée avant même d'avoir commencé à jouer la comédie ! Elle s'entendit répondre :

— Je... je me sens un peu faible. Si je pouvais aller m'allonger une demi-heure, il n'y paraîtrait plus. J'ai seulement besoin d'un peu de repos. Ce n'est rien, je vous assure.

— Voulez-vous que je vous accompagne ? proposa Veronica.

— Non, je vous en prie. Je ne voudrais pas vous accaparer. Mais si votre camériste...

En faisait-elle trop ? Tout le monde la regardait. Sa comédie devait crever les yeux !

— Bien entendu, acquiesça aussitôt Veronica.

Charlotte ressentit un tel soulagement qu'elle sentit ses joues s'empourprer. Si elle se mettait à rire, ils la prendraient pour une folle ! Elle devait vite sortir de la pièce et monter à l'étage.

— J'appelle Amelia, dit Veronica en se dirigeant vers la sonnette. Vous voulez bien ?

— Volontiers ! s'écria Charlotte avec un enthousiasme un peu trop appuyé.

Cinq minutes plus tard, elle se trouvait dans la mansarde glaciale, sous les combles. Elle regarda sa sœur, esquissa une grimace, se débarrassa en un éclair de ses vêtements. Emily lui tendit la robe cerise.

— Seigneur ! soupira Charlotte en fermant les yeux.

— Vite, la pressa Emily. Dépêche-toi ! Ce n'est plus le moment d'hésiter.

— Cerise devait vraiment être spéciale pour être belle dans cet accoutrement. Aide-moi à la boutonner. Dépêche-toi, je n'ai que dix minutes devant moi. Où est la perruque ?

Il lui fallut plusieurs minutes pour la placer correctement sur sa tête et se farder. Noir aux yeux, rouge à joues, rouge à lèvres. Emily recula de quelques pas et l'examina d'un œil critique.

— Tu n'es pas si mal que ça, finalement, observat-elle d'un air surpris. Je dirais même que tu es superbe, dans le genre vulgaire.

— Merci, ironisa Charlotte.

Mais elle ne reconnut pas sa voix, devenue brusquement rauque. Ses mains tremblaient.

Emily ne lui demanda pas si elle voulait continuer la comédie.

— Bien, fit Charlotte d'un ton raffermi. Va voir si la voie est libre. Je ne voudrais pas rencontrer un domestique sur le palier.

Emily ouvrit la porte, tendit le cou, descendit une douzaine de marches — Charlotte pouvait entendre le bois craquer sous ses pieds — puis elle revint.

— Vite, suis-moi ! Si quelqu'un arrive, nous nous réfugierons dans la chambre de Veronica.

Elles se précipitèrent dans le couloir, descendirent l'escalier jusqu'au palier du premier étage ; là, Emily s'immobilisa, le doigt en l'air, en signe d'avertissement. Charlotte se figea sur place.

— Amelia ? fit une voix masculine. Je croyais que tu t'occupais de Miss Barnaby ?

Emily descendit quelques marches.

— Oui, Albert. Je vais lui préparer une tisane.

— Vous n'en avez pas en haut ?

— De la camomille, oui, mais pas de menthe. Peux-tu aller m'en chercher à la cuisine ? Je reste là, au cas où elle m'appellerait. J'ai vraiment l'impression qu'elle est pas bien. S'il te plaît, Albert...

Debout en haut des escaliers, Charlotte pouvait deviner le sourire de sa sœur au ton de sa voix et imaginer son expression. Elle ne fut pas surprise d'entendre Albert acquiescer. Emily leva la tête, par-dessus la rambarde.

— Dépêche-toi ! chuchota-t-elle.

Charlotte descendit si vite qu'elle faillit tomber sur la dernière marche. Catapultée au beau milieu du vestibule, elle courut au jardin d'hiver, faiblement éclairé par la lueur jaune des veilleuses. Son cœur cognait dans sa poitrine ; elle avait l'impression de trembler des pieds à la tête et de ne plus trouver sa respiration.

Elle longea l'allée qui traversait la verrière et s'installa tout au fond, sous un grand palmier d'ornement, car ainsi elle voyait la porte qui donnait sur le vestibule. Si quelqu'un arrivait, elle avancerait d'un pas, de façon à montrer une épaule dénudée et les plis rouge vif de la robe, tandis que son visage resterait dissimulé dans la pénombre.

Mais quelqu'un viendrait-il ? Cerise ne donnait peut-être jamais rendez-vous à ses amants par courrier. Les mots qu'elle employait ne ressemblaient sans doute en rien aux siens. Avaient-ils deviné la supercherie ? Le premier rendez-vous fixé était avec Julian Danver. Il devait arriver d'un instant à l'autre. De fait, il était même en retard. Depuis combien de temps attendait-elle ?

Elle décela un léger bruit de pas — probablement ceux d'Albert, car ils ne venaient pas dans sa direction. Tout près de son oreille, elle entendait le bruit léger et régulier de l'eau qui dégouttait des feuillages. L'odeur de la végétation et du terreau humide la prenait à la gorge.

Elle tenta de réfléchir, mais ne parvint pas à rassembler la masse chaotique de ses pensées. Elle avait les mains moites et commençait à sentir des fourmis dans ses jambes. Allait-elle rester ainsi debout sous un palmier en pot pendant la moitié de la nuit ?

La voix la fit sursauter si violemment qu'elle ne comprit pas le sens des paroles qui lui étaient adressées.

Un homme se tenait sur le seuil, les yeux écarquillés ; la lueur jaune des veilleuses accentuait la pâleur de ses joues, ciselant les contours de son visage.

Charlotte fit un pas en avant, afin que le rouge de la robe se détachât nettement de la verdure. Le regard de l'homme remonta le long des jupes, vers l'épaule dénudée, la courbe de la nuque, la longue chevelure noire. L'espace d'un instant, il parut bouleversé, incapable de cacher le désir douloureux qui l'habitait. Oui, Garrard Danver avait aimé Cerise avec une passion qui transparaissait encore sur son visage. Comme malgré lui, il s'avança vers elle.

Charlotte ne savait comment réagir. Elle s'était attendue à tout, sauf à cette souffrance. Instinctivement, elle recula vers le palmier, et la lumière éclaira sa poitrine.

Garrard s'immobilisa, le regard éteint ; il n'était plus qu'une caricature de lui-même, à la fois très beau et très laid ; dans son expression désespérée, Charlotte crut même lire un soupçon d'amusement. Elle en comprit la raison : Cerise était maigre et plate. Or la nature avait pourvu Charlotte de formes généreuses, largement soulignées par la robe moulante et le petit calicot ; elle ne pouvait donc prétendre à l'élégante sveltesse de la belle courtisane.

— Qui êtes-vous ? demanda-t-il à mi-voix.

Elle savait qu'on lui poserait cette question.

— Qui croyiez-vous que j'étais, quand vous ëtes arrivé ?

L'ombre d'un sourire passa sur les lèvres de Garrard.

— Je n'en avais aucune idée. Pas une seconde, je n'ai pensé que vous étiez celle que vous prétendez être.

— Alors pourquoi être venu ? le défia-t-elle.

— Pour savoir ce que vous vouliez de moi. Si vous pensez me faire chanter, vous êtes stupide. Vous risquez votre vie pour quelques misérables livres.

Il était tout près d'elle, si près qu'en levant la main, il aurait pu toucher sa joue. Mais elle était si bien dissimulée dans la pénombre qu'il ne l'avait pas reconnue.

— Je ne veux pas d'argent ! Je désire seulement...

Elle s'interrompit, apercevant, immobile sur le seuil, une femme au visage dévoré par la passion et la jalousie. Elle semblait découvrir l'enfer à la vue de leurs deux corps presque enlacés. L'on n'entendait que le murmure de l'eau.

Loretta York fixait avec horreur le rouge incandescent de la robe. Garrard se retourna lentement et l'aperçut. Il ne parut ni embarrassé, ni honteux. Charlotte lut sur ses traits une expression de crainte mêlée de répulsion.

L'eau glissait des feuillages sur les pétales des lis. Personne ne bougea. Enfin Loretta eut un petit frisson, puis pivota sur elle-même et disparut. Garrard se tourna vers Charlotte, ou plutôt vers l'ombre qui la dissimulait.

— Que... qu'attendez-vous de moi? balbutia-t-il d'une voix rauque.

— Rien. Partez. Allez rejoindre vos invités.

Il hésita, scrutant la pénombre, se demandant s'il devait la croire. Elle recula encore; son dos touchait presque le tronc du palmier.

— Retournez au salon! chuchota-t-elle. Dépêchez-vous!

Vaguement soulagé, Garrard n'attendit pas une seconde de plus. Il ne demandait que cela. Charlotte se retrouva seule. Elle s'avança à pas feutrés jusqu'à la porte et risqua un coup d'œil dans le vestibule. Il n'y avait personne, pas même Emily. Devait-elle retourner dans la mansarde ou attendre que sa sœur lui donne le signal? Ce silence n'était-il justement pas le signe qu'elle devait remonter?

Elle arriva au pied de l'escalier sans même s'en rendre compte. Il était trop tard pour revenir en arrière. Elle gravit les marches aussi vite qu'elle le put, jupes remontées, en priant le ciel qu'il n'y ait personne sur le palier du premier étage, ni dans l'escalier qui menait aux combles. Elle arriva en haut, hors d'haleine, le cœur battant. L'étroit couloir était désert, mais, dans son affolement, elle ne reconnaissait pas la porte de la chambre d'Emily. Si quelqu'un arrivait, elle devrait se réfugier dans la première pièce venue, en espérant qu'elle fût vide.

Soudain, elle entendit des pas dans l'escalier. Elle actionna la poignée d'une porte et entra dans une chambre. Les pas se rapprochaient. Elle attendit. Paniquée, elle chercha un objet pour se défendre.

— Charlotte! Charlotte! Où es-tu?

Le soulagement lui donna presque la nausée. Une sueur glacée lui coula dans le dos. Elle ouvrit la porte d'une main tremblante.

Dix minutes plus tard, elle était de retour dans le salon; un peu échevelée, mais cela pouvait s'expliquer par le fait qu'elle s'était allongée sur un lit. Tout le monde lui demanda si elle se sentait mieux et elle répondit par l'affirmative. Ensuite, elle demeura silencieuse, préférant ne pas gâcher la chance incroyable qu'elle avait eue jusqu'à présent. Ses mains tremblaient encore un peu et elle ne se sentait pas en état de soutenir une conversation de salon.

Les invités ne tardèrent pas à prendre congé et, à onze heures moins le quart, Charlotte se retrouva dans le cabriolet de Jack, assise à ses côtés. Elle lui expliqua ce qui s'était passé dans le jardin d'hiver, puis lui fit part de la suite de son plan.

Ballarat accepta de la recevoir, bien à contrecœur.

Debout devant la cheminée de son bureau, il se balançait d'avant en arrière, comme à son habitude.

— Chère Mrs. Pitt, je suis navré que vous ayez à endurer tous ces tourments, mais, croyez-moi, je ne peux rien faire pour vous aider. Si seulement vous cessiez de vous torturer de cette façon! Pourquoi n'allez-vous pas vous reposer quelque temps dans votre famille, jusqu'à ce que...

Il s'interrompit, réalisant qu'il s'était empêtré dans une phrase qu'il ne pouvait terminer de façon satisfaisante.

— Jusqu'à ce que mon mari soit pendu, c'est cela?

Il était visiblement fort mal à l'aise.

— Chère madame, c'est tout à fait..

Elle le regarda droit dans les yeux et il eut la bonne grâce de rougir. Mais Charlotte n'était pas venue le voir pour ranimer les hostilités. Donner libre cours à son chagrin et à sa colère ne servirait à rien. Ballarat était lâche et malhonnête. Ravalant son mépris, elle articula avec difficulté :

— Je vous demande pardon, commissaire. En fait, j'ai découvert un élément de la plus haute importance. J'ai pensé devoir vous en faire part au plus tôt.

Ignorant son expression agacée, elle poursuivit :

— La morte de Seven Dials n'est pas la femme en rouge qu'ont aperçue Dulcie Mabbutt et Adeline Danver. Cette personne, qui est toujours en vie, est le témoin que cherchait mon mari.

Une brève ombre de compassion flotta sur le visage de Ballarat.

— Témoin de quoi, Mrs. Pitt ? demanda-t-il, s'efforçant de rester patient. Même si nous trouvions cette mystérieuse inconnue — si tant est qu'elle existe —, cela n'aiderait pas Pitt. Il a été surpris en flagrant délit, en train d'étrangler une prostituée à Seven Dials.

Il parlait comme un homme raisonnable et plein de certitudes.

— Si, justement, cela l'aiderait ! s'écria Charlotte, dont le ton était monté de plusieurs crans, sous le coup de la colère. Quelqu'un a déguisé cette femme et l'a tuée pour protéger Cerise et se débarrasser de l'inspecteur Pitt ! Cela crève les yeux, non ?

Elle imprima à sa voix tout le sarcasme dont elle était capable.

— Vous croyez peut-être que mon mari s'est amusé à pousser une femme de chambre par la fenêtre ? Et puis, pendant que vous y êtes, vous pourriez soutenir que c'est lui qui a tué Robert York il y a trois ans !

Ballarat tendit un bras en avant, comme s'il s'apprêtait à lui tapoter le bras. Mais devant la fureur qu'il lisait dans son regard, il le laissa retomber.

— Chère madame, vous êtes épuisée, à bout de

nerfs. C'est tout à fait compréhensible, étant donné les circonstances. Croyez bien que je compatis à votre malheur...

Il marqua une pause, prit une profonde inspiration et poursuivit, très docte :

— Robert York a été tué par un cambrioleur et Dulcie Mabbutt a fait une chute accidentelle. Cela arrive parfois, hélas. Très triste, en vérité, mais rien à voir avec un geste criminel. Quant au témoignage de Miss Adeline Danver, permettez-moi de penser qu'il n'est pas très fiable. Elle n'est plus toute jeune et...

Charlotte le dévisagea sans comprendre. Puis la nausée la submergea ; ou bien cet homme redoutait les foudres de ses supérieurs — au cas où il y aurait vraiment eu vol de documents secrets au Foreign Office — ou bien il faisait partie de la machination ! Elle regarda ses bajoues, son teint rougeaud, ses yeux de serpent, ronds comme des boutons de bottine. Ce n'était pas un acteur suffisamment consommé pour mimer l'homme ambitieux auquel on a joué un mauvais tour et qui se retrouve bien attrapé. Un bref instant, elle eut presque pitié de lui ; puis le visage tuméfié de Pitt et la peur qu'elle avait lue dans son regard lui revinrent en mémoire.

— Vous vous sentirez bien ridicule quand cette affaire sera élucidée, Mr. Ballarat. Je pensais que vous aimiez votre patrie ! Or, vous êtes prêt à fermer les yeux sur des vols de documents confidentiels, parce que la révélation de leur disparition embarrasserait certaines personnes influentes dont vous voulez conserver les faveurs !

Les bajoues du commissaire virèrent au cramoisi. On aurait dit un dindon en colère. Il fit un pas en avant.

— Vous m'insultez, madame !

Elle lui lança un regard brûlant de mépris.

— J'en suis fort aise ! Je pense n'avoir dit que la pure vérité. Prouvez-moi le contraire et j'en serai la première ravie. En attendant, je crois ce que je vois. Au revoir, Mr. Ballarat

Elle sortit du bureau sans un regard en arrière, laissant la porte ouverte derrière elle. Il n'avait qu'à la fermer lui-même.

Charlotte savait ce qu'il lui restait à faire. Si Ballarat lui avait promis de faire un geste en faveur de Pitt, elle n'aurait pas échafaudé ce plan, mais il ne lui avait pas laissé le choix. Il y avait dans son projet une cruauté dont elle ne se serait jamais crue capable. Elle fut presque choquée de voir à quel point l'idée lui était venue facilement; elle se battait pour protéger ceux qu'elle aimait et qu'elle ne supportait pas de voir souffrir. Une réaction animale, impulsive, qui ne laissait aucune part à la réflexion.

Elle avait compris, en un regard, que Loretta York était follement éprise de Garrard Danver; c'était tout à fait compréhensible : un être plein de charme, d'originalité et de mystère attire les femmes, qui sentent en lui un homme capable des passions les plus intenses, dissimulées sous un vernis brillant d'humour et d'ironie; mais il faut pour cela savoir atteindre son cœur. Pour la belle Loretta, lassée d'un époux aimable et trop prévisible, l'attrait d'une passion sauvage devait être irrésistible.

De son côté, Garrard avait éperdument aimé Cerise. Ce désir, ce torrent d'émotions, que Loretta espérait éveiller en lui, s'étaient peints sur son visage au moment où il avait discerné dans la pénombre la silhouette de la femme en rouge.

Charlotte devait réunir à nouveau tous les protagonistes du drame et les pousser dans leurs derniers retranchements jusqu'à ce que l'un d'eux s'effondrât. Garrard, désormais fragile, avait peur, et le désir physique de Loretta lui était odieux. Charlotte se souvenait d'un homme qui autrefois avait éprouvé un vif désir pour elle; inconsciente, sa mère s'était imaginé que ce serait un beau parti pour sa fille. Restée seule un moment avec lui dans un salon, Charlotte avait manqué devenir folle tant son contact lui répugnait. Caroline s'était fâchée et, bien entendu, n'avait rien compris.

Charlotte avait depuis longtemps oublié l'incident, mais l'expression de Garrard apercevant Loretta sur le seuil du jardin d'hiver lui avait donné froid dans le dos; elle avait physiquement ressenti son effroi, mêlé d'embarras et de répugnance.

Oui, c'était Garrard qu'elle devait pousser à bout.

Mais comment faire en sorte que les York l'invitent seule, en compagnie des Danver et des Asherson, dans les quelques jours à venir? Le temps pressait. Pitt allait prochainement être traduit devant un tribunal et jugé. Organiser une telle soirée chez Emily n'aurait aucun sens; quant à Jack, il était trop désargenté pour recevoir des invités à dîner. Non, la seule personne qui pouvait l'aider était Lady Cumming-Gould; et elle ne se ferait pas prier!

Charlotte prit donc un cab qui la déposa devant le domicile de tante Vespasia. Celle-ci la reçut dans son boudoir, une vaste pièce lumineuse, sobrement meublée, tapissée de beige et doré, avec quelques touches de vert foncé. Une jardinière de fougères ornait l'un des murs. Un bon feu de cheminée réchauffait l'atmosphère.

Vespasia, quarante ans plus tôt, avait été l'une des grandes beautés du royaume; elle avait gardé des traits fins et réguliers, de lourdes paupières surmontées de sourcils arqués et une magnifique chevelure d'un blanc argenté. Elle était vêtue d'une toilette bleu lavande et d'un fichu en dentelle de Bruxelles noué sur sa gorge.

Charlotte s'enquit aussitôt de sa santé, non par politesse, mais parce qu'il n'y avait personne en dehors de sa famille proche qu'elle affectionnât autant.

Vespasia sourit.

— Je suis remise de ma bronchite, Dieu merci. Je me porte certainement mieux que vous, ma chère petite. Vous avez une mine de papier mâché. Asseyez-vous et dites-moi ce que je peux faire pour vous aider.

Elle s'adressa à sa camériste qui passait devant la porte.

— Du thé, Jennet, s'il vous plaît, quelques sandwichs au concombre et des petits gâteaux, avec de la crème fouettée.

— Bien, madame.

— Eh bien ? Je vous écoute, fit Vespasia dès que la femme de chambre eut refermé la porte.

Lorsque Charlotte quitta le domicile de Lady Cumming-Gould, son plan était au point, jusque dans les moindres détails. Le délicieux goûter l'avait revigorée ; depuis l'arrestation de Thomas, elle n'avait plus le cœur à cuisiner et mangeait du bout des lèvres. Vespasia l'avait allégée d'un grand fardeau, en l'encourageant à se laisser aller, elle qui depuis des jours s'efforçait de ne pas pleurer et de se contrôler en toute circonstance. Elle avait donc sangloté tout son soûl et exorcisé tous les démons intérieurs qu'elle ne cessait de refouler. Le fait de pouvoir formuler ses craintes et de les partager avec quelqu'un lui prêtant une oreille attentive et bienveillante lui avait permis, sinon de les surmonter, du moins d'envisager l'avenir sous un jour moins sombre.

Deux jours plus tard, elle reçut une lettre de Vespasia lui annonçant que le dîner était organisé et que toutes les invitations lancées avaient été acceptées. Charlotte rédigea une lettre codée à l'attention d'Emily et la fit porter à Hanover Close par Gracie. Restait à prévenir Jack de se tenir prêt à jouer le grand jeu.

Elle fut surprise de le voir très inquiet, lorsqu'il vint la chercher, à sept heures moins le quart, le soir du dîner. Une fois installée sur la banquette du cabriolet, elle se mit à réfléchir et maudit son propre aveuglement : depuis le début de l'affaire, Jack avait fait tout ce qui était en son pouvoir, sans jamais douter de l'innocence de Pitt, ni critiquer l'idée insensée d'Emily de se faire embaucher comme domestique chez les

York; mais cela ne signifiait pas que, sous ses airs insouciants, il n'éprouvait aucune crainte. Il avait grandi dans un monde où l'apparence comptait avant tout, où il n'était pas de mise d'extérioriser émotions et sentiments. Déranger la tranquillité d'esprit des gens gâchait leur plaisir, les mettait mal à l'aise et relevait d'un manque d'éducation inexcusable. Si Jack avait un cœur, il était bien normal qu'il fût inquiet. Il devait, comme elle, avoir l'estomac noué et les mains moites.

Ils n'échangèrent pas une seule parole durant tout le trajet. Ils avaient auparavant discuté de la marche à suivre et l'heure n'était pas aux échanges de propos futiles. Il faisait affreusement froid; les rues étaient couvertes d'une pellicule de glace, les caniveaux gelés. Un vent venu de la mer avait chassé le brouillard et, une fois n'est pas coutume, les fumées n'obscurcissaient pas l'horizon. Charlotte avait l'impression que la myriade d'étoiles qui constellaient le ciel étaient à la portée de sa main, comme les lumières d'un lustre gigantesque.

Vespasia avait acheté la toilette que devait porter Charlotte pour l'occasion, en dépit de ses protestations. Une robe de satin ivoire, rehaussée de fils d'or, au décolleté profond, brodé de perles, avec une tournure qui soulignait la finesse de sa taille. C'était la tenue la plus flatteuse qu'elle ait jamais portée! Même Jack, qui avait dîné et dansé avec les plus grandes beautés de la capitale, avait paru impressionné en la voyant.

Vespasia les attendait dans son salon, assise dans un grand fauteuil, près de la cheminée. On aurait dit une reine recevant sa cour. Elle portait une robe gris anthracite; un étroit collier de perles et de diamants enserrait son cou, et ses cheveux auréolaient son beau visage d'une couronne argentée.

Jack s'inclina devant elle et Charlotte, d'instinct, esquissa une petite révérence. Vespasia leur adressa un sourire complice. La situation était dramatique, mais tous trois ressentaient une singulière excitation, prélude à la bataille.

— L'Angleterre attend de ses sujets qu'ils fassent leur devoir, murmura Vespasia. Nos invités ne devraient pas tarder.

Les premiers arrivants furent Felix et Sonia Asherson apparemment enchantés d'avoir été invités. Ils ignoraient la raison pour laquelle ils faisaient partie des heureux élus conviés chez Lady Cumming-Gould, figure légendaire de la haute société. Dans ce contexte, la placidité complaisante de Sonia passait pour une simple expression de politesse. Felix paraissait fort intéressé par les propos de Lady Vespasia. Il pouvait être tout à fait charmant quand il le désirait; il savait flatter à mi-mots et son sourire, fort rare, était dévastateur.

Petite fille, Vespasia avait assisté aux célébrations de la victoire de Waterloo; elle se souvenait des Cent-Jours et de la chute de Napoléon. Elle avait dansé avec le duc de Wellington, alors qu'il était Premier ministre. Elle avait connu les héros et les victimes de la guerre de Crimée, les bâtisseurs de l'Empire, les hommes d'État, les charlatans, les artistes et tous les grands esprits du siècle. Tandis qu'elle s'entretenait gaiement avec Felix, un sourire énigmatique flottait sur ses lèvres.

Les Danver furent annoncés une dizaine de minutes plus tard. Julian semblait détendu; il n'éprouvait aucun besoin de plastronner ni de se mettre en avant dans la conversation. Charlotte se dit que Veronica allait faire un beau mariage. Garrard, au contraire, coupait sans cesse la parole aux autres invités. Il avait les traits tirés; ses mains bougeaient en permanence, comme si l'immobilité lui était insupportable. Charlotte sentit que c'était un homme moralement détruit et, bien qu'elle se reconnût en partie responsable de son état, elle n'en était pas moins décidée à poursuivre son plan. Entre la vie de Garrard Danver et celle de Pitt, il n'y avait pas d'hésitation possible.

Harriet était elle aussi fort mal à l'aise. Elle paraissait encore plus fragile et délicate que lors de leurs deux premières rencontres. La couleur gris-bleu de sa robe accentuait sa pâleur ; on avait l'impression que ses yeux lui mangeaient le visage. Subissait-elle les tourments intolérables d'un amour impossible, ou était-elle détentrice d'un secret qui la torturait ?

Tante Adeline, vêtue d'une robe topaze et or qui lui allait fort bien, avait les joues rosies d'excitation. C'était pour elle un immense honneur d'être invitée chez Lady Cumming-Gould. Charlotte se sentit un bref instant aiguillonnée par le remords, mais il lui était impossible de revenir en arrière.

Les derniers arrivants furent les York ; Veronica entra la tête haute, superbe et aérienne dans une toilette noir et argent. Elle s'immobilisa sur le seuil de la porte, en voyant Charlotte converser avec Julian Danver, qui ne lui cachait pas son admiration. Pour la seconde fois, elle voyait en Elisabeth Barnaby une rivale potentielle. Cette jeune provinciale était d'une grande beauté, quand elle le voulait. Lorsqu'elles se saluèrent, l'attitude de Veronica fut bien moins chaleureuse qu'à l'ordinaire.

Quant à Loretta, toutes ses certitudes paraissaient s'être envolées. Comme toujours, elle s'était pomponnée avec soin et portait une toilette couleur pêche, exquisément féminine, mais la fluidité de ses mouvements avait disparu. Le choc qu'elle avait reçu dans le jardin d'hiver était toujours visible. Elle ne regarda pas Garrard. Piers York était grave, comme s'il avait conscience du drame qui se jouait, sans toutefois en savoir la nature exacte. Ou bien avait-il délibérément choisi de l'ignorer ? Son visage s'éclaira à la vue de Vespasia, qu'il paraissait connaître depuis longtemps

Durant les échanges de salutations, Charlotte sentit sourdre une certaine tension parmi les invités. Pendant une demi-heure, tout le monde parla avec entrain du temps, de la mode, de théâtre et de politique, à l'exception de Garrard et de Loretta. Si Piers York avait quelques raisons de s'inquiéter, il était trop bien élevé pour le montrer.

Charlotte se dit qu'elle devait patienter avant de frapper un grand coup. Mieux valait attendre la fin du dîner. Commencer trop tôt pourrait apaiser les conflits qu'elle cherchait justement à attiser. Ils devaient tous être assis, face à face, sans autre échappatoire que de quitter la table, attitude grossière que seul un malaise soudain pouvait justifier.

Le temps passait avec lenteur ; Charlotte observait les visages et réfléchissait. Felix Asherson semblait beaucoup s'amuser, même avec Harriet, si bien que celle-ci perdit peu à peu de sa pâleur et se mêla à la conversation. Sonia échangeait des potins avec Loretta. Veronica flirtait avec Julian, sans le quitter des yeux, ignorant ostensiblement Charlotte. Vespasia, souriante, s'adressait à ses hôtes à tour de rôle, leur soutirant des détails révélateurs de leur personnalité ; de temps à autre, son regard croisait celui de Charlotte et elle hochait imperceptiblement la tête.

Enfin, le dîner fut annoncé ; ils entrèrent dans la salle à manger, deux par deux, et s'assirent aux places que Vespasia leur avait attribuées, après mûre réflexion : Harriet auprès de Felix et face à Jack, de façon que celui-ci puisse les observer ; Loretta et Garrard, l'un à côté de l'autre, sous le lustre, afin qu'aucune de leurs expressions n'échappe à Charlotte, assise en face d'eux, aux côtés de Julian.

La conversation languit lorsque arriva la bisque de homard ; ensuite vinrent du poisson blanc en sauce à la diable, et des quenelles de lapin. Au moment où on leur servit le gigot d'agneau, Vespasia se tourna vers Julian Danver avec un sourire aimable.

— J'ai cru comprendre que vous étiez l'une des étoiles montantes du Foreign Office, Mr. Danver. Un poste de responsabilité important peut être dangereux...

Il parut surpris.

— Dangereux, Lady Cumming-Gould ? Vous savez, je quitte rarement les bureaux confortables du Foreign Office.

Il adressa un bref sourire à Veronica, puis à son hôtesse.

— Si je devais être nommé à l'étranger, j'insisterais pour obtenir un poste en Europe.

Vespasia haussa un sourcil.

— Ah? Dans les affaires de quel pays êtes-vous spécialisé?

— L'Allemagne et ses intérêts en Afrique.

— En Afrique? Je crois savoir que le Kaiser a sur ces contrées des visées colonisatrices qui pourraient entraîner un conflit avec l'Angleterre. Vous devez être impliqué dans des négociations délicates.

Julian ne se départit pas de son sourire. Tous les regards étaient rivés sur lui.

— Bien entendu, acquiesça-t-il.

Les commissures des lèvres de Vespasia se retroussèrent imperceptiblement.

— Vos services ne redoutent-ils pas d'être infiltrés par des espions? Une fuite, même involontaire, peut avantager l'ennemi.

Danver ouvrit la bouche pour dissiper ses craintes, mais les mots moururent sur ses lèvres. Son visage s'assombrit. Néanmoins, il se ressaisit très vite.

— Un diplomate se doit d'être prudent, Lady Vespasia. Il n'évoque pas des secrets de politique étrangère en dehors du Foreign Office.

— Et, bien entendu, vous avez toute confiance en vos agents, intervint Charlotte. Toutefois, j'imagine que certains renseignements peuvent filtrer petit à petit, sous la forme de confidences amoureuses, par exemple...

Elle jeta un coup d'œil en direction d'Harriet, puis de Felix.

— Les lois de l'hospitalité, l'amitié, et surtout l'amour peuvent concourir à bouleverser les règles de conduite communément admises, reprit-elle, consciente de mettre en pratique ce qu'elle était en train d'exposer

Elle ne pensait pas que son raisonnement fût sans

faille, ni que l'amour pût tout excuser ; mais il s'agissait là d'un réflexe de protection élémentaire, animal.

Sonia avait cessé de manger et serrait sa fourchette avec force. Elle n'était peut-être pas si heureuse que l'on pouvait le supposer.

— Vous avez une vision très... romantique de l'existence, Miss Barnaby, balbutia Felix, dont les pommettes s'étaient couvertes de petites taches rouges.

Charlotte leva vers lui un regard innocent.

— Ne croyez-vous pas que la force de l'amour puisse, ne serait-ce qu'un instant, surpasser, dominer la raison ?

— Je... euh...

Il était piégé. Il sourit pour cacher son dilemme.

— Vous m'obligez à être discourtois, Miss Barnaby. Je ne connais aucune femme, si charmante soit-elle, qui puisse me poser des questions auxquelles je ne me sentirais pas libre de répondre.

Charlotte dut s'avouer momentanément battue. Mais si la tâche avait été aisée, elle aurait démasqué le criminel depuis longtemps.

— Vous ne connaissez donc pas la mystérieuse femme en rouge ?

La phrase lui avait échappé ! Jack ouvrit des yeux ronds ; Vespasia lâcha sa fourchette. Veronica retint son souffle, dévisageant Charlotte comme si celle-ci venait d'ôter un masque cachant une malformation monstrueuse. Le visage de Garrard avait viré au gris.

Ce fut Loretta qui, la première, brisa le silence.

— Décidément, Miss Barnaby, vous avez un penchant scabreux pour le mélodrame. Vous devriez changer de lectures... les romans à quatre sous gâtent le goût.

Seule Charlotte décela l'imperceptible tremblement de sa voix. Loretta ignorait qu'elle l'avait vue sur le seuil du jardin d'hiver.

— J'imagine qu'Elisabeth n'a fait que lire les journaux, remarqua Jack.

— Détrompez-vous, cher cousin ! J'en ai entendu parler dans la rue par un crieur de nouvelles. Il racontait l'histoire d'une mystérieuse femme en rouge qui avait séduit un diplomate dans le but de lui soutirer des renseignements hautement confidentiels. C'était une espionne.

— Sornettes ! s'exclama Felix.

Il fixa Charlotte droit dans les yeux, évitant avec soin le regard d'Harriet. S'il avait jeté un coup d'œil sur Garrard, il aurait frémi. Ce dernier était livide.

— Sornettes ! répéta Felix avec véhémence. Chère Miss Barnaby, les crieurs de nouvelles gagnent leur vie en amusant la populace. Ils inventent la moitié de ce qu'ils racontent, croyez-moi.

Pendant quelques secondes, la tension diminua. Charlotte ne devait surtout pas la laisser se relâcher : le meurtrier était là, assis à cette table où étincelaient le cristal et l'argenterie.

— Vous avez raison, mais je pense qu'ils brodent à partir d'un fait divers réel. Il arrive que des gens éperdument amoureux soient prêts à trahir tout ce à quoi ils tiennent, n'est-ce pas ?

Elle fit lentement le tour de la table du regard, comme si elle en appelait à l'expérience de chacun d'eux ; Veronica était pétrifiée sur sa chaise, les yeux écarquillés, absorbée par une sorte d'effroi intérieur — ou bien était-ce de la peur, enfin ? Était-elle Cerise ? Cela expliquerait que Garrard, venant de quitter Veronica dans le salon, eût tout de suite deviné l'imposture de Charlotte, dans le jardin d'hiver. Il avait prétendu être venu par crainte d'un chantage, mais si Veronica était Cerise, pourquoi ne l'avait-il pas demandée en mariage ? S'était-elle lassée de leur relation et lui avait-elle préféré son fils ? Julian était-il son erreur, sa faiblesse, ou un simple moyen pour elle de s'élever en société ? Il était destiné à un avenir plus brillant que celui de son père. Peut-être serait-il un jour ministre.

Loretta était-elle au courant, ou avait-elle tout

deviné ? Son visage avait pris une teinte cendrée, mais c'était Garrard qu'elle regardait, non Veronica. Piers York paraissait troublé ; il ne comprenait pas le sens de ce qui avait été dit, mais percevait la peur, la passion, dans les regards échangés On eût dit un soldat se préparant à affronter le feu de l'ennemi. Harriet, hagarde, semblait terriblement gênée. Sonia, vaincue, était blême.

Tante Adeline prit alors la parole.

— Miss Barnaby, dit-elle d'une voix douce, je suis sûre que ces choses se produisent de temps à autre. Les sentiments profonds nous mènent souvent à la tragédie. Mais pourquoi nous complaire à les évoquer ? Rien ne justifie une telle attitude. Avons-nous le droit de nous mêler des souffrances d'autrui ?

Charlotte piqua un fard. Elle aimait Adeline et doutait que celle-ci lui pardonnât un jour son imposture.

— Je ne parlais pas de tragédies intimes, mais de trahison. Un homme qui trahit son pays trahit le peuple tout entier.

Les joues pâles de Felix s'enflammèrent. Horrifiée, Harriet se couvrit le visage de ses mains.

— Il n'y a pas eu trahison ! hurla Felix. Grand Dieu, un homme peut tomber amoureux sans réfléchir aux conséquences de ses actes !

Harriet émit une sorte de gémissement angoissé que tout le monde entendit. Felix se tourna vers elle.

— Harriet ! Je vous jure que je suis innocent ! Je n'ai pas trahi mon pays !

Garrard parut foudroyé. Veronica resta bouche bée ; les yeux semblaient lui sortir de la tête.

— Felix... C'est impossible ! Vous... et Cerise ?

Loretta fut prise d'un rire nerveux qu'elle ne parvenait plus à contrôler.

— Vous... et Cerise ? répéta-t-elle. Vous entendez cela, Garrard ?

Ce dernier bondit de sa chaise, renversant son verre de vin dont le contenu se répandit sur la nappe.

— Non! s'écria-t-il, au désespoir. C'est faux! Pour l'amour du ciel, arrêtez! Arrêtez!

Felix le regarda, épouvanté. Il porta son regard au-delà de son épouse, vers Harriet.

— Je suis désolé, murmura-t-il. Dieu sait que j'ai tout fait pour...

— Mais de quoi diable parlez-vous? intervint Julian. Felix! Avez-vous eu une liaison avec cette femme... cette fameuse Cerise?

Felix se mit à rire, mais le rire mourut dans sa gorge.

— Non, non! Pas du tout...

A entendre l'ironie amère de sa voix, il était évident qu'il disait la vérité.

— Non, j'ai voulu protéger Garrard, par égard pour... pour Harriet. Sonia, je suis navré...

Nul ne prit la peine de lui en demander la raison. Elle se lisait bien trop clairement sur le visage d'Harriet, et aussi sur le sien. Leur amour était mis à nu; il n'était plus un secret pour personne.

Julian se tourna vers Garrard. Il commençait à comprendre.

— Père? s'enquit-il d'un ton douloureux. Peu importe que vous ayez eu une liaison avec cette femme, sauf... si vous l'avez tuée.

Garrard poussa un cri qui ressemblait au hurlement d'un animal blessé à mort.

— Non! Je l'aimais! J'aimais... Cerise!

Il darda sur Loretta un regard de pure haine, débarrassée de toute ironie, de lassitude ou de désillusion.

— Soyez maudite, dit-il d'une voix étranglée.

Il avait les yeux secs. Pour lui, les larmes appartenaient déjà au passé.

Un silence terrible s'installa dans la pièce. Au début, personne ne comprit le sens de ses paroles. Puis soudain, Julian prit son courage à deux mains.

— Père, vous avez donc parlé à Cerise des négociations anglo-germaniques sur la partition de l'Afrique Et Felix vous a couvert! A cause d'Harriet!

Garrard se rassit sur sa chaise, raide et digne.

— Non, dit-il d'une voix apaisée. Felix ignorait que j'avais dérobé les documents. Il savait seulement que j'aimais Cerise. Mais ce n'est pas pour les donner à Cerise que je les ai volés...

Il regarda à nouveau Loretta et sa haine réapparut.

— C'est pour elle que j'ai trahi le département ! Elle m'y a contraint ! Elle me faisait chanter !

— Voyons, tout ceci est ridicule, intervint calmement Piers York. Par pitié, mon vieux, reprenez-vous ! N'aggravez pas la situation. Que diable ferait Loretta de ces fameux papiers ? D'ailleurs, je crois savoir que les négociations se déroulent normalement. N'est-ce pas, Julian ?

— En effet, fit ce dernier en fronçant les sourcils. Aucune puissance étrangère ne s'est servie de vos maudits documents.

Piers se cala contre le dossier de sa chaise. Une ombre de tristesse passa dans son regard. Peut-être avait-il cessé depuis longtemps d'aimer sa femme.

— Dans ce cas, les accusations de Garrard ne tiennent pas.

Charlotte se souvenait d'avoir vu dans le jardin d'hiver une femme consumée de désir pour un homme qui ne l'aimait pas ; c'était là le point de départ de cette tragique histoire.

— Détrompez-vous, Mr. York, dit-elle à haute voix. Ces documents n'ont pas été volés pour que leur contenu soit utilisé au cours de négociations...

— Ah ! Vous voyez ! C'est bien ce que je disais ! s'exclama Julian, s'accrochant à ce nouvel espoir.

— Lorsque vous cédez aux exigences d'un maître chanteur, poursuivit Charlotte, vous êtes obligé de continuer à payer ; vous êtes un jouet entre ses mains puisqu'il détient le pouvoir. Le pouvoir de détruire qui vous vouliez, quand bon vous semblait, n'est-ce pas, Mrs. York ? L'homme que vous aimiez aimait Cerise. Pour vous, il éprouvait de l'aversion. Vous ne le lui avez jamais pardonné.

Elle croisa le regard de Loretta. Elle lui avait à l'instant porté le coup ultime. Après ce qu'elle venait d'entendre, celle-ci aurait été capable de la tuer, si elle l'avait pu.

— Pensiez-vous que cette pauvre femme de Seven Dials était Cerise ? poursuivit Charlotte, impitoyable. Est-ce pour cela que vous lui avez brisé la nuque ? Vous avez perdu votre temps. Ce n'était pas Cerise, mais une servante sans travail, réduite à la prostitution.

— Vous l'avez tuée ! rugit Garrard. Vous pensiez que c'était Cerise et vous l'avez tuée !

— Calmez-vous, mon ami.

Loretta se savait acculée, prise au piège. Son âme avait été mise à nu ; Garrard l'avait rejetée au vu de tous. Pour elle, il était perdu à jamais ; elle ne pourrait plus le faire souffrir. Elle n'avait plus d'armes pour se battre.

Garrard avait subi ses menaces, son chantage, durant toutes ces années, redoutant chacune de leurs rencontres, craignant qu'un jour elle ne dévoile ses faiblesses, qu'elle ne ruine sa réputation, son statut social, sa carrière. Maintenant l'heure était venue de sa revanche.

— Vous l'avez tuée, répéta-t-il calmement. Vous avez forcé cette pauvre femme à se déguiser, afin de faire accuser de meurtre ce policier. Qui était-ce ? Une servante que vous aviez renvoyée et que vous saviez où retrouver ?

Loretta le dévisagea, muette. La vérité était peinte sur son visage si clairement qu'elle ne pouvait nier.

— Et Dulcie ? poursuivit-il. Vous l'avez défenestrée ! Pourquoi ? Que savait-elle ? Qu'avait-elle vu ?

Elle partit d'un rire hystérique. Les larmes coulaient sur ses joues. Sa voix se fit suraiguë.

— Oh, mon Dieu, Garrard, ne me dites pas que vous l'ignorez !

Jack se leva et se dirigea vers elle.

— Asherson, venez m'aider, ordonna-t-il.

Comme un somnambule, Felix le suivit. A deux, ils

soulevèrent Loretta de son siège et l'entraînèrent hors de la pièce.

Vespasia se leva également, raide et pâle.

— Je vais téléphoner au commissaire Ballarat. Et au ministre de l'Intérieur.

Elle parcourut l'assistance du regard.

— Je vous dois des excuses, pour cette malheureuse soirée, mais voyez-vous, l'inspecteur Pitt est un ami. Je ne pouvais rester sans rien faire, à attendre qu'il soit pendu pour un crime qu'il n'a pas commis. Si vous voulez bien me permettre...

La tête haute, elle sortit majestueusement de la pièce, disposée à exercer toute son influence pour que Pitt soit relâché le soir même.

Après son départ, personne ne bougea.

Mais le mystère n'était pas résolu pour autant. Restait Cerise, la vraie Cerise. Et l'assassin de Robert York. Loretta avait-elle tué son propre fils ? Cela paraissait invraisemblable.

Les jambes tremblantes, Charlotte se leva.

— Mesdames, je pense que nous devrions nous retirer. Après ce qu'il vient de se passer, je pense que plus personne n'aura le cœur à manger. En tout cas, moi, je n'ai plus faim.

Elles obéirent docilement et quittèrent la salle à manger à pas lents. Adeline et Harriet sortirent ensemble, comme si la proximité physique leur donnait la force d'avancer. Sonia Asherson, lèvres serrées, était seule avec son chagrin. Charlotte sortit la dernière, après Veronica. Une fois dans le vestibule, elle l'entraîna vers la bibliothèque, ferma la porte et s'appuya contre le vantail, bloquant l'issue. Veronica regarda autour d'elle, déconcertée.

— A présent, parlons de Cerise, dit Charlotte à voix basse. La vraie Cerise, celle qu'aimait Garrard. C'est vous, n'est-ce pas ?

Veronica écarquilla les yeux.

— Moi ? Mon Dieu ! Vous vous trompez ! Mais

pourquoi tenez-vous tant à le savoir? Pourquoi toute cette mise en scène? Qui êtes-vous?

— Charlotte Pitt.

— Charlotte... Pitt? Vous voulez dire que ce policier est votre...

— Mon mari, en effet. Et je ne le laisserai pas pendre pour le meurtre de cette femme.

— Ne craignez rien. La coupable, c'est Loretta. Elle a avoué son crime devant tout le monde.

— Ce n'est pas fini, dit Charlotte en tournant la clé dans la serrure. Je veux savoir qui est la vraie Cerise, et qui a tué votre mari. C'est vous, n'est-ce pas? Et Loretta le savait. Elle vous a protégée, bien que vous ayez tué son fils, parce qu'elle-même faisait chanter Garrard. Voilà pourquoi vous vous haïssiez. Vous ne pouviez vous permettre de vous dénoncer mutuellement.

Veronica hocha lentement la tête.

— Comment aurais-je pu?...

L'heure n'était pas à la pitié. Veronica n'était peut-être pas une espionne, mais elle était Cerise, une femme cruelle et passionnée, une criminelle.

— Inutile de nier, Veronica. Expliquez-moi... L'avez-vous tué pour pouvoir épouser Julian?

— Non! C'est faux! Je ne suis pas Cerise!

Veronica se couvrit le visage de ses mains et s'effondra dans un fauteuil.

— Oh, mon Dieu... Je suppose qu'il vaut mieux que je vous dise la vérité! Si vous saviez...

Charlotte s'assit sur une chaise et attendit.

— J'aimais Robert. Vous ne pouvez pas savoir à quel point je l'aimais. Lorsque je l'ai épousé, j'ai cru posséder tout ce qu'une femme pouvait désirer. Il était si beau, si charmant, si sensible. Il paraissait me comprendre. C'était pour moi un véritable compagnon. Je l'aimais tant.

Elle ferma les yeux, incapable de retenir ses larmes. Charlotte ne put s'empêcher de la prendre en pitié. Elle savait ce que signifiait aimer. Aimer quelqu'un au point que rien d'autre n'existe. Elle aussi avait connu cette solitude.

— Continuez, murmura-t-elle. Parlez-moi de Cerise.

Veronica fit un terrible effort sur elle-même ; tout son corps tremblait ; on aurait dit que chaque mot prononcé était une véritable torture.

— Robert a commencé à montrer une certaine froideur à mon égard.

Elle déglutit ; sa voix n'était plus qu'un murmure.

— Il désertait souvent le lit conjugal. Au début, j'ai pensé que j'étais fautive, que je ne faisais pas assez d'efforts pour lui plaire. J'ai tout essayé, mais sans résultat. C'est alors que je me suis dit qu'il devait y avoir quelqu'un d'autre dans sa vie...

Elle s'interrompit, bouleversée par la violence de ses souvenirs. Charlotte attendit encore. Son instinct lui disait d'aller prendre Veronica dans ses bras, pour alléger sa peine, lui faire comprendre qu'elle n'était pas seule au monde. Mais la raison lui conseilla la patience.

Veronica parvint à se ressaisir.

— Un jour, dans la bibliothèque, j'ai trouvé un mouchoir rouge vif. Je savais qu'il ne m'appartenait pas, pas plus qu'à Loretta. Une semaine plus tard, j'ai découvert un ruban, puis une rose en soie, toujours de cette maudite couleur. Robert passait beaucoup de temps en dehors de la maison. Je pensais que c'était à cause de son travail. Je pouvais le comprendre. Les femmes doivent accepter ce genre de chose.

— Et Cerise ? L'avez-vous vue ?

Veronica prit une profonde inspiration et expira en frissonnant.

— Oui. Je l'ai vue de dos, très brièvement, au moment où elle quittait la maison par la porte principale. Elle était si... si gracieuse ! Je l'ai revue, un soir, par hasard, au théâtre ; j'étais assise au balcon. J'ai voulu la rejoindre, mais elle était déjà partie.

Charlotte était bien obligée de la croire ; le récit était trop douloureux pour avoir été inventé.

— Continuez, fit-elle avec douceur.

Veronica poursuivit d'une voix rauque, comme si elle revivait la scène :

— Un jour, j'ai trouvé un bas dans la chambre de Robert. J'ai pleuré toute la nuit... Je pensais vivre le pire moment de mon existence...

Elle émit un son étrange, à mi-chemin entre le rire et le sanglot.

— Mais je me trompais ! Un soir, j'ai senti que Cerise était dans la maison Quelque chose m'avait réveillée. Il était minuit passé et j'ai entendu un bruit de pas sur le palier. Je me suis levée et j'ai vu Cerise sortir de la chambre de Robert. Je l'ai suivie. Elle avait dû m'entendre, car elle s'est glissée dans la bibliothèque...

Sa voix s'éteignit

— Je suis entrée dans la pièce et je lui ai fait face. Elle était... vraiment très belle. Si... élégante.

Elle tourna vers Charlotte un visage ravagé de larmes et de douleur.

— Je l'ai accusée d'être la maîtresse de mon mari. Elle s'est mise à rire, là, au beau milieu de la bibliothèque, et son rire semblait ne jamais vouloir s'arrêter. Folle de rage, j'ai empoigné le cheval en bronze posé sur le bureau et je l'ai frappée, de toutes mes forces. Le coup l'a touchée à la tempe ; elle s'est écroulée. Je suis restée immobile et puis je me suis penchée sur elle. Elle ne bougeait pas. J'ai attendu, mais elle ne bougeait toujours pas. J'ai pris son pouls, écouté sa respiration. Rien. Elle était morte. Et puis je l'ai regardée plus attentivement...

Elle était livide. Charlotte n'avait jamais vu personne dans un pareil état. Sa voix n'était plus qu'un murmure presque inaudible.

— J'ai touché sa chevelure... Elle m'est restée dans la main. C'était une perruque. A ce moment j'ai reconnu Robert... déguisé en femme. Cerise, c'était mon mari !

Elle ferma les yeux et pressa ses poings sur ses paupières.

— Loretta faisait chanter Garrard parce qu'il aimait Robert. Il avait toujours su qui était Cerise. Voilà pourquoi elle a décidé de me protéger. Elle me haïssait d'avoir tué son fils, mais ne supportait pas l'idée que tout le monde sache que son unique héritier était un travesti.

« Je suis remontée à l'étage ; j'étais trop en état de choc pour pleurer. J'ai pleuré bien plus tard. Je suis allée trouver Loretta et je lui ai tout expliqué, sans même penser à lui mentir. Elle est descendue avec moi dans la bibliothèque. Nous sommes restées là, toutes les deux, à regarder Robert habillé de cette maudite robe, la perruque posée à côté de lui. Il avait le visage poudré et maquillé. Le plus terrible, c'est qu'il était beau ! C'en était presque... obscène !

Elle se remit à pleurer et cette fois, sans réfléchir, Charlotte s'agenouilla à ses côtés et l'entoura de ses bras.

— Alors, à deux, vous l'avez déshabillé, vous lui avez mis sa robe de chambre... Vous avez fait disparaître la robe rouge et la perruque et vous avez brisé l'une des vitres de la bibliothèque. Où sont passés les objets supposés volés ?

Veronica sanglotait si fort qu'elle était incapable de répondre. Trois années d'angoisse et de tourments venaient enfin de trouver leur exutoire. Elle avait besoin de pleurer jusqu'à épuisement.

Charlotte continua à la tenir serrée dans ses bras et attendit. Au fond, peu lui importait de savoir où étaient les objets volés. Probablement au grenier. Ils n'avaient pas été revendus, Pitt l'avait vérifié.

La maison de Vespasia résonnait de tous ces drames intimes. Piers York et sa femme, que la police allait emmener. Pauvre homme, songea Charlotte ; quelles qu'aient été ses désillusions depuis le jour de son mariage, rien n'avait pu le préparer à une telle douleur. Felix subirait le cruel contrecoup de la révélation de son amour pour Harriet. Une passion par ailleurs sans espoir ; le divorce serait la ruine de tous et aucun bonheur ne pourrait en découler. Sonia, qui avait assisté à la déclaration d'amour de son mari à une autre femme, en public, ne pouvait plus cacher son chagrin et faire semblant de ne rien savoir ; à moins qu'elle ne se fût effectivement doutée de rien, jusqu'à ce soir-là. Quant à tante Adeline, elle souffrirait pour tout le monde.

Julian devait être trop occupé pour venir les déranger dans la bibliothèque, et bien content que Miss Barnaby soit allée réconforter sa fiancée, qui, supposait-il, avait simplement subi un grand choc émotionnel.

Les minutes s'écoulaient, interminables, dans la pièce silencieuse. Enfin Veronica, épuisée d'avoir tant pleuré, finit par se lever. Son beau visage était méconnaissable.

Charlotte lui tendit le petit mouchoir qu'elle avait dans la poche.

— Je suppose que je serai pendue, dit Veronica d'une voix étrangement calme et paisible. J'espère que tout va très vite.

— Pourquoi seriez-vous pendue ? répondit Charlotte. Il n'y a aucune raison que les gens soient au courant. Vous aviez seulement l'intention de le frapper ; par malchance, vous lui avez porté un coup mortel sur la tempe.

Veronica écarquilla les yeux.

— Vous... vous ne direz rien à personne ?

— Non. Je n'en vois pas l'utilité. Je pensais être une femme civilisée, mais depuis que mon mari a risqué la corde, j'ai découvert en moi une sauvagerie qui m'a fait oublier toute raison, quand il s'est agi de sauver ceux que j'aime. Une force incompréhensible, incontrôlable. J'imagine que c'est ce que vous avez ressenti en voyant Cerise.

— Et Julian ? Ne va-t-il pas me haïr, croyant que je suis Cerise et que j'ai séduit son père ?...

— Dites-lui la vérité.

Veronica baissa la tête.

— Il me quittera, de toute manière. J'ai tué Robert, et j'ai menti pendant trois ans pour dissimuler mon crime. J'ignorais les sentiments de Loretta envers Garrard, mais si je le lui dis, je suppose qu'il ne me croira pas.

Charlotte lui prit les mains.

— S'il vous quitte, cela signifiera qu'il ne vous aime pas comme vous méritez de l'être. Vous devrez apprendre à vivre sans lui. Plus tard, vous rencontrerez un autre homme. Ce n'est pas votre faute si vous avez perdu Robert. Vous l'aimiez; mais aucune femme n'aurait pu occuper son cœur. Julian est différent. S'il vous aime, il vous aimera encore, même en sachant la vérité. Croyez-moi, nous avons tous quelque chose à nous faire pardonner. L'amour qui exige de l'autre un passé sans tache et sans douleur n'est que désir de possession. Aucun être humain ne devient adulte sans avoir commis un acte dont il a honte; en l'acceptant, nous aimons les forces mais aussi les faiblesses de l'autre et c'est ainsi que se créent de véritables liens. Dites la vérité à Julian. Si c'est un homme de cœur, il acceptera votre passé, peut-être pas tout de suite, mais plus tard.

Veronica releva le menton, rouvrit grands les yeux; elle paraissait plus sereine; ses tensions, ses peurs semblaient envolées.

— C'est promis, murmura-t-elle. Je lui dirai tout

Soudain, on frappa discrètement à la porte.

Charlotte se leva et alla déverrouiller la serrure. La porte s'ouvrit en grand sur tante Vespasia, qui s'écarta, un léger sourire aux lèvres, pour laisser la place à Emily, toujours vêtue en servante, mais sans son tablier. Jack l'enlaçait tendrement par la taille. A leurs côtés se tenait Pitt, sale, les yeux cernés, les traits marqués, mais le radieux sourire qui illuminait son visage le rendait beau.

Cet ouvrage a été imprimé en France par

BUSSIÈRE

à Saint-Amand-Montrond (Cher)
en janvier 2012

Dépôt légal : janvier 2001.
Nouveau tirage : janvier 2012.
N° d'impression : 114017.